Carsten Sebastian Henn
Eine Prise Sterne

PIPER

Zu diesem Buch

Hinauf zu den Sternen – davon träumte der Astronom Marc Heller schon seit der Kindheit. Nun, da ihm die Leitung des Paranal-Observatoriums in Chile zugesagt wird, kommt er seinem Traum ein Stück näher. Am Abend dieser freudigen Nachricht trifft er in Köln zufällig Anne, seine große Jugendliebe, wieder. Aber ihr ist nicht nach Feiern zumute, wurde sie doch gerade sitzen gelassen. Dabei ist es ihr größter Wunsch, eine Liebe zu finden, die bleibt – für immer. Und weil er Anne glücklich wissen will, fasst Marc einen Plan. Erstens: Den perfekten Mann für sie zu finden. Zweitens: Es wie Schicksal aussehen zu lassen, denn daran glaubt die junge Sommelière. Drittens: Anne soll nie erfahren, dass er dahintersteckt. Mit naturwissenschaftlichem Eifer macht sich Marc ans Werk, vergisst dabei aber, dass die Liebe unberechenbar ist. Und dass manches vielleicht vorherbestimmt ist …

Carsten Sebastian Henn, geboren 1973 in Köln, arbeitet als Schriftsteller, Weinjournalist und Restaurantkritiker. Er ist Chefredakteur des Vinum Weinguides sowie des Weinmagazins Vinum. Seit 2017 kürt er in der ZDF-Kochshow »Stadt, Land, Lecker« als Juror kulinarische Gewinner. Wenn er einmal nicht seiner Leidenschaft fürs Kochen nachgeht, ist er in seinem Riesling-Weinberg an der Terrassenmosel zu finden, oder bei seinen Bienen und Hühnern. Stets ist er auf der Suche nach neuen Gaumenfreuden – gerne mit einer Prise Sterne.

Carsten Sebastian Henn

Eine Prise

Roman

PIPER

Mehr über unsere Autoren und Bücher:
www.piper.de

Von Carsten Sebastian Henn liegen im Piper Verlag vor:

Professor-Bietigheim-Krimis:
Die letzte Reifung
Der letzte Aufguss
Die letzte Praline
Der letzte Whisky
Der letzte Champagner
Der letzte Caffè

Gran Reserva
Das Apfelblütenfest
Eine Prise Sterne

MIX
Papier aus verantwortungsvollen Quellen
FSC® C083411

Ungekürzte Taschenbuchausgabe
ISBN 978-3-492-31402-2
Oktober 2018

erschienen im Verlagsprogramm Pendo
Umschlaggestaltung: U1berlin/Patrizia Di Stefano
Umschlagabbildung: Patrizia Di Stefano unter Verwendung mehrerer Motive von John W Bova/Getty Images und rondale/123RF
Satz: Uhl + Massopust, Aalen
Gesetzt aus der Aldus LT Std
Druck und Bindung: CPI books GmbH, Leck
Printed in the EU

Für Vanessa,
die immer an das Buch
und an die Macht der Sterne glaubte

»Jemand hat mir mal gesagt, die Zeit würde uns wie ein Raubtier ein Leben lang verfolgen. Ich möchte viel lieber glauben, dass die Zeit unser Gefährte ist, der uns auf unserer Reise begleitet und uns daran erinnert, jeden Moment zu genießen, denn er wird nicht wiederkommen. Was wir hinterlassen, ist nicht so wichtig wie die Art, wie wir gelebt haben.«

(Jean-Luc Picard)

Prolog

Licht ist in fünf Minuten aus!«

»Ja, klar, Mama.«

»Nicht ja, klar, Mama! Ich mein's ernst, Großer.«

»Ja, kla–« Marc grinste. »Ich mach's aus. Versprochen.«

»Du schreibst morgen direkt in den ersten beiden Stunden eine Mathearbeit.«

»Weiß ich doch.«

»Und Schlaf ist so wichtig.«

»Ja, Mama.«

»Morgen kommst du wieder nicht aus dem Bett!«

»Wenn du noch länger in der Tür stehst, ganz bestimmt nicht.«

Marcs Mutter straffte den Körper. »Jetzt mal nicht frech werden.«

»Nein, Mama. Ich will nur schlafen, bin ganz müde.« Er rieb sich die Augen. Hoffentlich war das nicht zu dick aufgetragen.

»Ich guck gleich noch mal rein!«

»Dann schlaf ich sicher schon.« Er gähnte. Was musste er noch tun, damit sie ihm glaubte?

»Du bist so ein Schauspieler …«

»Gute Nacht, Mama. Hab dich lieb!«

»Ich dich auch. Aber manchmal könnte ich dich …« Sie ballte die Hände spielerisch zu Fäusten, dann setzte sie sich zu Marc auf die Bettkante und küsste ihn auf die Stirn. Marc kuschelte sich in seine Decke und schloss die Augen. Mit einem langen Seufzer verließ seine Mutter das Zimmer.

Die nächsten Minuten würden quälend lang werden.

Sie schaute immer noch einmal rein, gut zehn Minuten später, nachdem sie alle Türen und Fenster im Haus geschlossen hatte. Ganz leise prüfte sie dann, ob er schlief – und dachte, er merke es nicht. Marc wandte das Gesicht für diesen Moment immer zur Tür, sodass sie es direkt beim Hereinkommen sehen musste, ließ den Mund etwas offen stehen und atmete extra tief und langsam. Diesmal war er so aufgeregt, dass er das Warten kaum aushielt. Sie ließ sich heute wahnsinnig viel Zeit!

Dann endlich das verräterische Knirschen der Scharniere seiner Zimmertür. Jetzt guckte sie bestimmt. Wartete einige Sekunden und lächelte dann zufrieden. Schließlich erklang das Geräusch der sich schließenden Tür.

Noch fünf Atemzüge warten.

Auf Nummer sicher gehen!

Eins, zwei, drei … Marc öffnete die Augen. Dunkelheit. Stille. Langsam ließ er die Beine unter der Bettdecke hervor und aus dem Bett gleiten, setzte die Füße so vorsichtig auf den Flokati, als bestünde dieser aus Glasscherben. Vier Schritte bis zum Fenster. Den Rollladen zog er leise empor.

Es war dunkel genug. Und der Himmel klar. Kein Mond zu sehen, dafür Hunderte Sterne. Sein Teleskop stand ausgerichtet bereit. Jede Nacht, wenn die Wolken über Köln ihn ließen, sah er hinauf in den Himmel, immer in einen anderen Teil. Marc hatte ein Raster ausgeklügelt, um in einem Jahr möglichst viele Sterne zu Gesicht zu bekommen.

Ein Geräusch im Flur.

Marc sprang zurück ins Bett.

Doch wenn seine Mutter nochmals hereinschaute, würde

das auch nichts nützen, denn der hochgezogene Rollladen war unübersehbar.

Marcs Herz pochte so laut, dass es jeder im Haus hören musste. Er würde verdammt viel Ärger bekommen.

Die Schritte seiner Mutter näherten sich zielstrebig der Zimmertür. Plötzlich rief sein Vater aus dem Wohnzimmer: »Komm schnell, du verpasst sonst deinen geliebten Professor Brinkmann!«

Die Schritte seiner Mutter entfernten sich.

Marc atmete aus.

Die Schwarzwaldklinik hatte ihn gerettet.

Diesmal stand er schnell auf, denn er wusste, dass er nur bis zum Ende der Folge Zeit hatte. Doch bevor er durch den Sucher des Teleskops blickte, schaute er hinüber zum Nachbarhaus, wo Anne Päffgen in der ersten Etage ihr Zimmer hatte. Durch die Ritzen ihres Rollladens schien Licht hindurch, und Marc konnte die Silhouette von Annes Mutter erkennen, die ihr auf dem Schreibtischstuhl sitzend etwas vorlas. Zurzeit *Anne auf Green Gables*, wegen des Vornamens. Das hatte Anne ihm heute auf dem Schulweg erzählt. Sie erzählte immer viel und gern, und er hörte ihr genauso gern zu und lächelte. Weil er verliebt war, was er Anne aber nie sagen würde. Sonst fände sie ihn total peinlich. Aber wenn sie älter wären, dann würde er sie heiraten, so viel war sicher.

Im Garten der Päffgens stand ihre Schaukel, die jetzt im Licht der Nacht glänzte, als wäre sie silbern, dabei war sie eigentlich rot. Auf der schaukelte Anne so hoch, als wollte sie abheben und in den Himmel fliegen. Die einbetonierten Metallstangen wackelten dann immer ganz doll. Manchmal beobachtete er Anne dabei, dann winkte sie ihm zu, auf dem Scheitelpunkt der Bewegung, im kurzen Moment der Schwerelosigkeit. Das war der glücklichste Sekundenbruchteil für ihn. Marc fand die Schwerkraft richtig doof, weil sie Anne daran hinderte weiterzuwinken. Wenn er könnte, würde er die abstellen, wie im Weltraum, da gab es schließlich auch keine.

In Annes Zimmer ging das Licht aus. Marc wünschte ihr im Stillen Gute Nacht und sah dann durch den Sucher seines Spiegelteleskops. Eine Million Sterne waren damit sichtbar! Sagenhafte dreihundertfünfzigfache Vergrößerung! Und mit der Barlow-Linse konnte er die Auflösung sogar verdoppeln. Es war ein Traum. Das beste Weihnachtsgeschenk aller Zeiten auf der ganzen Welt für immer und ewig.

Es dauerte etwas, bis Marc den ersten Ausschnitt scharf gestellt hatte. Er verglich ihn mit der unter seiner Schreibtischauflage versteckten Sternenkarte.

Heute suchte Marc am Dämmerungshimmel bis zu neunzig Grad Sonnenabstand, genau wie der berühmte neuseeländische Hobbyastronom William Ashley Bradfield, den man »Zauberer von Dernancourt« nannte, weil er so viele Kometen entdeckt hatte.

Marc kniff die Augen zusammen.

Vielleicht würde er ja heute auch …

Gleich noch mal.

Das konnte nicht sein!

Er kontrollierte die Linse. Sie war makellos sauber.

Wieder sah er durch das Teleskop.

Der helle Fleck rechts oben durfte sich nicht im Sternbild Wasserschlange befinden.

Wenn er sich bewegte, viel schneller als die Sterne, dann …

Marc hielt den Atem an.

Hatte er sich bewegt? Ja, hatte er!

Oder war das Einbildung?

Vielleicht hatte er vor Aufregung das Teleskop angerempelt?

Marc drehte mit zitternden Fingern die Barlow-Linse auf. Dann sah er wieder hindurch.

War das ein Schweif? Das war ein Schweif, oder? Das konnte nur ein Schweif sein!

Marcs Herz raste, während er darauf wartete, eine deutliche Bewegung wahrzunehmen, wobei er diesmal tunlichst darauf achtete, das Teleskop nicht zu berühren.

Der Punkt hatte sich bewegt.

Und das hinter ihm konnte nur ein Schweif sein.

»Mama! Papa!«, brüllte Marc und sprang auf, die Hände gereckt. »Ihr müsst sofort herkommen! Es ist was passiert! Kommt schnell!«

Er hörte, wie seine Eltern zu ihm liefen. »Was ist los?« und »Ist was passiert?«, aber Marc hatte keine Zeit zu antworten, er blickte schon wieder durch das Teleskop. Da war der Komet, eine echte Schönheit. Er musste ihn gleich morgen früh bei der International Astronomical Union melden, die Formulare dafür hatte er schon besorgt. Seine Eltern hatten es belächelt, ihm aber dennoch dabei geholfen. Das Porto war ganz schön teuer gewesen. Fast ein ganzer Monat Taschengeld war dafür draufgegangen. Jeder Pfennig davon hatte sich gelohnt.

Er würde dem Kometen einen Namen geben dürfen.

Längst wusste er, welcher das sein würde. Da gab es überhaupt keine Frage.

Er würde ihn nach dem Mädchen hinter dem Rollladen benennen.

Er würde diesen Himmelskörper Anne Päffgen taufen.

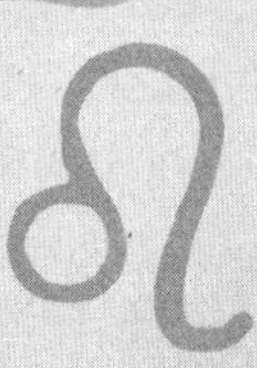

Löwe (24. Juli – 23. August) Schwieriger Start. Sie geraten bereits morgens ins Grübeln. Richtig effektiv sind Sie heute nicht. Nach dem Mittag bis zum Abend kommt es zu heftigen Auseinandersetzungen. Am Abend wollen Sie sich nicht mit dem abfinden, was notwendig ist. So werden Sie unzufrieden. Überlegen Sie sich Änderungsmöglichkeiten. Gehen Sie heute mal früh ins Bett. Ob allein oder zu zweit, ist Ihnen überlassen.

Kapitel 1

In dieser Nacht würden so viele Sternschnuppen über Köln fallen wie noch nie. Als sollten die Wünsche aller Stadtbewohner gleichzeitig erfüllt werden. Der Himmel über dem Rhein würde voller Lichter sein und Köln überraschende Bekanntschaft mit der Milchstraße machen. Doch bis all dies geschehen würde, sollte es noch siebenunddreißig Minuten dauern.

Marc ahnte nichts davon. Er saß schlecht gelaunt in der elften Etage des Hotels im Wasserturm und drehte kleine Kügelchen aus dem Papier seines Vortrags, um mit ihnen historische Sternbilder zu bilden. Sie zählten nicht zu den achtundachtzig von der International Astronomical Union akzeptierten, sondern waren längst verworfen worden. Marc mochte sie trotzdem, vor allem wegen ihrer Namen. Direkt vor ihm erstrahlte der »Heißluftballon«, daneben die »Buchdruckerwerkstatt« und fast am Rand des Tisches die »Katze«. Um sie herum legte er Kometenschauer.

Dies war der Abend, von dem seine Zukunft abhing, doch er wäre überall lieber gewesen als hier.

Marc blickte zu Henny, seiner Kollegin vom Radioteleskop Effelsberg, die ihn netterweise begleitet hatte. »Warum muss das hier unbedingt in der Nacht der Perseiden stattfinden? Das ist doch unglaublich!« Man nannte den Meteorstrom auch die Tränen des Laurentius. Er gehörte zu den eindrucksvollsten Schnuppenschwärmen. Doch er würde keine einzige Sternschnuppe zu sehen bekommen. »Mein nächster Bewerbungsvortrag findet dann am besten während einer totalen Sonnenfinsternis statt. Oder noch besser am Tag des Weltuntergangs!«

»Ich weiß jetzt langsam, dass es dich nervt. Du erwähnst es nämlich ungefähr alle fünf Sekunden.« Henny blickte in den Saal und lächelte ihr schönstes Lächeln. Das passte gut zu ihrem schönsten Kleid und ihren schönsten, viel zu engen, hochhackigen Schuhen. Eigentlich hieß sie Dr. Henriette Range und hätte auch viel lieber die Perseiden beobachtet. »Lächele endlich glücklich. Sonst denken die Chilenen noch, du willst lieber in der Eifel bleiben. Verbock das nicht! Ist schließlich die Chance deines Lebens.«

Marc lächelte. Es sah aus, als wäre ihm jemand auf den Fuß getreten. Dabei würde er, Dr. Marc Heller, der schlaksige Buddy-Holly-Brillenträger aus Köln-Lindenthal, der Mann, der es für seine größte Errungenschaft hielt, den Todesstern aus Lego in viereinhalb Stunden ohne Anleitung zusammengebaut zu haben, vielleicht schon mit zweiunddreißig Jahren den Zenit in der Welt der Astronomie erreichen. Indem er Leiter des ALMA wurde, des Atacama Large Millimeter/submillimeter Array, und damit des größten und teuersten Radioteleskops der Welt, in den chilenischen Anden auf dem Chajnantor-Plateau errichtet. Es empfing Millimeterwellen und sogar Submillimeterwellen. Auf fünftausend Metern Höhe war Luftverschmutzung ein Fremdwort, und man war dem Himmel ganz nah. Die Sterne glitzerten, als könnte man sie sich mit der bloßen Hand vom schwarzen Samt der Nacht greifen.

Gerade lobte der Vorstandsvorsitzende des ALMA, Dr. Juan Antonio Pizzi, seine herausragende Bewerbung. Ende sechzig und von kleinem Wuchs, machte Pizzi mit grellen Farben wett, was ihm an Größe fehlte. Er liebte knallbunte Krawatten und farblich darauf abgestimmte Schuhe. Heute war Rot angesagt. Pizzi galt als Enfant terrible der astronomischen Gemeinschaft, aber ebenfalls als brillanter Geist.

»Als wir einen Mann seines Alters in die Endrunde der Bewerber beriefen, waren fast alle Fachleute…«, er legte eine dramatische Pause ein, in der er die rechte seiner buschigen Augenbrauen langsam nach oben zog, »…kein bisschen überrascht!«

Pizzi erntete wie erhofft Lacher.

Nur von Marc nicht, der aus den Fenstern hinaus in die Nacht über Köln blickte. Er hasste es, im Mittelpunkt des Interesses zu stehen. Man wurde nicht Astronom, weil man die Einsamkeit verachtete und stattdessen lieber vor vielen Menschen sprach. Marc würde es vor Henny nie zugeben, aber er hatte unfassbare Angst, die sich gerade in seinem Inneren verteilte wie dunkle Tinte in einem Wasserglas.

»Wenige Menschen sind so sehr den Sternen verbunden wie er. Marc Heller verbindet ein Herz für die Sterne mit dem Intellekt für ihre Erforschung. Als stellarer Archäologe steht er an vorderster Front der Erforschung unserer ältesten Gestirne. Kaum jemand blickt weiter in der Zeit zurück als er, fast bis zum Urknall. Es war sein untrüglicher Instinkt, der zu einer spektakulären Entdeckung führte, die eigentlich gar nicht in sein Forschungsgebiet fällt: eines neunten Planeten im Sonnensystem, der etwa zehnmal so massereich wie die Erde ist. Dieser äußerste, echte Planet braucht für den Umlauf um die Sonne zehn- bis zwanzigtausend Jahre – sein Vortrag wird sicher kürzer dauern, aber viel unterhaltsamer sein. Meine Damen und Herren, begrüßen Sie bitte mit mir den Mann, der möglicherweise in einem Jahr das ALMA übernehmen wird: Marc Heller!«

Henny stupste den neben ihr in seinen Papierkugel-

Konstellationen versunkenen Marc mit dem Ellbogen an. »Dein großer Auftritt. Und für jedes Mal wenn du rausguckst, esse ich dir einen von den Snickers aus deinem Geheimvorrat in Effelsberg weg.«

»Woher weißt du von dem ...?«

»Später! Jetzt rock den Saal!«

Marc schaute nochmals durch die dunkle Fensterfront. Ein Wunder, nur ein winzig kleines, mehr verlangte er gar nicht vom Leben. Zum Beispiel, dass ein Meteor in Köln einschlug, das Stromnetz zerstörte und so den Blick auf den Nachthimmel freigab. War das etwa zu viel verlangt? Marc wartete kurz, stand dann enttäuscht auf, als nichts durch das Dach krachte.

»Ein Snickers ist schon gegessen«, sagte Henny.

Marc trat ans Mikrofon des Rednerpults. Stellte es quietschend auf seine Höhe ein. Dann wieder herunter. Abermals hoch. Er zupfte an seinem Hemdkragen. Das Sakko schien falsch zu hängen. Er zog es gerade. An allen Seiten.

»Fang an!«, zischte Henny.

Marc nickte. »Eine der wichtigsten Folgen der britischen Science-Fiction-Serie *Doctor Who* heißt *Der zehnte Planet*. Bei Nummer neun sind wir jetzt schon.«

Wenn das kein super Einstieg war.

Henny schlug sich vor die Stirn, und Marc wusste, warum. Sie hatte ihm gestern eine Liste zugemailt mit Dingen, die er auf keinen Fall erwähnen sollte: *Doctor Who, Star Wars, Star Trek, Firefly, Plan 9 aus dem Weltall* sowie, und das dreimal dick unterstrichen, die Perseiden.

»Ob in *Star Wars* oder *Star Trek*, das Auftauchen eines neuen Planeten wäre in jedem Universum eine Sensation. Mancher hält es vielleicht für so unglaubwürdig wie den berühmten *Plan 9 aus dem Weltall*...«, Marc hörte das wiederholte Klatschen von Hennys Hand gegen ihre Stirn, »... aber oft ist das Unglaubwürdige nur das, was wir noch nicht kennen. Was werden die Menschen wohl gedacht haben, als sie erstmals die Perseiden sahen, die auch in dieser Nacht wieder die Erde passieren?«

Hennys Kopf knallte auf den Tisch.

Ohne auch nur einmal in den Saal zu sehen, las Marc weiter sein Manuskript vor und blätterte dann zur nächsten Seite.

Doch die existierte nicht.

Oder nur noch in Form von Papiersternen an seinem Platz.

Auf Seite zwei hatte er alle Zahlen zu seiner Forschung zusammengetragen. Marc starrte einige Sekunden vor sich auf das Pult, dann blickte er auf und versuchte, ein Lächeln zustande zu bringen. Teile seines Gesichtes weigerten sich jedoch mitzumachen. Er verbockte tatsächlich gerade die Chance seines Lebens.

Ein Murmeln war aus dem Saal zu hören, das mit jeder Sekunde anschwoll, wie ein sich näherndes Gewitter. Pizzi blickte demonstrativ auf seine rote Armbanduhr. Marc spürte die Blicke auf sich haften, als wären es Blutegel, die weitere Kraft aus ihm saugten.

Er prüfte noch einmal das Manuskript, aber die Seite blieb verschwunden. Dann suchte er auf dem Boden, obwohl ihm natürlich klar war, dass die Seite in kleinen Kügelchen auf dem Tisch lag. Zusammenkleben ausgeschlossen.

Tief Luft holend blickte er auf. Als Astronom wusste er: Wenn ein Stern erlosch, konnte man absolut nichts machen. Es dauerte nur immer etwas, bis alle es mitbekamen.

Der Zeitpunkt im Saal war genau jetzt.

Er würde also in der Eifel bleiben. Das Radioteleskop Effelsberg gehörte zu einem Ortsteil Bad Münstereifels mit hundertneunundsechzig Einwohnern. Nachts war das beruhigende Summen des sich ausrichtenden Hundert-Meter-

Parabolspiegels das einzige Geräusch. Hase und Igel sagten sich hier nicht gute Nacht, denn selbst ihnen war es schlicht zu einsam. Er würde für immer dort bleiben. Diese Schmach würde sich in der astronomischen Szene herumsprechen, und keine Universität blamierte sich gerne mit einem ihrer hochrangigen Wissenschaftler.

Das Murmeln war nun durchsetzt mit mürrischen Worten.

Marc wollte etwas Entschuldigendes sagen, doch er bekam den Mund nicht auf. Sie starrten ihn nun alle fassungslos an.

Er würde einfach gehen.

Aus dem Saal. Aus dem Hotel. Aus Köln. Einfach gehen. Nicht zurückschauen.

Seine Hände ließen die einzige noch existierende Seite des Manuskripts los.

Er wollte gerade gehen, als die Lichter ausgingen.

In der elften Etage.

Im ganzen Hotel im Wasserturm.

In der Kölner Altstadt.

Dann zog die Dunkelheit immer weitere Kreise. Die Stadtteile Bayenthal, Raderberg und Sülz verloren ihr Licht. Nicht nur die Häuser, auch sämtliche Werbeanzeigen, die Straßenlaternen, alle Ampeln, nur das Fahrtlicht der Autos war noch zu sehen, die sich nun langsam und vorsichtig über den Asphalt bewegten.

Marc spürte, dass sich die Blicke von ihm gelöst hatten, und die Verspannung in seinem Körper, der Druck auf seiner Lunge schwand. Es gab auch kein Murmeln mehr, sondern aufgeregte Stimmen.

Dann fiel die erste Sternschnuppe über Köln.

»Gerade ist im Sternbild Perseus eine Sternschnuppe zu sehen gewesen«, sagte Marc. Eigentlich nur zu sich selbst, aber in seiner Begeisterung hatte er laut gesprochen. Da seine Stimme tief und wohltönend war, hörten ihn die Anwesenden auch ohne Mikro. Sie wandten sich ihm zu.

»Mach weiter!«, hörte er Henny zischen.

»Aber die hören mir alle zu.« Marc schob sich nervös die Brille den Nasenrücken empor.

»Ja, eben. Denk sie dir von mir aus weg. Stell dir vor, du erzählst mir alles, und ich hätte keine Ahnung von Sternen.«

»Was der Wahrheit ziemlich nahekommt.« Er grinste.

»Das ist das zweite Snickers. Und das dritte. Jetzt mach endlich weiter.«

Marc räusperte sich. »Ein wenig kommt man sich hier oben im Restaurant wie in einer Sternwarte vor. Aber lassen Sie uns alle hinausgehen, um den Himmel noch besser betrachten zu können. Man sollte immer das Beste aus einer Situation machen – und sei es ein Stromausfall. Wir haben heute Neumond, ideal, um die Sterne zu betrachten. Zum Beispiel die da drüben, Henny.« Ups. »Ich meine natürlich das Sternbild Kassiopeia, das wir in Effelsberg spaßeshalber Henny nennen. Auch als Wissenschaftler darf man mal lustig sein. Dann ist ein Team viel motivierter, als wenn es immer bierernst zugeht.«

Er hörte Hennys unterdrücktes Lachen neben sich. Und musste selbst lächeln. Gerade noch gerettet. In den folgenden Minuten erklärte er ihr jedes Sternbild am Himmel, und als die ISS über Köln flog, brachte er ihr auch diese näher. Dann erschienen immer mehr Sternschnuppen, und Marc vergaß die Menschen um sich völlig. Er erzählte Henny von den größten Meteoritenströmen des Universums, den Quadrantinen, Lyriden, Tauriden, Leoniden und Geminiden, und von seiner Faszination für diese.

Als die Glocken von St. Pantaleon zur Mitternacht schlugen, war es, als ende ein Zauber, als verwandele sich die schöne unbekannte Prinzessin zurück in Aschenbrödel. Marc nahm die vielen Menschen um sich wieder wahr und wurde ganz still.

»Sag noch was«, drängte Henny. »Schlusssatz!«

»Eigentlich sprechen die Sterne für sich selbst.«

Die Runde nickte und erwartete mehr.

Henny stellte sich auf die Zehenspitzen, um ihm ins Ohr flüstern zu können. »Sag danke für Ihre freundliche Aufmerksamkeit, du sozial inkompatibles Wesen.«

»Danke für Ihre freundliche Aufmerksamkeit, du sozial inkompatibles Wesen«, wiederholte Marc ganz automatisch.

Er erntete Beifall. Ein wenig sprachliche Exaltiertheit gestand man einem Astronom wie ihm anscheinend zu.

Eine Hand legte sich auf Marcs Schulter und ließ ihn zusammenzucken. Er drehte sich um.

»Wollte Sie nicht erschrecken, mein lieber Kollege.« Dr. Pizzi hob die Hände entschuldigend empor. »Bei Ihrer Rede dachte ich noch, wir bekommen Sie niemals für die Anstellung durch, aber wie Sie diesen Stromausfall gemeistert haben, war grandios. Nun werde ich die entscheidenden Herren noch bei Kerzenlicht an der Hotelbar mit ordentlich Wodka abfüllen, um hoffentlich das endgültige ›Ja‹ einzuholen. Und Sie sollten im Kölner Dom eine Dankeskerze für diesen Stromausfall aufstellen. Der liebe Gott hat es sehr gut mit Ihnen gemeint!«

Henny schubste ihn neckisch. »Da sollte jemand ganz schnell katholisch werden.«

Dr. Pizzi wandte sich, die Arme einladend ausgebreitet, den noch viel zu nüchternen Entscheidern zu, und Henny zog Marc Richtung Treppenhaus.

»Schnell weg hier, bevor du wieder einen auf großer Schweiger machst. Mir ist ja fast das Herz stehen geblieben!« Sie schaltete ihr Handylicht an und wies den Weg.

»Also verlassen Sie sofort das Gebäude, Herr Dr. Heller. Das nächtliche Köln erwartet seinen Star-Astronomen!«

Henny wohnte auf der anderen Rheinseite in Köln-Deutz. Nach einer langen Umarmung machte sie sich auf den Weg zur Severinsbrücke, er selbst ging die sonst viel befahrene Neue Weyerstraße Richtung Barbarossaplatz. Seit Henny damals ihre Stelle in Effelsberg angetreten hatte, waren sie Freunde, eigentlich schon seit dem Moment, als sie durch die Tür in sein Büro getreten war und, statt ihm die Hand zu reichen, die Finger im Vulkaniergruß aus *Star Trek* gespreizt hatte. Da sie Hinterkopfzwillinge waren, fühlten sie sich ein wenig wie Bruder und Schwester. Mittlerweile genossen sie es, wenn sie verwechselt wurden, weil ihre Haare von hinten genau gleich aussahen. Keiner der beiden ging zum Friseur, ohne den anderen zu informieren. Henny war ein echter Kumpel geworden, keine andere Frau war dies je für ihn gewesen. Nicht immer verstand er, was sie sagte oder tat, aber so ging es ihm mit allen Frauen. Für ihn waren sie geheimnisvoller als der Sternenhimmel. Jede Supernova erschien ihm zielgerichteter als eine Frau beim Einkaufsbummel.

Nachdem Marc einige Schritte gegangen war, kam es ihm vor, als sei er wie Alice im Wunderland durch eine Zauberpforte getreten und flaniere nun durch eine fremde, fantastische Welt. Dies war ein anderes Köln. Die Menschen hatten Kerzen in ihre Fenster gestellt, die tanzendes Licht auf die leeren Straßen warfen. Einige Spaziergänger erleuchteten mit ihren Handys den Gehsteig vor sich, doch den meisten reichte das Licht der Sterne, um sich zu orientieren. Alle gingen langsamer als sonst, mit vorsichtigem Schritt, als sei der Boden unsicher und der Weg ungewiss. Über Köln regnete es jetzt Sternschnuppen. Wenn alle Wünsche dieser Nacht sich erfüllen würden, wäre Köln bald die glücklichste Stadt der Welt.

Eine Gruppe von drei tanzenden, jungen Frauen kam ihm entgegen. Sie hatten Wunderkerzen in den Händen, Blumensträuße aus Licht. Sie sangen ein Lied aus dem Musical, in das Henny ihn vor Kurzem geschleppt hatte. »*City of stars / Are you shining just for me? / City of stars / There's so much that I can't see / Who knows? / I felt it from the first embrace I shared with you / That now our dreams / They've finally come true*«. Heute war nicht Los Angeles die Stadt der Sterne, heute lag die Stadt der Sterne am Rhein.

Die Hochhäuser von Ibis-Hotel und Finanzamt erhoben sich vor ihm wie steile Felsen aus dunklem Gestein. Als Inseln aus Licht strahlten die von Notstromaggregaten versorgten Krankenhäuser in den Himmel der Stadt. Marc konnte die fahlen Lichtkreise über sich ausmachen, wo die Helligkeit alle Sterne verschluckte.

Die Stadt war nicht nur dunkel, sie war auch still. Fast so still wie die Eifel.

Sein Handy klingelte.

Oder besser, es spielte die ersten Takte der Titelmelodie von *Big Bang Theory*. Zuerst ging Marc nicht ran, wollte die Stille genießen – bis er begriff, dass es die jetzt sowieso nicht mehr gab.

Er nahm ab. »Ich möchte jetzt nicht telefonieren.«

»Endlich erreich ich dich! Hast du die Perseiden gesehen?«

Es war Prian, eigentlich Zesh Reman, sein bester Freund. Prians Mutter war Deutsche, sein Vater Pakistani. Kindheit und Jugend hatte Prian in Karachi verbracht, wo er auf die deutsche Schule gegangen war. Mitte der Achtzigerjahre, während der Militärdiktatur unter General Mohammed Zia-ul-Haq, war die Familie dann nach Köln übergesiedelt. Mittlerweile hatte Prian sogar einen leichten kölschen Akzent – und einen von Kölsch geformten Bauch. Normalerweise war er um diese Uhrzeit mit seinem Hund Darth Vader unterwegs. Ein gutmütiger, riesiger Labrador mit einer ebenso riesigen, aber schwachen Blase.

»Hab die Sternschnuppen gesehen und tu es immer noch. Dank dem Stromausfall – Gott muss es gut mit mir meinen.«

»Dann nenn mich ab jetzt bitte Gott, denn *das war i*ch!«

Marc blieb stehen. »Du nimmst mich auf den Arm!«

»Eigentlich sollte nur das Hotel den Stromausfall haben. Und zwar für fünf Minuten, damit du wenigstens ein paar der Perseiden sehen kannst. Aber das Kölner Netz scheint so ein Bockmist zu sein, dass die ganze Stadt plötzlich das Licht ausknipste. Hoffentlich kommen die nie drauf, dass ich dahinterstecke …«

»Du bist vollkommen irre, weißt du das?«

»Du wirst dich vielleicht wundern, aber das höre ich nicht zum ersten Mal.« Prian lachte. »War das Timing denn richtig? Ich wollte dich nicht bei deiner großen Rede stören.«

»Hätte nicht besser sein können, Gott.«

»Dann sollten wir uns treffen und feiern! Alle Gläubigen geben Gott heute einen aus. Opfergabe!« Seine Stimme klang plötzlich etwas weiter weg. »Ja klar, Darth, du und deine Blase, ihr dürft mit.«

»Aachener Straße?«, fragte Marc. »Wenn einer bei Stromausfall aufhat, dann dort.«

»Ist gebongt. *God will leave the building*!«

Die Kyffhäuserstraße, sonst ein buntes Leuchtfeuer in der Nacht, lag dunkel und still vor ihm. Nur in einem metallenen Mülleimer brannte es, hinter den Löchern und Ritzen glimmte die rote Glut. Das Feuer zog Marc an, vielleicht weil es das einzig Lebendige in der ausgestorbenen Seitenstraße war, in deren Restaurants, Pizzerien und Imbissstuben sonst

Studenten ihren Hunger stillten. Das Feuer knisterte so laut, dass Marc das Schluchzen erst hörte, als er nur noch gute zwanzig Meter von der Frau entfernt war. Sie saß auf dem Boden und warf wütend etwas ins Feuer. Ihr Gesicht wurde von den Flammen flackernd erhellt, unter den Augen blitzten Perlen auf. Sie weinte.

Marcs Schritte wurden langsamer. Wenn er weiter geradeaus ging, würde er auf sie treffen und etwas Tröstliches sagen müssen. Er hatte keine Ahnung, was das sein sollte. Was, wenn er etwas Falsches sagte und alles nur schlimmer machte? Oder die Frau ihn weinend umarmte? Wohin dann mit seinen Händen? Es gab am Körper einer Frau viele Stellen, die man lieber nicht berühren sollte. Sein Herz schlug schnell, und er entschied sich für einen großen Bogen.

Das Schluchzen hörte auf.

»Marc?«

Die Stimme klang gebrochen, als sei ein Sprung darin, wie bei einem dünnen Glas. Vielleicht meinte sie einen anderen Marc? War ja kein ungewöhnlicher Name. Schon im Mittelalter, dachte er sich, war Marc sowohl im deutschen wie im französischen Sprachraum weit verbreitet gewesen. In erster Linie als Adels- und Herrschername. In der Kyffhäuserstraße musste es deshalb statistisch gesehen einen anderen Marc geben. Einen, der wusste, wohin man seine Hände bei einer tröstenden Umarmung legte. Einen Marc, den diese Frau jetzt gut gebrauchen konnte.

Er ging weiter.

»Marc Heller?«

Das war sein Name. Marc blieb stehen und schob sich seine Buddy-Holly-Brille zurecht. Die Frau kannte ihn. Andererseits kannten ihn viele Menschen, oder? Schließlich hatte er ein wirklich schönes Profil bei Facebook. Und auf der Homepage des Radioteleskops Effelsberg wie auch der Astronomischen Gesellschaft Nordeifel e.V. existierte ein Foto von ihm. Schon mehrere Jahre alt, schlecht ausgeleuchtet, seine Haare waren damals noch lang gewesen, aber er war problemlos zu erkennen. Vielleicht hatte diese Frau einfach eine Frage zum Nachthimmel. Marc drehte sich trotzdem nicht zu ihr. Schließlich handelte es sich immer noch um eine weinende Frau. Die Sache mit dem Trösten war nicht aus der Welt.

»Ich bin's, Anne.«

Marc ging zu ihr. Sein Herz pochte hart. Mit jedem Schritt erkannte er mehr Details der zierlichen Frau, die er seit so vielen Jahren nicht mehr gesehen hatte. Das hellblonde, nur notdürftig zu einem Pferdeschwanz zusammengebundene Haar (einige Strähnen hingen ihr ins Gesicht), die gerundeten Hüften (mit denen sie noch nie glücklich war), die Kette mit einem Anhänger ihres Sternzeichens Löwe. Anne hatte schon immer eine Schwäche für Astrologie gehabt.

Im Schneidersitz saß sie vor dem lodernden Mülleimer mit dem Logo des schicken Restaurants hinter sich. Ihre hochhackigen, schwarzen Schuhe neben sich. Schon als Jugendliche hatte Anne Schuhe mit hohen Absätzen getragen, um die Zentimeter wettzumachen, welche die Natur ihr verweigert hatte. Von Annes Schultern herab floss ein dunkles Sommerkleid über ihren Körper, Sterne waren darauf gedruckt. Mit einem Blick erkannte Marc, dass die Konstellationen völliger Unfug waren. Das musste er ihr unbedingt mitteilen.

Leider fehlte etwas, das Anne Päffgen sonst immer trug: ihr Lächeln. Dabei war es das Wichtigste an ihr.

Marcs Stimme stolperte, als er sie ansprach: »Hey, Anne. Hab dich gar nicht erkannt.«

Sie sprang auf und fiel ihm schluchzend um den Hals. Marcs Hände fanden von ganz allein ihren Platz, als er sie in die Arme schloss. Lange hielten sie einander. Es war Anne, die ihre Umarmung wieder löste und ihr Haar ordnete.

»Lass dich anschauen, du bist groß geworden.« Sie verzog den Mund. »Gott, ich klinge wie meine eigene Tante.«

»Du bist auch …«, begann Marc, doch dann stockte er, »… älter geworden.« Hm, das klang irgendwie falsch. »Also auf eine gute Art und Weise!«

Anne ließ sich auf den Bürgersteig sinken. »Setzt du dich zu mir?«

Der Bürgersteig war dreckig, plattgetretene Kaugummis aus unzähligen Studentenmündern pappten darauf. Marc suchte in dem gesprenkelten Beton nach einem freien Flecken. Er fand einen – gut drei Meter entfernt.

»Warte«, sagte Anne und verschwand in dem Restaurant hinter sich. Es war das nach einem Oasis-Song benannte Champagne Supernova. Ein Sternelokal, in das Marc noch nie einen Fuß gesetzt hatte. Drinnen saßen die Gäste im Kerzenschein und schienen sich gut zu amüsieren. Anne erschien wieder, mit einem Pappkarton, den sie mit einigen gezielten Tritten plattmachte. Jeder Tritt schien ihr gutzutun.

Marc ließ sich auf dem Karton nieder.

Ein Lächeln erschien in Annes Gesicht, doch es hielt sich nicht lange dort, wurde fortgedrückt von tiefer Traurigkeit.

»Möchtest du drüber reden?«, fragte Marc.

»Nein«, sie schüttelte den Kopf. »Eigentlich nicht.«

Marc nickte. »Dann erzähle ich dir etwas. Heute kann man ganz viele Sternschnuppen sehen, vor allem im Sternbild Perseus. Schau mal nach oben, schräg rechts über dem Polarstern …«

»Er ist so ein Schwein, eine Sau, ein Arsch!«, brach es aus Anne heraus. »Nein, er ist ein Dreckschwein, eine miese Sau, und ein Riesenarschloch!«

Wieder rannte sie ins Restaurant und kam diesmal mit

einem Leder-Portemonnaie zurück, auf das rote Weintrauben gedruckt waren. »Da muss irgendwo noch eins drin sein!« Schließlich fand sie in einem hinteren Fach ein kleines, in Herzform ausgeschnittenes Foto. Sie warf es in den brennenden Mülleimer. »Und gleich mach ich zu Hause weiter!«

Marc wusste nicht, was er dazu sagen sollte, deshalb zeigte er auf das Sternbild Großer Wagen. »Da war gerade auch eine Sternschnuppe. Wünsch dir was.«

»Wünsch dir was? Wirklich?« Sie starrte Marc mit hochgezogenen Augenbrauen an. »Weil ich genau weiß, was ich mir wünsche: dass ich niemals auf diesen Idioten namens Dirk reingefallen wäre. Dirk, was für ein Name, den fand ich immer schon blöd.«

»Klingt wie der Ruf einer tropischen Kröte«, sagte Marc.

Sie lächelte ein wenig. »Ja, stimmt.« Sie ahmte den Ruf nach. »So eine dicke, schleimige Kröte.«

»Mit riesigem Kehlkopfsack.«

»Nee, der Sack war nicht so groß.« Sie grinste, doch wieder fiel der Ausdruck schnell in sich zusammen.

Anne atmete schwer. »Scheiße, ich hab ihn echt geliebt…«

Marc begriff, dass dies wieder ein Umarmungsmoment war. Er war wütend auf sich, weil er nichts daraus machte. Er bekam es einfach nicht hin.

»Was ist denn eigentlich passiert?«

Anne blickte in die Pfütze vor ihren nackten Füßen, in deren schmutzigem Wasser sich die Sterne spiegelten. »Ein schlechter Film ist passiert, und ich war die Hauptdarstellerin.« Sie wies mit dem Kopf auf das Champagne Supernova.

»Da drin arbeite ich als Sommelière. Das ist ein schickes Wort für Weinkellnerin. Heute haben Dirk und ich Kennenlerntag. Also der Tag, wo wir uns erstmals geküsst haben. Das war im Grüngürtel, am Decksteiner Weiher, ein total schöner Tag ...« Ihre Stimme war immer leiser geworden, jetzt räusperte sie sich. »Also eigentlich feiern wir den Tag nicht, aber heute hat Wahabi, das ist unser echt genialer Koch, einen neuen Gang auf die Karte gesetzt. Und den fand ich so toll, dass ich Dirk etwas davon vorbeibringen wollte. Ganz überraschend. Sein Büro ist im Rheinauhafen, und er musste heute mal wieder länger arbeiten. Der Arme, hab ich gedacht.« Sie schnaufte verächtlich. »Also bin ich total freudestrahlend in die Bahn gestiegen. Du kannst dir ja denken, was passiert ist.«

Marc dachte nach. »Er war gar nicht da, und das Essen wurde kalt?«

Sie knuffte ihn. »Du Spinni.«

»Was denn dann?«

»Er trieb es mit einer Kollegin auf der Toilette! Auf der Behindertentoilette, um genau zu sein, da ist mehr Platz. Geht es noch klischeehafter? Sie hatten vergessen abzuschließen, deshalb konnte ich sogar rein. Zuerst hab ich gezögert, die Klinke runterzudrücken, aber dann hörte ich das Gestöhne und wollte wissen ... Es war Petra Uschgarten, ausgerechnet! Die neue Kollegin, die er angeblich so anstrengend und kindisch findet. Die sich seiner Meinung nach immer so nuttig anzieht. Und, wie ich jetzt weiß, beim Vögeln so laut stöhnt, als würde man ihr ein glühendes Eisen in den Bauch rammen.« Sie schüttelte den Kopf. »Dirk und ich haben schon seit Monaten kaum noch Sex gehabt. Er hat mir groß und breit erklärt, es sei ihm nicht mehr so wichtig, dass sei eine ganz normale Entwicklung, wenn man älter werde. Gemeinsame Gespräche würden ihm jetzt viel mehr bedeuten. Und Vertrauen.« Sie steckte sich den Finger in den Hals. »Ich könnte kotzen, wenn ich daran denke. Nach einem vertrauensvollen Gespräch sah das mit Petra Uschgarten aber so gar nicht aus.«

»Wie hat dein Freund reagiert, als du ihn erwischt hast?«

»Zuerst hat er gar nichts gesagt, nur geguckt. Da hatte er allerdings auch kaum noch Blut im Kopf, das war alles zwei Etagen tiefer. Irgendwann berappelte er sich und meinte, er könne das erklären. Worauf ich sagte: Das kann ich mir auch problemlos selbst erklären. Und dann bin ich gegangen. Okay, das Licht habe ich beim Rausgehen ausgemacht. Ich konnte noch hören, wie er mit heruntergelassener Hose durch die Dunkelheit hinter mir hergestolpert ist.«

Marc erinnerte sich an einen interessanten Artikel in der letzten *Apotheken-Umschau.* »Ich habe gelesen, bei einem Fall mit erigiertem Glied besteht die Gefahr eines Penisbruches.«

Anne legte ihren Arm um Marc und den Kopf an seine Schulter. »Du weißt echt, wie man ein trauriges Mädchen aufmuntert.«

Das überraschte Marc, aber er nahm das Kompliment gerne an. »Es gibt eine Sache, die mich brennend interessieren würde.«

»Ja? Was denn? Willst du wissen, wie die Uschgarten aussieht? In welcher Stellung sie es getrieben haben?«

»Nein, was du ihm zu essen mitgebracht hast?«

Anne starrte ihn ungläubig an. Dann nickte sie. »Wenn ich so drüber nachdenke, ist das wirklich die beste Frage, die man zu diesem Mist stellen kann. Austern mit Tahiti-Vanille, ein Booster für die Libido. Hätte ich ihm das tatsächlich gegeben, hätte er wahrscheinlich das gesamte Bürohochhaus durchgerammelt! Ich bin so saublöd...« Anne wurde wieder still.

Am Himmel über Köln jagten sich die Sternschnuppen, und Marc wünschte sich etwas. Dann nahm er all seinen Mut zusammen, um sich den Wunsch gleich selbst zu erfüllen: Er legte seinen Arm um Anne.

Nichts Schlimmes passierte.

Anne beschwerte sich nicht, keine Alarmsirenen erklangen, die Welt ging nicht unter. Marc atmete durch. Leider hielt der Moment nicht lange, denn Anne richtete sich plötzlich auf.

»Mal ehrlich: Wie kann ich nur so blöd sein, ihm Austern zu bringen?«

Marc nickte. »Wäre es ein Kuchen gewesen, hättest du ihm die volle Granate ins Gesicht werfen können!«

»Kuchen?« Anne sprang auf. »Oh, Gott, Kuchen! Magst du Kuchen?«

»Ja klar, wer nicht?«

Sie nahm seine Hand. »Dann wird das jetzt die Nacht deines Lebens!«

»Tadaaaa!«, sagte Anne, als sie ihren Tiefkühler öffnete. Er verfügte über vier Etagen, alle waren voll mit Kuchenstücken. Als würde Dr. Oetker hier wohnen.

»Meine Kuchensammlung. Die letzten fünf Jahre meines Lebens in Kuchenform. Und ohne Strom tauen sie alle auf. Ganz oben darf ich präsentieren: Hochzeits- und Jubiläumstorten. Darunter Geburtstagskuchen, im dritten Fach persönliche Lieblingskuchen und ganz unten Kuchengeschenke von Freunden sowie, durch zwei Rollen Aufbackbrötchen separiert, herzhafte Kuchen. Appetit? Dann such dir was aus.«

Anne schüttete einen Teelichtbeutel von Ikea auf dem hölzernen Küchentisch aus und zündete eine Kerze nach der anderen an.

»Sind die denn überhaupt noch gut?«

Anne zuckte mit den Schultern. »Musste probieren!«

Langsam näherte sich Marc dem leblosen Gefriergerät, ging in die Knie und beleuchtete es mit der Taschenlampen-

App seines Handys. Ruckelnd zog er das Fach mit den persönlichen Lieblingskuchen auf. Jedes Stück befand sich in einer Gefriertüte und war säuberlich mit Ort, Datum und Anlass beschriftet. Ein Ordnungssinn, den er sehr gut verstand.

»Warum sammelst du überhaupt Kuchen?«

»Jeder Mensch braucht doch ein Hobby. Irgendwann hatte ich vier Kuchenstücke im Gefrierfach und dachte mir: Anscheinend sammele ich Kuchen.« Der Tisch stand nun voll mit flackernden Teelichtern. »Legst du alle auf Teller? Ich sag im Haus Bescheid, dass wir eine Kuchenparty feiern.«

Als sie aus der Küche in Richtung Hausflur verschwand, sah Marc ihr nach. Er hatte auf eine Zwei-Personen-Kuchenparty gehofft. Und er war verwundert. Feierte man neuerdings, wenn der Freund einen betrog? Was tat man dann, wenn einem die große Liebe begegnete? Das mit dem Frauenverstehen wurde mit dem Älterwerden merkwürdigerweise nicht besser. Frauen schienen eher noch komplizierter zu werden. Oder Männer einfältiger. Da war er sich noch unsicher.

»Nichts macht glücklicher als ein gutes Stück Kuchen«, verkündete Anne, als sie wieder eintrat. »Allerdings warm, das ist dann so wohlig. Ich finde, einen guten Kuchen zu essen, fühlt sich an, als säße man vor einem bollernden Ofen mit einer Plaiddecke hochgezogen bis unter die Arme. So als könnte man Geborgenheit essen.«

»Außer bei Eissplittertorte, das fühlt sich eher an wie Schlittschuhlaufen. Und die Kuchen hier, die schmecken wie –«

Anne ließ sich auf einen Stuhl fallen. »Erinnerungen. Und genau wie Erinnerungen sind auch die Kuchen nicht mehr wie die wirkliche Sache. Die Farben ein wenig verblasst, der Geruch größtenteils verschwunden. Man kann sich nur noch ein bisschen daran erinnern, wie toll sie mal waren.« Dann standen mit einem Mal Annes Nachbarn in der kleinen Küche. Sie hatten sogar Getränke mitgebracht. Eine ältere Dame trug eine durchsichtige Flasche, die zur Hälfte mit Johannisbeeren gefüllt war. Stolz erklärte sie, das sei der letzte Aufgesetzte, den ihr vor zwölf Jahren verstorbener Mann gemacht hatte. Eis kam von der Mieterin im Souterrain, und der IT-Spezialist aus der fünften Etage brachte aufgetaute Steaks, falls noch gegrillt würde.

Die sieben Jahre alte Herrentorte verschwand als Erste – alle waren sich einig, dass es ein guter Jahrgang für Herrentorten war. Der zwölfjährige Riemchen-Apfel hatte an Fruchtaromen eingebüßt, dafür aber feine Noten des neben ihm lagernden Haselnusskuchens angenommen. Star des Abends war jedoch der zehnjährige Stachelbeerbaiserkuchen. Nach dem Auftauen sah er zwar nicht mehr wie einer aus, eher wie Krötenschleim, aber er schmeckte, als feiere Tante Erna höchst stilvoll ihren siebzigsten Geburtstag.

Marc nahm nicht an den gut gelaunten Gesprächen teil, verfasste stattdessen in seinem Kopf Notizen, die ihm beim Einfrieren von Kuchen und Torten in Zukunft helfen würden. Deshalb merkte er erst spät, dass Anne verschwunden war. Der Nachbar mit den Steaks vermutete, sie sei hoch aufs Dach gegangen, das mache sie manchmal.

Marc verabschiedete sich und stieg die breiten Treppenstufen empor in den fünften Stock, wo eine kleine, offen stehende Tür zum Flachdach führte. Er fand sie neben den Schornsteinen, wo Anne vornübergebeugt auf einer ziemlich ramponierten, gelb gestreiften Sonnenliege saß, in einer Hand eine brennende Zigarette, in der anderen einen Kugelschreiber, mit dem sie schnell auf ein Blatt Papier schrieb.

»Was machst du?«, fragte Marc und ging zu ihr.

Anne schrieb weiter, die Wörter schienen aus ihrem Stift

zu strömen, als seien sie dort gefangen gewesen. »Ich muss etwas allein sein.«

»Ist das Zigarettenpapier, auf dem du schreibst? Also solches, um Zigaretten zu bauen?«

Anne sah auf. »Nee, außerdem baut man Tüten und rollt Zigaretten. Ich will nur für mich sein. Nimm's mir nicht übel, ja?«

Marc blickte zum Himmel empor zu den Sternen. Anne war nicht allein. Er zeigte hinauf. »Orion kennst du sicher aus dem Vorspann der Orion Pictures Corporation. Die haben *Der mit dem Wolf tanzt* gedreht und *Das Schweigen der Lämmer* und –«

»Lässt du mich allein, wenn ich dir verrate, was ich mache?«

»Klar.«

»Ich schreibe einen Brief.«

»An wen?«

Anne presste die Lippen aufeinander. »Glaubst du mir sowieso nicht. Ich weiß ja selbst nicht, ob sie ankommen. Oder bei wem genau oder was da passiert. Aber sie helfen. Mir, und, na ja, manchmal auch anderen.« Sie holte tief Luft. »Es ist schwer zu erklären.«

Marcs Leben bestand aus nichts anderem als Dingen, die schwer zu erklären waren. »Wie schwarze Materie?«

Anne schüttelte den Kopf. »Du bist komisch, Marc Heller.«

»Sind wir doch alle. An wen schreibst du?«

»Das wollte ich dir eigentlich so genau nicht sagen.« Sie klickte die Mine des Kugelschreibers ein. »Aber du fragst weiter, oder?«

»Als Wissenschaftler stellt man Fragen, nur so bringt man das Wissen weiter.«

»Okay, aber du darfst nicht lachen. Oder dich lustig machen. Oder spöttisch gucken. Auch grienen oder schmunzeln ist verboten. Und weitererzählen erst recht!« Sie hob den Zeigefinger.

Marc ging neben Anne in die Hocke und zog vorsichtig den Brief aus ihren Händen. Einige Buchstaben waren durch Annes Tränen zu blauen Seen verschmolzen, doch die Anrede konnte er entziffern.

An die Engel.

Marc lachte nicht, machte sich nicht lustig, guckte nicht spöttisch oder griente. Er reichte ihr den Brief zurück und fragte: »Wie verschickst du sie?«

Jetzt lächelte Anne. »Ich hab eine kleine Pappkiste. Schon ewig lange. Mit ganz vielen Aufklebern drauf. Die meisten aus der *Bravo*. Peinliche Boybands und so.«

»Und darin ... finden und lesen die Engel sie?«

Anne fuhr mit ihren Fingerspitzen die ersten Worte des Briefes ab. »Das ist der Plan.«

Marc beschloss, für sich zu behalten, dass dieser Plan sehr unwahrscheinlich, eigentlich enorm unrealistisch, um nicht zu sagen nahezu abstrus war. »Was schreibst du den Engeln denn? Was hier auf der Erde so los ist?«

Anne faltete den Brief ganz sachte. »So könnte man es sagen. Ich schreibe ihnen, was in meinem Leben so los ist. Und dann wünsche ich mir etwas. Manchmal für andere, für Freunde, Verwandte, aber manchmal auch für mich. So wie heute.« Sie schniefte.

Marc reichte ihr ein Taschentuch, das er in seiner Hosentasche hatte. »Am besten kräftig reinpusten, dann werden die Nebenhöhlen wieder frei.«

Sie lachte und reichte ihm den Brief. »Kannst unten sehen, was ich mir diesmal gewünscht habe. Es ist etwas, das der Weihnachtsmann ganz bestimmt nicht bringt.«

Marc hatte Mühe, die Zeilen im Licht der Sterne zu entziffern.

Er hatte zudem mit anderen Worten gerechnet.

»Du wünschst dir, dass Dirk Benz, Bachemer Landstraße 124, das Glied abfällt?«

»Hab ich nicht Schwanz geschrieben?« Sie nahm Marc den Brief aus der Hand.

»Doch, aber –«

»Ja, das wünsche ich mir. Meinst du, den Wunsch erfüllen mir die Engel?«

»Falls es Engel gibt, und das ist ein großes Falls, dann haben sie sicherlich außerordentliche Kräfte. Eine solche Amputation sollte kein Problem für sie darstellen, vor allem da du die Adresse angegeben hast. Sie könnte aber unter ihrer Würde sein. Ich würde dir deshalb raten, dem Brief eine kleine Motivationshilfe beizulegen.«

»Ein Tic Tac?«

Marc überlegte. »Kommt auf die Größe des Glied–.«

»Eins reicht«, unterbrach ihn Anne entschieden. »Lies weiter. Der erste Wunsch ist eher ein Witz, auch Engel müssen mal was zu lachen haben.«

»Meiner Meinung nach …«

Anne strich ihm über den Nacken. »Lies einfach weiter.«

»Irgendwann«, stand dort, »wenn es nicht mehr so wehtut, wünsche ich mir eine Liebe, die nicht zerbricht. Eine Liebe, die nicht enttäuscht. Eine Liebe, die bleibt.« Marc sah sie an, doch Anne wich seinem Blick aus. Sie kämpfte mit den Tränen. Und diesmal wollte sie unbedingt gewinnen.

»Es gibt die große Liebe. Und die passiert. Wenn sie passieren soll. Das kann man nicht planen. Das kann man nicht erzwingen. Aber dafür muss man bereit sein. Gerade fühlt es sich so an, als könnte ich das nie wieder. Aber genau deshalb schreibe ich den Engeln. Das gibt mir Halt. Ich lasse mir von diesem Arschloch nicht den Glauben an das Schicksal kaputt machen. Diese Macht über mich räume ich ihm nicht ein. Es ist so schon schlimm genug, tut verdammt weh, viel mehr, als ich gedacht hab. Ich spüre erst jetzt, dass ich in Gedanken mit ihm schon ein Haus im Grünen gebaut und drei Kinder großgezogen hatte. Aber wie heißt das Goethe-Sprichwort doch: Willst du Gott zum Lachen bringen, mache Pläne.«

»Eigentlich stammt es von Blaise Pascal und lautet: Weißt du, wie du Gott zum Lachen bringen kannst? Erzähl ihm deine Pläne!«

Anne schürzte die Lippen. »Lässt du mich noch ein wenig allein hier oben?«

»Bald ist nichts mehr von der sechsjährigen Zitronenrolle da. Aber das Alter hat ihr meiner Ansicht nach nicht gutgetan.«

Anne antwortete nicht, sie rollte sich auf der Sonnenliege zusammen.

Marc ging nicht mehr zurück zum Kuchen, er ging auch nicht zu Prian. Stattdessen ging er zur Schwarzen Muttergottes in der Kupfergasse und zündete eine der großen Kerzen für einen Euro an. In der Hoffnung, dass den Engeln etwas Licht beim Lesen helfen würde.

Wie eine große, weiße Salatschale erstrahlte das Radioteleskop Effelsberg über den Bäumen des Waldes und bewegte sich unmerklich auf seine heutige Endposition zu.

Marc saß allein im Kontrollraum und bewegte sich nicht. Eine baumrindenbraun getigerte Katze trat elegant ein. Sie wurde von allen nur die »kleine Göttin« genannt, da sie der ägyptischen Göttin Bastet glich. Das zierliche Tier sagte nicht Miau, sondern Hau, was wie eine Fremdsprache unter Katzen klang. Und sie sagte es viel lauter, als ihr schmaler Körper mit dem kleinen Kopf und den großen Ohren erwarten ließ.

Die kleine Göttin war eine Diätkatze.

Sie rollte sich immer genau dann auf dem Schoß eines Menschen ein, wenn dieser gerade daran dachte, etwas Sündiges zu essen. Die Menschen brachten es dann nicht übers Herz, aufzustehen und die kleine Katze in ihrem schnurrenden Glück zu stören. Jetzt sprang die kleine Göttin auf Marcs Schoß, drehte sich dreimal um die eigene Achse, tatzte sich ihren Ruheplatz noch etwas zurecht und ließ sich dann endgültig nieder.

Marc bemerkte es nicht.

Seine Augen waren auf den Monitor vor sich gerichtet, auf eine gerade eingetroffene astronomische Nachricht, die dort in schwarzen Lettern auf weißem Grund stand.

Als Henny sieben Minuten später eintrat, hatte sich an der Situation nichts geändert. Sie trug ein Alien-T-Shirt, eine beige Caprihose und dazu pinke Strandschlappen. Sie bezeichnete das als ihre offizielle Arbeitskleidung.

»Tea-Time!« Sie stellte das kleine Korktablett auf den leeren Schreibtisch. »Dem sommerlichen Wetter entsprechend natürlich Ice-Tea-Time. Mit Eiskonfekt statt Gebäck.«

Die kleine Göttin schnurrte und kuschelte ihr Köpfchen noch tiefer ein.

»Erde an Marc? Hallo? Wo steckst du? Mal wieder auf deinem Lieblingsvulkan Olympus Mons auf dem Mars oder mitten in der Planck-Ära des Urknalls?« Sie schnippte mit den Fingern. Als das nichts half, griff sie zu härteren Mitteln und klatschte genau vor seinem Gesicht in die Hände.

Marc blinzelte hinter seiner Brille und sah sie interessiert an. »Wo kommst du denn her?«

»Hab mich herbeamen lassen. Und jetzt verrat's mir endlich.«

Marc zeigte auf den Eistee. »Ob der dir gut gelungen ist?«

»Stell dich nicht dumm, wir wissen beide, dass du ein verdammtes Genie bist. Hast du den Job in Chile bekommen?«

»Woher soll ich das wissen?«

Henny hob ein Fax empor. »Weil das hier heute morgen aus Chile kam? Trotz meiner angeborenen Neugier hab ich es nicht gelesen. Also?« Sie knallte es auf den Tisch, die kleine Göttin hob erschreckt den Kopf, schloss dann aber schnell wieder die Augen.

»Ich hab's auch nicht gelesen. Denke die ganze Zeit über etwas ganz anderes nach. Was viel Wichtigeres. Das Universum will mir etwas sagen.«

»Das Universum? Seit wann spricht es mit dir? Muss ich mir Sorgen machen?« Henny goss sich etwas Eistee in ein Glas. »Jetzt lies schon!«

Doch Marc rührte das Fax nicht an. »Eine gute Freundin ist betrogen worden. Wir haben gestern lange geredet, und ich konnte danach die ganze Nacht nicht schlafen. Sie sollte glücklich sein. Sie hat es verdient.«

»Wenn es danach ginge ...« Henny rollte mit den Augen. »Übrigens super Eistee!«

»Und dann hab ich gelesen, dass in genau einem Jahr eine Große Konjunktion stattfindet. In dem Moment ist ein Licht in meinem Kopf angegangen, aber ich weiß nicht, welches.«

»Du hast einen bemerkenswerten Kopf. Die letzte Große Konjunktion war vor zwanzig Jahren, oder? Ich hab sie damals leider nicht beobachten können – Fernrohr war in der Reparatur.« Henny griff sich wieder das Fax. »Mir reicht es, ich les das jetzt vor: Sehr geehrter Herr Dr. Heller, wir freuen uns sehr, Ihnen mitteilen zu dürfen, dass unser Gremium in der heutigen Telefonkonferenz einstimmig Ihre Einstellung als Leiter des ALMA befürwortet hat. Ihr Arbeitsvertrag beginnt am 1. August des nächsten Jahres!« Henny sah ihn an. Dann kamen ihr die Tränen. »Ach, scheiße!«

Marc war unbeeindruckt. »Das ist in gut einem Jahr, fast genau zur Großen Konjunktion.«

»Ich freu mich für dich, versteh mich nicht falsch, aber Chile ist halt verdammt weit weg.«

»Ein Jahr … dann treffen sich Jupiter und Saturn.«

»Natürlich komm ich dich besuchen. Und dann erwarte ich großen Bahnhof! Ein chilenisches Willkommensfest. Das ist das Mindeste. Du musst dein Glück dann mit mir teilen.«

»Glück«, erwiderte Marc, sein Blick immer noch glasig.

»Irgendwie wirst du wie ein ferner Planet sein, der sich nur selten nähert.«

Marc sprang auf und katapultierte die kleine Göttin in den Raum. Sie breitete ihre Beine auseinander, landete sicher und begann sich zu lecken, als sei all dies genau so geplant gewesen.

»Das ist es! Ich habe ein Jahr, dann treffen sich zwei Planeten.« Er zeigte es mit seinen Händen und sah dabei aus wie ein Magier, der einen großen Zaubertrick präsentiert. »Da oben am Himmel, aber eben auch hier unten. Ein Jahr, um für Anne den richtigen Planeten zu finden, damit sie glücklich wird, für ihre Große Konjunktion.«

»Ich habe keine Ahnung, wer diese Anne ist, aber im Zusammenhang mit einer Frau klingt Große Konjunktion ziemlich versaut.«

Marc durchquerte den Raum, als erhalte er dafür Kilometergeld. »Es wird der perfekte Mann sein.«

»Den gibt es nicht, lass es dir gesagt sein. Die Auslieferung von Männern ist grundsätzlich fehlerhaft. Alles Montagsmodelle.«

»Die nächsten Wochen wird sie noch nicht bindungsbereit sein, das heißt, ich habe Zeit zur Vorbereitung.«

Henny hob die Stimme wie ein Marktschreier. »Partneragentur Dr. Heller – Ihr Mann für die Große Konjunktion!«

»Aber sie darf nichts davon wissen, sie glaubt an das Schicksal. Deshalb muss das Schicksal sie mit einem Mann zusammenführen. Und die Sterne müssen richtig stehen.«

»Ich bessere nach: Partneragentur Dr. Heller – mit uns und ohne Ihr Wissen zur Großen Konjunktion.«

Marc ging zum Flipboard, griff sich einen schwarzen Edding und schrieb:

1. Ein Jahr bis zur Großen Konjunktion – finde den perfekten Mann für Anne!
2. Es muss aussehen wie Schicksal!
3. Anne darf nie erfahren, wer hinter allem steckt!

Marc besah sich den Plan, dann rannte er zum Rechner. »Ich werde es streng wissenschaftlich angehen. Ein Profil erstellen, Testreihen durchführen.« Er öffnete eine Excel-Tabelle. »Zuerst erfasse ich Annes Vorlieben und Abneigungen, dann schreibe ich einen Algorithmus, der den perfekten Mann für sie findet. Ein Jahr Zeit, das wird ein Kinderspiel!«

»Marc, du machst mich fertig.« Henny schüttelte den Kopf. »Jetzt brauch ich echt eins von deinen Snickers. Oder besser drei.«

Die kleine Göttin sprang elegant auf ihren Schoß und begann zu schnurren.

Henny blieb sitzen und kraulte ihr das Köpfchen.

Das sanfte Ploppen des Korkens, der butterweich aus dem Flaschenhals glitt, erfüllte Anne mit Zufriedenheit. Es würde heute der Erste von vielen sein, denn das Champagne Supernova war nicht nur bekannt dafür, dass hier auf Sterne-Niveau gekocht wurde, sondern auch dafür, dass glasweise am liebsten Sterne ausgeschenkt wurden. Der berühmte Satz, den der französische Mönch und Kellermeister Dom Pérignon einst beim Genuss eines Champagners ausgesprochen hatte, stand über dem Eingang: »Ich trinke Sterne!« Das kleine, schummrige Restaurant sah allerdings kein bisschen aus wie ein Feinschmeckertempel, sondern dank allerlei Girlanden, Glitzerkugeln, Schirmen unter der Decke und bunten Lichterketten wie die Höhle eines farbenfrohen Piraten.

Anne schenkte sich im winzigen, fensterlosen Büro, das neben der Zehn-Quadratmeter-Küche lag, das erste Glas Champagner der Flasche ein. Nicht um zu prüfen, ob der prickelnde Wein Kork hatte, sondern um sicherzustellen, dass sein Genuss die Stimmung verbesserte. Mit einem einzigen Glas Champagner glückte es ihr nicht, doch nach dem dritten hatte Anne den Eindruck, dass die Wut über Dirks Fremdgehen ein wenig in den Hintergrund gespült wurde. Um sie komplett aufzulösen, würde allerdings aller Champagner in den Kalkkellern von Reims und Epernay nicht reichen.

Nach und nach trafen die Gäste des Abends im Restaurant ein und ließen sich von ihr in Sachen Wein beraten. Seit sie vom *Gault & Millau Weinguide* zur Sommelière des Jahres gewählt worden war, vertrauten die meisten ihr völlig. Annes besondere Spezialität war es, jeden Gang mit Champagner oder anderem Schaumwein zu begleiten. Anne versuchte stets, eine ausgewogene Mischung aus Pricklern zu finden, die das Essen harmonisch begleiteten, und solchen, die es spannungsreich kontrastierten. Sie wollte die Gaumen der Gäste an möglichst vielen Punkten kitzeln und mit ihnen eine kleine Weinreise in wenigen Stunden unternehmen.

Sie war gerade im engen Keller des Restaurants, um einen seltenen Jahrgangschampagner für einen besonders betuchten Gast zu holen, als Nina herunterstürzte, die heute mit ihr Schicht hatte.

Anne zog die Freundin manchmal damit auf, dass sie wie eine blonde Walküre mit breiten Schultern wirkte, inklusive einem Händedruck, der einer Schraubzwinge glich. Nichts brachte sie aus der Ruhe, selbst wenn der Laden voll und die Küche unterbesetzt war oder an Karneval Betrunkene unterwegs waren – die bekamen eher mal eine gewischt. Nina war die älteste von vier Schwestern, sie war aufgewachsen in einem Stahlbad von Östrogenen. Von Dirks Fremdgehen hatte Anne ihr heute gleich zu Beginn berichtet. Jedes Mal wenn sie davon erzählte, schien es ein bisschen wahrer zu werden. Und jedes Mal wurde ihr klarer, dass sie sich die Zukunft mit ihm längst ganz detailliert ausgemalt, ihr Traumhaus eingerichtet hatte: mit zwei Kinderzimmern (eins hellblau, eins altrosa), einer offenen Küche, dem Esszimmer samt schwerem Holztisch, dem kleinen Garten mit dem Sandkasten und der herrlich altbackenen Hollywoodschaukel. Es war alles längst da. Nun zerfiel es Mauerstein für Holzbalken in ihrem Inneren.

»Nur so als kurze Vorwarnung«, sagte Nina und hob die blau gefärbten Augenbrauen. »Der Kritiker des *Kölner Stadt-Anzeigers* ist da, hat unter falschem Namen reserviert. Jetzt wünscht der Herr das große Menü. Am liebsten würde ich ihm Gang für Gang die Fresse polieren.«

Die letzte Kritik war nicht sehr gnädig gewesen, doch den Service hatte der unsympathische Mann ausdrücklich gelobt.

»Das ist Plan B.«

»Und was ist dann Plan A?«

»Den Typen so zu begeistern, dass er gar nicht anders kann, als uns überschwänglich zu loben.«

Dafür musste sie einen Blick auf ihn werfen. Anne stieg die Treppenstufen hoch und linste zu seinem Tisch. War er ungeduldig oder entspannt, gepflegt oder unordentlich, ein Genießer oder eher ein kulinarischer Bürokrat? Sie beobachtete seine Handhaltung bei den Amuse-Gueule und wie er das Wasserglas an die Lippen setzte.

Dann, wie er Nina nachschaute, die an ihm vorüberging. Blickte er auf Hintern, Beine, Busen, Hals oder Augen?

Nichts davon, er blickte auf seinen Tisch und richtete Besteck und Geschirr perfekt aus.

Ein Skorpion. Welches Sternzeichen sollte ein Kritiker auch sonst haben!

Sie brauchte also Skorpion-Weine. Exakte, geradlinige Tropfen, ohne Schnörkel, blitzsauber in der Aromatik. Keine Rebsortencuvées, sondern etwas Sortenreines. Sie tauchte wieder hinab in den Weinkeller, um Schätze zu heben, die Skorpione liebten. Außerdem mussten sie natürlich perfekt zu Wahabis neuen Kreationen passen. Dieser richtete nicht einfach edle Zutaten harmonisch auf Tellern an, Wahabi erzählte mit seinen Gerichten kleine Geschichten.

Der heutige Gruß aus der Küche trug den Namen »Entlang des Rheins« und wurde auf extra dafür hergestellten Tellern serviert, die eine breite Linie in Yves-Klein-Blau aufwiesen als Symbol für den Rhein. Entlang des Flusslaufs fanden sich drei kleine Speisen. Zuerst eine aus dem Kanton Graubünden, wo der Fluss entsprang, eine aus Köln, der größten Stadt am Rhein, und eine aus den Niederlanden, wo er in die Nordsee mündete. Eine Vorspeise hieß »Wahres Himmel un Ääd« und bildete eine feine Variante des Kölner Klassikers: Ein Stück Wolke lag auf Erde – zumindest sah es so aus. Die Wolke bestand aus Zuckerwatte mit Yuzu-Zitrone, die Erde war eine Mischung aus Malz und Walnuss, ganz fein gerieben, darunter eine Frischkäsecreme. Als besonderer Gag spross aus der Erde Grün, das sich beim Essen als der oberste Teil von Radieschen herausstellte, die in der Erde wuchsen.

Wahabis neueste Kreation war ein Dessert. Der »Decke Pitter«, benannt nach der mächtigsten Glocke des Kölner Doms, bestand aus einer großen, goldglänzenden Schokoglocke, über die beim Servieren am Tisch eine heiße Weihrauchsauce gegossen wurde, wodurch die Glocke ihr köstliches Inneres preisgab, eine orientalisch gewürzte Mousse, wie aus der Heimat der heiligen Drei Könige, deren Gebeine in einem goldenen Schrein im Kölner Dom aufgebahrt waren.

»Hast du schon gesehen?«, hörte sie Nina mit einem Mal hinter sich sagen. »Der neue Vintage von Krug ist da.« Es war zu hören, wie sie einen Weinkarton öffnete. »Ich liebe das Zeug so sehr. Wünschte, ich könnte es mir auch leisten.«

Anne tauchte auf und nahm die elegant taillierte Flasche behutsam in die Hand. Sie musste die Qualität prüfen, oder?

Plötzlich stand die Praktikantin in der Tür und wandte sich an Anne. »Da ist gerade ein Gast gekommen, der dich sprechen will.«

Verführerisch klimperte Nina mit den Augen. »Da ist schon der erste Verehrer in deinem Jahr der Enthaltsamkeit.«

Anne ging federnden Schrittes ins Restaurant, denn selbst wenn man unter keinen Umständen einen Mann wollte, taten Verehrer dem Selbstbewusstsein gut.

Doch der Mann an Tisch fünf war kein Verehrer.

Es war Dirk. Mit einem Strauß roter Rosen.

Sie griff sich eine geschlossene Flasche Roederer und trat an seinen Tisch.

»Anne, wir müssen reden! Ganz in Ruhe. Ich hab versucht, dich zu erreichen, aber du gehst ja nicht ans Telefon oder rufst zurück, wenn ich dir auf Band spreche. Ich kann das gut verstehen, du hast echt allen Grund, wütend zu sein. Aber lass mich bitte erklären. Ich will dich nicht verlieren!«

Als Anne zurückwich, stand er auf.

Prima, genau das hatte sie bezwecken wollen.

Schnell löste sie das Muselet vom Korken der Flasche und richtete diese auf Dirk. Ganz leicht drückte Anne den Korken mit dem Daumen fort, dann schoss er aus dem Flaschenhals.

Dirk mitten in die Magengrube.

Der Champagner schäumte auf Tisch und Boden. Und Dirk.

»Oh, Entschuldigung. Da hab ich mich jetzt total verspritzt.«

Sie drehte sich um, ein triumphierendes Lächeln auf den Lippen.

Nina applaudierte, als sie an ihr vorbeiging. »Super getroffen!«

»Nicht ganz.«

»Wieso?«

Anne holte eine neue Flasche, die sie sogleich wieder schüttelte. »Der Korken sollte ihn eine gute Handbreit tiefer treffen.«

Löwe (24. Juli – 23.August) Sie haben gerade eine schwere Phase, aber es geht bald wieder aufwärts. Nur den Mut nicht verlieren und sich auch mal etwas Gutes tun! Seien Sie trotz allem offen für plötzliche Begegnungen.

Kapitel 2

Duschen oder baden? (Falls »duschen«: heiß oder kalt?)

Marc setzte die Kreide ab und betrachtete die Frage an der Tafel des Hörsaals II. Dann schrieb er weiter:

Urlaubstyp: Strandkorb oder Museum?

Köpfst du dein Ei mit dem Messer, oder klopfst du es auf?

Rührst du deinen Cappuccino zuerst um, oder trinkst du ihn direkt?

Prian saß in einer Bank, die Beine auf der Lehne vor ihm und blätterte in der *FAZ*. Auch er hatte heute eine Vorlesung am Physikalischen Institut der Universität Köln gehalten und war Marcs Einladung gefolgt, sich an einem ungewöhnlichen, naturwissenschaftlichen Projekt namens »Anne« zu beteiligen. Er hatte »Anne« für eine Abkürzung gehalten, hinter der sich etwas wie »Astronomische Neukalkulierung von Neutronensternen und Exoplaneten« verbarg. Neben ihm lag Darth Vader und schlief. Marc hatte den Eindruck, wenn dieser Hund mal nicht an einen Baum pinkelte, dann hatte er die Augen zu. Eigentlich war Prian noch sauer, dass Marc ihn in der Nacht des Stromausfalls versetzt hatte. Aber er war einfach nicht gut darin, lange sauer zu sein. Erst recht nicht auf Marc.

»Was macht es für einen Unterschied, ob man einen Cappuccino umrührt oder direkt trinkt?« Prian trug seit dem Urknall einen Pferdeschwanz, dazu einen zauseligen Bart und Kleidung, von der ihm selbst ein Eine-Welt-Laden abgeraten hätte, weil so viel Jute nicht gut für die Haut sein konnte.

Marc zeichnete zwei Cappuccino-Tassen auf und nummerierte sie. »Es ist ein Unterschied, ob du ein harmonisches Ganzes bevorzugst, also nach Balance im Leben suchst, oder Freude an Gegensätzen hast, in diesem Fall am Kontrast von süß-cremig und bitter. Im letzteren Fall benötigt Anne einen abenteuerlustigen Partner. Leuchtet es dir nun ein?«

Prian verbeugte sich, so gut das im Sitzen und mit Zeitung ging. »Du bist der Messias! Und ich muss es wissen, denn ich bin schon einigen gefolgt!«

Marc grinste, wieder einmal war Prian seinem kultigen Namen gerecht geworden. Wann immer passend, sowie oftmals auch unpassend, warf er Zitate aus Monty Pythons *Das Leben des Brian* ein, dessen Hauptfigur von seiner Mutter Prian genannt wurde.

»Rübennase«, antwortete Marc und schob seine Brille zurecht. »Kann der Messias nun fortfahren?«

»Silas, der syrische Sittenstrolch, sagt Ja.«

Marc trat wieder mit der Kreide an die Tafel und las die neuen Fragen laut vor, falls Prian aus dem Fenster blickte.

Welches ist dein Lieblingskuchen?

»Die Frage ist besonders wichtig, denn ich vermute, der Weg zu Annes Herzen führt über einen gelungenen Mürbeteig.« Marc schrieb deshalb einen Zusatz an die Tafel:

Bitte Rezept angeben. Sowie: Kuchenthematik deutlich ausweisen.

Schläfst du bei offenem oder geschlossenem Fenster?

Prian hob den Daumen. »Das ist tatsächlich eine ganz fundamentale Frage, daran sind schon Ehen gescheitert!«

Küsst du zuerst, oder lässt du dich zuerst küssen?

Marc unterstrich die Frage doppelt. »Ganz wichtig, um Annes potenziellem Partner im Vorhinein einen Hinweis zu geben. Hier verbirgt sich ansonsten eine zentrale Fehlerquelle bei der Paarbindung. Ein guter erster Kuss soll Untersuchungen zufolge die halbe Miete sein, ein schlechter dagegen zerstört auf Anhieb alles.« Er setzte die Kreide wieder an. »Die nächste Frage ist eher praktischer Natur.«

Stört es dich, wenn beim Sex in der Badewanne das Badezimmer überschwemmt wird?

»Bitte?«, fragte Prian und ließ die Zeitung sinken.

»Hier geht es um Leidenschaft und die Opfer, die dafür gebracht werden.«

»Du meinst, ein nasser Badezimmerläufer?«

»Als Opfer hemmungsloser Lust, richtig.«

»Damit ist er sicher der erste Badezimmerläufer, dem so etwas widerfährt.«

Marc kontrollierte den Sitz seiner Brille. »Du nimmst das hier nicht ernst. Es ist mir wirklich wichtig! Ziel ist es, den korrekten Partner-Algorithmus einer einzelnen Frau zu erstellen.« Seine Stimme wurde leiser. »Einer ganz besonderen Frau.«

»Jetzt kommen wir zum Kern der Sache …«

»Jugendliebe«, antwortete Marc knapp und kehrte zurück zur Tafel.

»Was ist mit Goldfisch, Hamster und Hängebauchschwein?«

Marc nickte. »Endlich mal ein guter Einwand. Ich ändere ›gar kein Haustier‹ in ›nichts davon‹.«

Prian vertiefte sich wieder in seine Zeitung, stand dann jedoch auf, als hätte ihn etwas gestochen. Er hielt die *FAZ* hoch wie das Beweisstück in einem Mordprozess. »Ich fass es nicht! Dritte Seite: Steffensberg hat sich für die Marsmission ohne Rückfahrkarte beworben. Das haben wir doch alle hier! Aber er muss direkt eine große Sache daraus machen und an die Presse gehen. Ganz ehrlich, ich drücke ihm die Daumen. Dann sind wir ihn endlich los. Mein Beileid für den roten Planeten!«

Wenn er Superman wäre, dachte Marc, dann wäre Dr. Ingmar Steffensberg sein Lex Luthor. Wobei Hollywood die Rolle dann mit seinem größten Unsympathen besetzt hätte. Steffensberg war sein Stellvertreter am Radioteleskop und ließ ihn bei jeder Gelegenheit spüren, dass er sich selbst für viel geeigneter hielt, das Observatorium zu leiten.

»Falls Steffensberg einer der besten Kandidaten für die Mission ist, dann möchte ich nicht wissen, welche Vollhorste sonst noch durchs All geschossen werden«, sagte Marc und hob die Kreide wieder. »Bist du ein Morgenmuffel?«

Prian knüllte die Seite mit der Nachricht über Ingmar und warf sie Richtung Mülleimer. »Reicht das als Antwort?«

Die Zeitungskugel verfehlte ihr Ziel. Meilenweit.

»Auf jeden Fall bist du kein geborener Werfer.« Marc schmunzelte. »Und das war keine Frage an dich, sondern eine des Fragenkatalogs. Konzentrier dich, du bist hier schließlich der Frauenheld.«

»Unter Naturwissenschaftlern! Das ist so, wie der beste Schwimmer unter Katzen zu sein.« Er wischte sich die Croissantkrümel vom gebundenen Jutehemd. »Wenn du mich fragst, ist alles eine Frage der animalischen Ausstrahlung. Die müssen Frauen unter dem distinguierten Äußeren spüren, dann ist alles andere egal. Tief in uns sind wir alle immer noch wilde Tiere. Und bei mir spüren Frauen das halt.«

»Im Interesse unserer Freundschaft lass ich das jetzt mal unkommentiert.« Marc löste den Blick von seinem animalischen Freund und schrieb weiter.

Überziehst du dein Konto für einen schönen Urlaub?

Kannst du über folgenden Witz lachen: Warum lecken sich Hunde an ihren Geschlechtsteilen? Antwort: Weil sie es können.

Er blickte erwartungsvoll zu Prian, doch der las schon wieder in der Zeitung. »Sie gehen jetzt davon aus, dass ein Hacker den Stromausfall in Köln verursacht hat. Es gibt wohl schon eine heiße Spur.«

Marc hielt im Schreiben der nächsten Frage inne. Er merkte nicht, wie fest er die Kreide drückte, bis sie plötzlich zerbrach. Was, wenn sie herausfanden, wer dahintersteckte? Was, wenn bekannt wurde, warum Prian es getan hatte?

Sein Freund las seelenruhig weiter. »Es war wohl die größte Anzahl von Perseiden-Sternschnuppen seit Beginn der Aufzeichnungen. Sie schreiben etwas von einer ›Magischen Nacht in Köln‹ und spekulieren, dass in neun Monaten die Geburtenquote rasant steigen wird.«

Hoffentlich las Anne das nicht, dachte Marc. Sonst würde sie fraglos im Strahl kotzen.

Es war ein echtes Mysterium: Warum funktionierten Spiegel nach dem Aufstehen nicht? Oder war das, was ihr da entgegensah, wirklich ihr Gesicht und keine Fälschung?

Anne klopfte mit den Fingerspitzen auf ihre Tränensäcke. Sie hatte eigentlich keine, doch seit der Sache mit Dirk kamen sie ihr dick wie Feuerwehrschläuche vor. Sie massierte sich die sündhaft teure Tagescreme ein, denn heute wollte sie ganz besonders gut aussehen. Besser als gut. Strahlend!

Um das zu erreichen, würde sie gleich innerlich auch eine Kanne Kaffee anwenden. Egal, ob sie danach vor lauter Koffein zitterte oder nicht.

Das Treppenhaus des Altbaus gab ihr immer das Gefühl, in der Villa einer hochherrschaftlichen Familie zu leben, die nichts von ihrer geheimen Untermieterin aus der Arbeiterklasse wusste. Die Vorstellung schenkte ihr ein leichtes Prickeln. In der Eingangstür rempelte sie einen ihrer Nachbarn an, der sich dafür bei ihr entschuldigte und einen schönen Tag wünschte. Mehr als ein »Gleichfalls« brachte Anne nicht heraus, denn sie war bereits zu spät dran. Warum war die Zeit morgens immer viel zu knapp? Anne dachte an ein Gummiband, das mit dem Weckerklingeln zusammenschnellte und sich bei der Arbeit in die Länge zog.

Immerhin ging es jetzt nicht zur Arbeit, sondern zu einem Treffen mit Luise Freifrau von Hohenbeilstein, ihrer Vorgängerin als Chef-Sommelière des Champagne Supernova. Manchmal half die Mittfünfzigerin noch im Restaurant aus, obwohl sie es finanziell gar nicht nötig hatte. Luise behauptete immer, sie sei verarmter Landadel – ihr Haus in Köln-Rodenkirchen direkt am Rhein sprach eine andere Sprache. Ihr Mann arbeitetete seit Jahren im Großmarkt, musste früh aufstehen und ging entsprechend früh am Abend wieder schlafen. Viele Jahre waren sie sich deshalb kaum begegnet. Vielleicht war dies das Geheimnis ihrer langen Ehe.

Luise hatte ausgesprochen gute Manieren, aber ein exzentrisches Hobby, bei dem sie keinen Spaß verstand. So gar keinen.

Anne fand die Freundin wie verabredet auf der Domplatte, wo sie gerade jemandem die Leviten las. Und dabei mit Taubenfutter um sich warf, was dazu führte, dass immer mehr der gefiederten Stadtbewohner sich neben ihr niederließen.

»Ratten der Lüfte? Fällt Ihnen wirklich nichts Besseres ein? So ein Unsinn! Und ich muss den immer wieder hören. Fangen Sie mir jetzt nicht mit irgendwelchen Kotschäden am Kölner Dom an. Was meinen Sie, was die Abgase anrichten, die Sie jeden Tag mit Ihrem Auto ausstoßen? Vergifte ich Sie deshalb?«

Anne stellte sich neben Luise, griff in deren große Taubenfuttertüte und begann mitzufüttern, dann mitzudiskutieren.

Die Tüte war viel zu schnell leer. Das Diskutieren hatte richtig gutgetan.

»Kuchen?«, fragte Luise danach und antwortete gleich selbst. »Kuchen!«

Die Ortsgruppe Köln der FDSUAUV (Freundinnen der Stadttauben und anderer urbaner Vögel) machte sich also auf den Weg ins nahe gelegene Café Reichard.

Die Kölner Süßspeisen-Institution erstreckte sich über mehrere Räume, die mit der Zeit angebaut worden waren und einen architektonischen Stellungskrieg führten. Proppevoll war der neugotische Laden trotzdem fast immer, was an den Kuchen und Torten lag, die vorne in der Theke prangten. Es wirkte, als hätte sich eine Delegation hochdekorierter Wiener Zuckerbäcker ausgetobt.

Die beiden bestellten wie immer Herrentorte. Aus feministischen Gründen. Und weil es sich so schön altertümlich anfühlte. Außerdem schmeckte die Torte einfach großartig.

Zuerst aßen sie schweigend, doch dann hielt Luise es nicht mehr aus. »So, ich habe jetzt ein halbes Tortenstück gewartet. Nun müsstest du gestärkt genug sein, um folgende Frage zu beantworten.« Luise tupfte sich, den kleinen Finger formvollendet abspreizend, die Lippen mit der Serviette ab. »Wie geht es dir? Und ich erwarte eine ehrliche Antwort.«

Anne aß eine weitere Gabel Torte, bevor sie antwortete. »Ganz ehrlich? Ich frage mich, was ich falsch gemacht habe...«

Luise stand auf und zeigte mit dem Finger auf Anne. »Tortenverbot für diese junge Frau wegen grober Dummheit!«

Die an den diversen Tischen versammelten Damenkränzchen blickten auf.

»Ihr Freund hat sie mit einem Flittchen auf der Bürotoilette betrogen, und sie fragt sich ernsthaft, was sie falsch gemacht hat. Das ist doch saudumm, oder?«

Die ersten Nicker und Zustimmungen kamen zögerlich, doch dann ertönten immer mehr, zusammen mit Rufen von »Der sollte sich was schämen!« und »Gut, dass Sie den los sind!«. Zudem bekam Anne ein Tortenstück ihrer Wahl von einer älteren Dame ausgegeben, die meinte, ein Stück Kuchen sei grundsätzlich besser als ein Mann. Es würde mehr Freude bereiten, mache weniger Dreck, gebe keine Widerworte und man habe länger etwas davon.

Wenn auch nur auf den Hüften.

»Siehste«, sagte Luise, als sich die Lage wieder beruhigt hatte und das zweite Stück Herrentorte vor Anne stand. »Tut mir leid, aber das musste sein.«

»Es hat mir auf jeden Fall ein zweites Stück eingebracht.«

Sie teilte es in der Mitte durch und schob Luise die Hälfte auf deren Teller. »Und gutgetan hat es auch.«

»Hat sich Dirk seit dem Abend bei dir gemeldet?«

Anne zählte mit den Fingern auf. »Anrufe auf dem AB von Festnetz und Handy, SMS, Mails, WhatsApp, alles, was du dir denken kannst. Ich lösch den Kram direkt. Will das gar nicht hören und lesen. Ich tu gerade so, als gäbe es ihn nicht und hätte ihn nie gegeben.«

»Klappt das denn?«

Anne schüttelte den Kopf. »Es bricht immer wieder raus.«

Anne war mittlerweile klar geworden, dass sie für Dirk die Sicherheitsleinen ihres Herzens gelöst hatte, das erste Mal in ihrem Leben. Sie hatte sich verwundbar gemacht und war verwundet worden. Sie spürte, wie ihr die Tränen kamen. Deshalb stellte Anne sich vor, sie wären wie Wasser in einer Leitung und sie müsse den Hahn ganz fest zudrehen. Es war ein albernes Bild, aber es half, wenn der Druck nicht zu groß war. Ansonsten konnte sie drehen, wie sie wollte.

Luise nahm Annes Hand in ihre. »Abstand gewinnen ist ein guter Plan. Und irgendwie das Bild von den beiden auf der Toilette aus dem Kopf bekommen.«

»Da würde selbst eine ganze Fuhre von Herrentorten nicht reichen. Noch schlimmer als das Bild sind die Geräusche, die ich vorher gehört habe… sein Keuchen… ihr Stöhnen…« Sie warf die Kuchengabel auf den Teller. »Ach, scheiße!«

Ein Zeitungsausschnitt lag plötzlich auf dem Tischchen, den Luise aus der Handtasche befördert hatte. »Dein heutiges Horoskop aus dem *Stadt-Anzeiger*. Ich sag dir, was drinsteht, weil es echt gut ist: *Sie haben gerade eine schwere Phase, aber es geht bald wieder aufwärts. Nur den Mut nicht verlieren und sich auch mal etwas Gutes tun. Seien Sie trotz allem offen für plötzliche Begegnungen.*«

»Mit plötzlichen Begegnungen ist sicher das zweite Stück Herrentorte gemeint.« Anne lächelte und nahm den Zeitungsausschnitt zur Hand.

»Es fühlt sich manchmal an, als wären diese Horoskope ganz allein für mich geschrieben.«

»Das Gefühl kennt, glaube ich, jeder, der an Astrologie glaubt.«

»Ja? Es fühlt sich wirklich so an. Früher ging mir das nicht so.«

»Muss das Alter sein...«

»Blöde Nuss. Bist bloß neidisch auf meinen jugendlichen Teint.«

Ihr Handy summte.

»Wahrscheinlich wieder Dirk«, sagte Luise. »Guck gar nicht drauf.«

»Für den hab ich jetzt einen speziellen Klingelton.«

»Welchen denn?«

Anne drückte ein paarmal auf den Bildschirm des Handys, dann tönte es mit sonorer Stimme »Ommmmm.«

»Namasté«, entgegnete Luise grinsend.

»Die Nachricht eben war wegen eines Gewinnspiels vom Café Reichard. Ich bin heute ausgewählt worden. Muss einige Fragen anonym beantworten, dann kann ich einen Kuchengutschein über hundert Euro gewinnen.«

»Woher kennen die denn deine Nummer?«

Anne zuckte mit den Schultern. »*Big Baker is watching you.*« Sie öffnete den Link. »Die Überschrift lautet: *Welcher Kuchentyp bist du*? Das klingt lustig, lass uns das machen. Also, erste Frage: *Aber bitte mit Sahne oder ohne*? Natürlich mit! *Welche Farbe sollte Ihr Traumkuchen haben?* Dunkelblau und rosa, aber kein kitschiges! *Bevorzugen Sie Langschläfer- oder einen Frühaufsteherkuchen?* Ich hab zwar keine Ahnung, was das sein soll, aber auf jeden Fall Langschläfer! *Lieber einen günstigen Blechkuchen oder eine opulente Torte?*« Sie blickte Luise an, die Antwort gaben sie synchron. »Torte!« Sie lachten. »Oh, die nächste Frage ist komisch: *Wenn Männer Kuchen wären, welchen Kuchen würden Sie heiraten? Einen verlässlich gebackenen oder einen verrückt-kreativen?* Da nehme ich nach dem Erlebnis mit Dirk lieber den verlässlich gebackenen. Nächste Frage: *Lieber kernige oder eher sensible Kuchen?* Was bitte soll denn ein sensibler Kuchen sein? So was will ich nicht essen!« Anne blickte ungläubig auf das Display des Smartphones. »*Stören Kuchenkrümel beim Sex?* So eine Frage vom Café Reichard?«

Luise sah sich um. »Ich glaube, die meisten Damen hier würden sogar einen ganzen Kuchen im Bett zulassen, wenn sie im Gegenzug mal wieder Sex hätten.«

»Du bist so gemein!«

»Los, lies weiter. Und dann schick schnell ab. Wenn du gewinnst, krieg ich die Hälfte des Gutscheins!«

Doch bei der nächsten Frage stieg Anne aus. Es gab Fragen, die beantwortete man nicht. Auch nicht für einen Hundert-Euro-Kuchengutschein. Die Frage lautete: »*Liegst du beim Kuchenessen lieber unten oder oben?*«

Obwohl es ihm schwerfiel, lächelte Marc, während Anne neben ihm am Weinregal im Rewe City stand. In seinen Ohren hörte er immer noch Prian brüllen.

»Du hast ernsthaft diese Frage gestellt? Die ist mir durchgerutscht! Die sollte ganz anders lauten! So macht die ja gar keinen Sinn. Ich könnte mich ohrfeigen!«

Marc musste zugeben, dass er sich schon gefragt hatte, was genau die Stellung, in der Anne ihren Kuchen aß, über sie aussagen sollte. Aber er hatte Frauenversteher Prian einfach vertraut. Vielleicht war es ja doch wahr, was man über

Astronomen sagte. Sie lebten alle drei Lichtjahre hinter Alpha Centauri. Prian war fraglos ein Computergenie, das sich in Windeseile in Annes Handy hacken, über die Standortbestimmung ihren Aufenthalt herausfinden und Marc ermöglichen konnte, sich als Werbeprogramm eines Kölner Cafés auszugeben. Aber vielleicht sollte er ihm in Sachen Frauen nicht blind vertrauen.

»Du glaubst ja nicht, was das Café Reichard gerade für ein Quiz veranstaltet. Warte!« Sie holte ihr Handy hervor und zeigte Marc die unglaubliche letzte Frage. »Ist das zu fassen? Was, wenn ich eine ältere Dame gewesen wäre? Wahrscheinlich hätte mich der Schlag getroffen, während ich Schwarzwälder Kirsch esse.«

Marc beschloss, das Beste aus der Situation zu machen. Die Frage stand im Raum, und wie er als Wissenschaftler aus eigener Erfahrung wusste, gab es manchmal auch auf dumme Fragen gute Antworten.

»Schon ein bisschen seltsam«, sagte er deshalb. »Aber wenn man die Frage mal ernst nimmt…«

»Jetzt ehrlich?« Anne nahm eine Flasche chilenischen Wein in die Hand und legte sie nach einem Blick auf den Jahrgang kopfschüttelnd wieder zurück ins Regal.

»Nehmen wir an, du würdest tatsächlich beim Kuchenessen liegen – obwohl das der Digestion nicht förderlich ist. Würdest du dann lieber unten oder oben liegen?«

»Wie unten oder oben?«

»Na, im Etagenbett.« Marc sah sie verständnislos an. »Was hast du denn gedacht?«

Anne trat ganz nah zu ihm und besah sich sein rasiertes Kinn. »Bist du dir ganz, ganz sicher, dass du ein Mann bist?«

»Ich überprüfe das nicht alle fünf Minuten, aber ich gehe doch sehr stark davon aus. Ich für meinen Teil würde übrigens lieber oben essen, denn wenn es eine zweite Kuchen essende Person im anderen Etagenbett gäbe, wäre unten das Risiko herabfallender Krümel extrem hoch.«

Anne runzelte theatralisch die Stirn. »Aber die meisten Krümel fallen neben das Bett. Wegen der Flugbahn. Und wer unten liegt, kann mit den Füßen gegen die Matratze des oben Liegenden treten. Das geht andersherum nicht.«

»Andersherum kann man aber von oben Krümel schmeißen.«

Sie griff sich eine Champagnerflasche. »Das wäre aber grob unsportlich!«

»Es ist ja auch kein fairer Wettkampf, sondern Kuchenessen.«

Mit einem breiten Grinsen reichte sie ihm die Flasche. »Okay, gewonnen, ab jetzt wird Kuchen nur noch oben liegend gegessen. Hier, nimm diesen Champagner, der geht immer. Ist nichts Besonderes, aber für die meisten reicht es. Vor allem für Naturwissenschaftler wie dich.« Sie blickte ihn herausfordernd an.

»Da hast du sicherlich recht.« Marc dachte an seine Kollegen in Effelsberg, deren kulinarischer Horizont an der Schlange in der Kantine endete. Wobei funktionsfähige Geschmacksnerven eher hinderlich für den Verzehr der dortigen Speisen waren.

»Man muss immer eine volle Flasche Champagner im Haus haben, falls es etwas zu feiern gibt«, fuhr Anne fort. »Ich betone: immer. Außerdem: immer. Und vor allem: immer.«

Marc stellte eine zweite dazu.

»Feiern Astronomen stets in großer Gesellschaft?« Anne sah ihn fragend an.

»Nein, aber du sagtest, man sollte immer, außerdem immer und vor allem immer eine volle Flasche Champagner im Haus haben. Nun frage ich: Welcher Fall tritt ein, wenn man die einzige Vorratsflasche öffnet? Dann ist plötzlich keine volle mehr da. Also benötige ich eine zweite.« Er stellte eine dritte dazu.

»Und wofür ist die dann?«

»Falls eine der beiden anderen einen Korkschmecker aufweist. Was bei sieben Prozent aller Flaschen der Fall ist.« Marc hatte sich ins Thema eingelesen, er wollte schließlich nicht völlig ahnungslos vor Anne dastehen.

»Sehr gut, Marc Heller, Note eins, setzen.« Sie lachte. »Und du brauchst auf jeden Fall einen Sauvignon Blanc, bei dem riechen sogar Nasen-Amputierte etwas.« Sie stellte eine Flasche in den Einkaufswagen, dessen Etikett eine beeindruckende Meereswelle zierte.

Marc fand, es war Zeit zum eigentlichen, wenn auch inoffiziellen Grund dieser Verabredung zu kommen. Schließlich brauchte er nicht wirklich einen Grundbestand an Wein, sondern wollte wissen, welchen Typ Mann Anne bevorzugte, um ihr diesen zuführen zu können. Da im Supermarkt allerlei Männer herumliefen, war dies der ideale Ort für Stichproben. Er hatte extra eine späte Uhrzeit gewählt, damit auch tagsüber arbeitende Männer zur Auswahl standen. Ein Exemplar stand in der Nähe bei den Eiern und untersuchte akribisch den Inhalt einer Zehnerpackung.

»Schau mal, ist das nicht ein attraktiver Mann dort? Ein wahrer Herkules.«

Anne blickte vom Weinregal in dessen Richtung. »Du meinst den Westentaschen-Schwarzenegger in der Schlabberhose? Pfff!«

Marc strich den muskulösen Typ von der Liste. Sein Plan funktionierte super! »Der da bei den Konserven scheint sehr logisch vorzugehen, eine gute Eigenschaft bei einem Mann, oder?«

Anne sah hinüber zu dem Mittzwanziger, der trotz der Bullenhitze draußen eine Strickjacke trug und alle Waren im Einkaufswagen in Reihen sortiert hatte. Wobei alles Gekühlte vorne lag und alles Ungekühlte hinten. »Bei dem liegen sicher auch die Fernsehzeitschriften parallel zur Tischkante, und die Bücher stehen alphabetisch sortiert im Regal. Das würde mich wahnsinnig machen. Hier, ich leg dir noch einen weichen Merlot rein. Für alle, die gerne Rotwein trinken, aber Angst vor Gerbstoffen haben. Außerdem einen Trollinger, für alle, die nur meinen, dass sie gerne Rotwein trinken, obwohl sie eigentlich Weißweintrinker sind.«

Marc stellte sich auf die Zehenspitzen, um einen besseren Überblick zu bekommen. Ein Anzugträger stand bei den Pflegeprodukten und roch an einem Duschgel, auf dessen schwarzem Plastik ein stilisierter Hasenkopf abgebildet war. Das Tier kam Marc bekannt vor, aber er wusste nicht, woher. Von Dürer stammte der Hase auf jeden Fall nicht.

»Das dort ist ein sehr adretter Mann. Also richtig schick, findest du nicht?«

Anne legte ihren Kopf zur Seite und blickte Marc fragend an. »Willst du mir vielleicht irgendwas sagen? Habe ich in der Schule vielleicht nicht mitbekommen, wie deine sexuelle Orientierung ist? Oder anders ausgedrückt: Liegst du beim Kuchenessen lieber unten?«

Marc hatte keine Ahnung, was sie meinte. »Heißt das, du findest ihn nicht attraktiv?«

»Die Frage ist nicht, ob ich ihn attraktiv finde.« Sie schob Marc sachte in den leeren Gang mit den Obstbränden. »So, hier sind wir ungestört.« Anne zog die Augenbrauen hoch. »Ich höre.«

Marc entdeckte einen Punker hinter ihr. Was für ein Glück, solch ein exotisches Exemplar Mann vorzufinden!

»Schau mal, der verwegene Typ dort. Wäre der nichts für dich?«

Sie drehte sich um. »Also mir wäre der dahinten lieber, der sich gerade runter zu den gekühlten Bierdosen bückt. Mit dem beeindruckenden Bauarbeiter-Dekolleté.« Sie drehte sich um, die Hände an die Hüften gestemmt. »Bist du schwul? Ist für mich kein Problem. Eigentlich wollte ich schon immer einen schwulen Freund haben.«

Was passierte hier gerade? Warum fragte sie ihn so etwas? Marc wurde rot. »Nein.«

»Warum fragst du mich dann die ganze Zeit nach meiner Meinung zu Männern?«

»Ich betreibe nur Konversation.«

Sie schüttelte den Kopf. »Spuck aus, was du wirklich wissen willst. Weil ich gerade echt irritiert bin.«

Marc log nicht. Nie. Henny und Prian meinten, dies wäre seine verwundbare Stelle, dort, wo das Drachenblut nicht hingekommen sei. Doch Marc verachtete Lügen, weil sie alles kompliziert machten. Jede Lüge spannte einen Stolperdraht durch das Leben. Er wollte nicht ständig aufpassen müssen, einen davon zu treffen – und erst recht nicht, darüberzufallen. Lieber schwieg er, als zu lügen. Was dazu führte, dass er sehr oft schweigsam war. Er durfte Anne auf keinen Fall sagen, dass er eine Liste über ihre Männervorlieben erstellte. Dann wäre alles vorbei.

Marc schwieg und senkte den Blick.

»Jetzt red schon. Sonst spreche ich nicht mehr mit dir«, sagte Anne. »Freunde verraten sich alles, oder? Und wir sind doch Freunde?«

Er nickte.

Anne trat näher zu ihm. »Also raus damit, du kannst mir alles sagen. Ich bin ganz Ohr.«

Dann war dies das Ende seines Plans.

Er holte tief Luft.

»Ich wollte es wissen, weil …«

Anne unterbrach ihn. »Bin schon drauf gekommen! Du willst wissen, auf was für einen Typ Mann ich stehe, damit du weißt, was Dirk für einer war. Du willst mich besser verstehen. Und du machst das auf deine komische Art. Hab ich recht?«

Marc schwieg und blickte wieder auf den Boden. Er spürte, wie Anne ihm einen sanften Kuss auf die Wange gab. Spürte die Spitzen ihrer blonden Haare über sein Gesicht streichen. Nahm ihr Parfüm war, das nach Vanille duftete und nach Rosen, wenn sie die Blüten öffneten.

»Du bist echt süß. Aber ich hab gar keinen Typ. Na gut, als Teenager, da hatte ich mal einen. Dunkle Haare, cooler Blick, lässig, ein bisschen gefährlich, aber eigentlich voll sensibel. Ja, ich geb's zu, ich stand auf Johnny Depp. Mein erster Freund sah dann auch so aus.« Sie schmunzelte, und ihr Blick verschwand kurz in der Vergangenheit. »Aber er benahm sich leider kein bisschen wie Johnny Depp, deshalb war nach drei Wochen wieder Schluss. Na gut, auch weil er mit Annika rumgeknutscht hat. Vor der Sporthalle! Mein nächster Freund war dann blond, klein, dick und trug immer Hawaiihemden. So viel zu meinem Typ. Weißt du, man findet schön, was man liebt. Ich muss einen Mann immer erst kennenlernen, dann weiß ich, ob er mein Typ ist. Wobei einer mit Bauarbeiter-Dekolleté auf keinen Fall infrage kommt.« Sie lachte. »Und wegen Dirk, der sieht aus wie ein Versicherungsvertreter, ganz solide.« Sie stockte. »So solide, dass ich dachte, er würde mich nie enttäuschen …« Anne griff nach einer Flasche schottischem Gin. »Gegen Enttäuschungen ist das hier super. Als Gin Tonic außerdem sehr angesagt. Wenn du dich mal ausknocken willst.«

»Du meinst, wenn ich mal Sterne ohne Teleskop sehen will?«

Sie knuffte ihn in die Seite. »Hey! Ich dachte, ich bin für die Witze zuständig?«

Marc knuffte unbeholfen zurück, womit er Anne ein wenig aus dem Gleichgewicht brachte. »Nur für die, in denen keine Sterne vorkommen.«

Anne stand auf dem kleinen Balkon ihrer Wohnung im Agnesviertel und beugte sich besorgt zu ihrem Kräutergarten, der aus sieben Blumenkästen unterschiedlicher Farbe bestand. Das Basilikum ließ kraftlos die Blätter hängen. Auch die Glatt-Petersilie. Der Oregano. Sowie die Kresse. Bei ihr würden selbst Kakteen die Blätter hängen lassen – und wenn sie sich extra dafür welche wachsen lassen müssten. Sie hatte einfach keinen grünen Daumen, sie hatte eine Killerhand. Das sagte ihre Mutter immer. »Du bringst auch wirklich jede Pflanze um, die du in die Hände bekommst. Versuch es lieber mit Plastikblumen. Die sehen heutzutage täuschend echt aus!«

Bei ihrer Mutter spross und wuchs alles. Als gelernte Apothekerin ging sie mit Akkuratesse und Akribie vor. Sonst hätte sie in einer Zeit, in der man als Frau in diesem Beruf eine Exotin war, niemals ihren Weg gemacht.

Anne wünschte sich so sehr sprießendes Grün, das sie duftend begrüßte, wenn sie morgens auf den Balkon trat, um ihren großen Pott Kaffee zu trinken, auf dem klapprigen Holzstuhl, den sie beim Einzug vorgefunden hatte. Deshalb brachte Anne es nicht übers Herz, ihren Kräutergarten zu entsorgen. Es hätte sich wie aufgeben angefühlt. Sie goss nicht nur die im Todeskampf befindlichen Kräuter, sondern auch all die trockenen Töpfchen, die sich im Zustand der Versteppung befanden, und stellte die

Gießkanne wie ein Versprechen auf bessere Zeiten direkt daneben.

Der Klappstuhl mit den viel zu dünnen und viel zu weit voneinander montierten hölzernen Leisten war wie immer unbequem und fühlte sich doch genau richtig an. Sie blätterte den *Kölner Stadt-Anzeiger* bei den Horoskopen auf. Sie wusste, dass Uranus immer noch im zwölften Haus stand, deshalb war ihre schwere Zeit noch nicht vorbei. Der Zeitungsastrologe Dr. Seydel riet ihr, sie solle den Kopf nicht so hängen lassen wie schlecht gegossene Pflanzen.

Anne blickte auf ihren Basilikumstrauch. Hatte der sich etwa bei der Zeitung beschwert?

Die Pflanze tat so, als wäre nichts.

Sie goss ihn nochmals, das Wasser quoll unten und oben heraus. Viel hilft viel, oder?

Dann fasste Anne einen Entschluss. Es war an der Zeit, Dirk Benz zu entfernen. Alles, was ihm gehörte, in einen Müllsack, alles, was er ihr geschenkt hatte, was an ihn erinnerte, in einen anderen. Und dann zubinden.

Sie wusste, dass dies auch bedeutete, van Goghs blühende Mandelbaumzweige zu verlieren, die so perfekt über ihr großes, bordeauxrotes Ledersofa passten. Trotzdem legte sie nun die Zeitung aus der Hand, ging rein ins Wohnzimmer, trat davor, legte die Hände an den Keilrahmen – und beschloss, den Kunstdruck als Letztes herunterzunehmen. Es gab viel Wichtigeres: Dirks Reservesocken und -unterhosen, seine elektrische Zahnbürste, die Zahnpasta ohne Fluorid, seine Einwegrasierer, das Aftershave, das sie immer so gern an ihm gerochen hatte, die »Lustigen Taschenbücher« auf dem Klo, seine Playstation samt dem ganzen Kabelgewirr, die köstliche Erdbeer-Rhabarber-Marmelade seiner Mutter, mit der er immer warme Brötchen bestrichen hatte, die er ihr sonntags ans Bett brachte, und vor allem das Foto, ihr Foto, das

Beziehungsfoto schlechthin, das mit einem Bananenmagneten am Kühlschrank haftete. Von ihrer ersten gemeinsamen Reise nach Barcelona. Sie standen auf dem Balkon von Gaudís Casa Battló, Anne hatte die Arme ganz weit ausgebreitet, wie Kate Winslet am Bug der Titanic. Sie hatte sich auch gefühlt wie die Königin der Welt. Dirk stand hinter ihr und küsste sie zärtlich in den Nacken. Es war ein herrlicher Sommertag gewesen, voller perfekter Momente.

Sie riss es in Fetzen.

Es tat gut, und es tat verdammt weh, all das auszuräumen.

Als sie alles in blaue Müllsäcke verstaut hatte, stand Anne im Wohnzimmer wieder vor dem Van Gogh und atmete tief durch.

Dann ließ sie sich auf den durchgetretenen Flickenteppich sinken, fing an zu weinen und hörte für eine halbe Stunde nicht mehr auf.

Es waren fast sechs Jahre gewesen, sie war extra für ihn zurück nach Köln gezogen. Obwohl sie Karneval und Kölsch hasste. Sie hatten geplant, diesen Herbst endlich zusammenzuziehen, sich schon gemeinsam Wohnungen angeschaut. Drei waren in die engere Wahl gekommen. Das Thema Kinder stand unausgesprochen im Raum. Es hatte sich wie der Zieleinlauf für die eine, wichtige, feste Beziehung angefühlt. Die, mit der man Wurzeln schlug.

Nun passte die Beziehung in zwei Mülltüten.

Anne beschloss, den van Gogh zu behalten. Als Mahnung, nie wieder mit einem Mann wie Dirk zusammenzukommen.

In der Wohnungstür drehte sich langsam ein Schlüssel. Das Geräusch erschien Anne wie Donnergrollen, denn außer ihr und ihrer Mutter, die für ein verlängertes Wochenende an die Ostsee nach Kühlungsborn gereist war, gab es nur einen Menschen, der einen Schlüssel besaß. Und es war genau der Mensch, den sie am allerwenigsten sehen wollte. Sie rannte zur Wohnungstür und drückte dagegen. Doch Dirk schaffte es, einen Spalt offen zu halten.

»Hau ab, du Arsch!«

»Ich will nur meine Sachen holen. Wusste ja nicht, dass du da bist.«

»Willst du direkt mit Lügen weitermachen?«

»Was meinst du damit?«

»Mein Wagen steht draußen, du wusstest, dass ich da bin.«

»Ja, das stimmt. Aber ich wollte wirklich meine Sachen holen. Und nicht wieder fahren, nur weil du da bist. Wir müssen sowieso reden. Also ich mit dir. Lässt du mich jetzt rein? Bitte! Das hier ist kindisch.«

Anne trat einen Schritt zurück und verschränkte die Arme. »Ich will nicht reden, da hinten steht dein Kram. Nimm ihn und verschwinde. Und gib mir meinen Schlüssel wieder.«

»Du willst alles wegwerfen, was wir hatten? Wegen einer saublöden Sache?«

»Die Sache heißt Petra Uschgarten, und du hast sie durchgevögelt. Es wird sie sicher freuen, dass du sie als Sache bezeichnest.«

»Da war so eine … eine Anziehung zwischen uns, schon lange.«

»Ich will das nicht hören. Gib mir jetzt sofort den Wohnungsschlüssel und verschwinde mit deinem Müll.«

»Es tut mir total leid! Petra und ich, wir haben beide dagegen angekämpft. Jeden Tag. Aber an diesem Abend haben wir es einfach nicht mehr geschafft. Ihr ging es gar nicht gut, weil ihr Vertrag nicht verlängert wird.«

»Komm mir nicht so! Es war ein Mitleids-Fick?« Sie

stellte den ersten Müllsack vor ihn hin und kämpfte dabei gegen die Tränen. Kämpfte gegen die Wut in sich, die ihre Stimme zittern ließ. Sie würde ihm nicht zeigen, wie sehr er sie verletzt hatte

»Nein, so meine ich das nicht! Es ist total falsch gewesen, unglaublich falsch. Aber jetzt hat es sich damit auch zwischen ihr und mir. Wir mussten das wohl tun. Es wird nicht wieder vorkommen. Ich will wirklich nur dich!«

Anne imitierte Dirks rheinisch-melodischen Sprechrhythmus. »Also diese neue Kollegin, die nervt vielleicht, ständig will die was von mir wissen. Das stört total in der Konzentration. Hoffentlich bleibt die nicht lange.« Sie stellte ihm den zweiten Müllsack vor die Füße.

»Das war auch so. Genau so!«, sagte Dirk. »Ich will dich nicht verlieren.«

»Hast du schon.«

»Dann will ich dich zurück. Was kann ich tun? Was willst du hören?« Er trat auf sie zu, Anne trat zurück.

»Ganz ehrlich?«

»Ja, natürlich.«

»Ich will das Geräusch meiner Wohnungstür hören, wenn sie hinter dir ins Schloss fällt.«

»Anne ...!«

Sie fühlte sich unfassbar erschöpft. »Lass es mich ganz klar sagen: Wenn eine Beziehung einmal beendet ist, dann bleibt es dabei. Komm nicht auf die Idee, um mich zu kämpfen. Das bringt nichts. Das haben schon andere vor dir versucht. Es ist vorbei.«

»Das sagst du jetzt nur, weil du noch wütend bist. Ich weiß, dass du mich liebst.« Er kam näher zu ihr, wobei er fast über die Säcke stolperte. Dirk wollte ihre Hände nehmen, doch Anne zog sie vorher fort. »Wir hatten doch Pläne!«

Anne fühlte, wie ihr Körper kraftlos wurde, doch sie

wollte sich nicht gegen die Wand lehnen. Das hätte Dirk den Eindruck vermittelt, sie würde sich auf ein längeres Gespräch einstellen. »Pläne können sich ganz schnell ändern.«

Dirk machte zwei große Schritte auf Anne zu und umarmte sie. Gegen ihren Willen. Seine Arme waren kraftvoll. Als gehöre sie ihm und als dürfe er mit ihr machen, was er wollte. Sie drückte ihn fort, und dann schlug sie mit den Fäusten auf seine Brust ein. »Ich will dich nie wiedersehen!« Anne trat nach ihm, bis Dirk die Hände hob.

»Ich glaube, es ist der falsche Moment, um zu reden. Aber das müssen wir tun, und das werden wir tun. Denn ich liebe dich immer noch!«

Ihre Stimme hatte sämtliche Kraft verloren. Als sie »Raus« sagte, war es kaum mehr als ein Ausatmer. Anne drehte sich um, ging ins Schlafzimmer und verschloss die Tür hinter sich. Erst als sie kurze Zeit später hörte, wie die Wohnungstür ins Schloss fiel, trat sie heraus. Zögerlich ging sie die Schritte bis zum Flur, bereit, sofort kehrtzumachen, falls Dirk noch da war. Doch er war verschwunden, mit ihm die Müllsäcke.

Aber den Wohnungsschlüssel hatte er behalten.

Sie würde hier nicht mehr schlafen können.

Anne ging ins Wohnzimmer, riss den van Gogh von der Wand und trat das Bild durch den Rahmen kaputt. Dann ging sie ins Badezimmer und griff sich einen grellroten Lippenstift, den sie vor Ewigkeiten für eine Eightys-Bad-Taste-Party gekauft hatte. Noch mit Schuhen stieg sie auf das Sofa, um etwas auf den freien Platz zu schreiben, wo eben noch die blühenden Mandelzweige gehangen hatten:

Quarantäne: ein Jahr keine Männer mehr!

Zweifach unterstrichen. Darunter das Datum. Es war ein Schwur.

Eine Weile blickte Anne ihr Werk an, schüttelte dann entschieden den Kopf. Es klang zu sehr nach Strafe, dabei ging es um Befreiung. Um einen Entschluss, der für Wohlbefinden sorgen würde. Sie strich Quarantäne entschieden durch und ersetzte es durch *Wellnessurlaub*.

Jetzt sah es richtig aus.

Wieder quollen Tränen aus ihren Augen, doch Anne wischte sie fort.

Und verschloss ihr Herz endgültig.

Marc stand vor dem blassgelben Haus seiner Kindheit, in einer Hand eine Kuchenplatte mit Riemchen-Apfel, in der anderen eine Jutetasche.

Sein Blick lag auf dem Fenster, hinter dem sich sein Kinderzimmer befunden hatte, dem Fenster, das für ihn wie ein Tor zu einer magischen Welt gewesen war. Durch das er den Sternenhimmel und Anne beobachtet hatte. Beiden hatte er als Kind unzählige Stunden gewidmet. Die Sterne hatten mit dem Wechsel ihrer Farbe geantwortet. »Siehst du, wie sie dir zuwinken«, hatte seine Mutter gesagt. »Sie mögen dich und passen auf dich auf, wenn du schläfst.«

Im hellen Blau des Sommerhimmels strahlten keine Sterne, niemand winkte ihm von dort zu, und hinter Annes Sprossenfenster an der Westseite des wunderschönen weißen Hauses, wo der Efeu sich dicht bis unters Dach rankte, wohnte heute kein freches, blondes Mädchen mehr, das ihm einen Gruß schickte. Die Villa der Päffgens war ihm immer wie ein Fremdkörper inmitten gesichtsloser, ebenso schnell wie günstig hochgezogener Nachkriegsbauten erschienen. Ein Schloss aus der Märchenwelt, das sich in eine Straße mit schmucklosem Grau verirrt hatte.

Das Haus seiner Kindheit war eines davon. Der blassgelbe Anstrich, den der Regen der Jahrzehnte verwässert hatte, machte es nur noch trostloser. Er spürte den Wunsch, hineinzugehen, die mit einem dicken Teppich ausgelegten Stufen hinauf bis unters Dach zu steigen, in sein Zimmer. Ein selbst aus Pappe und Papier gebasteltes Mobile würde dort an der Decke hängen, unter dem Bett läge eine Lego-Weltraumbasis mit allem, was dazugehörte – inklusive Friseursalon und Eisdiele. Seine liebste Sorte war Milchstraße gewesen. Marc schmeckte sie am Gaumen, so wie er sie sich damals vorgestellt hatte. Wie Muh-Eis mit Knister.

Vorsichtig trat er zur Klingel. Er wusste, dass über dem kupfernen Knopf nicht mehr »Heller« stehen würde, und doch musste er es mit eigenen Augen sehen. Der Weg zur Haustür war weniger akkurat bepflanzt als von seiner Mutter, die versucht hatte, mit allerlei Blumenbeeten und Buchsbaum von der Hässlichkeit des Hauses abzulenken. »Schramm« stand auf dem Namensschild. Marc beneidete die Leute, hier wohnen zu dürfen, und stand kurz davor zu klingeln, um sie kennenzulernen. Vor allem denjenigen, der nun sein Reich bewohnte. Doch dies war kein Besuch, der die Vergangenheit betraf, sondern die Zukunft. Deshalb ging er schnellen Schrittes zur Villa der Päffgens und klingelte dort.

Sie hatten eine Kamera im Eingang installiert. Marc meinte, den prüfenden Blick von Annes Mutter fühlen zu können, und tatsächlich wurde er gemustert, als Barbara Päffgen die Tür öffnete. Sie musste jetzt Anfang sechzig sein und war immer noch das, was man als äußerst gepflegte Erscheinung bezeichnete. Sie trug ein beigefarbenes Kostüm, und was immer sie sich in die Dauerwellen sprühte, es hielt die hellblonden Haare wie Beton in Form. Die Brille hing an einer goldenen Kette um ihren Hals.

»Das ist aber mal eine Überraschung! Was führt dich zu

uns, Marc?« Sie lächelte, doch nur eine Hälfte ihres Gesichts war bereit mitzumachen.

Er hielt den Kuchen in die Höhe. »Ich habe Ihnen Kuchen mitgebracht. Es ist fünfzehn Uhr. Sie trinken immer zwischen fünfzehn und siebzehn Uhr Kaffee, in zweiundachtzig Prozent der Fälle essen Sie Kuchen dazu.«

»Woher…?«

»Das habe ich damals in den Sommermonaten beobachtet, da Sie den Kaffee dann immer auf der Terrasse eingenommen haben. Wenn Sie mögen, kann ich Ihnen die entsprechenden Diagramme zeigen. Allerdings geben sie keine Auskunft darüber, wie es sich in den Wintermonaten verhält. Aufgrund vergleichender Statistiken bei Nachbarn, in deren Esszimmer ich auch von Oktober bis März blicken konnte, steigt die Kuchenwahrscheinlichkeit jedoch proportional zur sinkenden Temperatur.«

Annes Mutter brauchte einige Zeit, um diese Informationen zu verarbeiten. »Vielleicht kommst du erst mal rein, ich habe dich ja Ewigkeiten nicht mehr gesehen.«

»Neun Jahre, fünf Monate und zwölf Tage. Falls ich mich nicht verrechnet habe.«

»Oh, das hast du ganz bestimmt nicht.« Sie wies in Richtung des Wohnzimmers. »Ich habe aber noch keinen Kaffee aufgesetzt.«

Marc hielt seine Jutetasche hoch. »Ist hier drin, auch Tassen, Teller und Gabeln. Dann müssen Sie Ihr gutes Geschirr nicht schmutzig machen. Ich will keine Umstände machen, schließlich habe ich eine Bitte an Sie.«

»Na, du machst es aber spannend. Kuchen und Kaffee wären aber gar nicht nötig gewesen, ich freue mich, dich mal wiederzusehen.«

Wieder dieses Lächeln, das Marc ein bisschen an einen hartnäckigen Zahnschmerz denken ließ.

Barbara Päffgen ging vor in ihr Wohnzimmer, das aussah wie ein Katalog von Laura Ashley.

»Setz dich doch und lass mich zumindest den Kuchen anschneiden und uns Kaffee einschenken, sonst komme ich mir ganz nutzlos vor.«

Marc setzte sich vorsichtig. Er war selten hier gewesen, denn Annes Mutter wollte nicht, dass man im Haus spielte. Zu viele Vasen, Bilder und dekorative Dinge, deren Sinn sich ihm nicht erschloss, konnten kaputtgehen.

Erst als jeder ein Kuchenstück hatte und der Kaffee eingegossen war, setzte sich auch die Gastgeberin. »Leider ist mein Mann beim Badminton, deshalb musst du mit mir vorliebnehmen.«

»Ihn brauche ich auch nicht«, sagte Marc und aß ein Stück von dem Kuchen. »In vierundzwanzig Prozent aller Fälle essen Sie Riemchen-Apfel, damit steht er auf Platz eins.«

»Erzähl mir lieber nichts mehr darüber. Ich komme mir ein wenig vor, als hätte die NSA uns beobachtet.« Sie strich die Tischdecke glatt. »Geht es deinen Eltern gut?«

Marc nickte. »Ihr Leben ist ausgesprochen stabil.«

»Wie schön für sie.«

»Sie haben sich vor Kurzem ein Grab gekauft, das macht preislich wohl Sinn. Vielleicht wäre das auch etwas für Sie und Ihren Mann? Ich kann Ihnen gerne Informationen zukommen lassen.«

Ihr Zahnschmerz schien schlimmer zu werden. »Wir haben wohl hoffentlich noch etwas Zeit bis dahin. So, nun erzähl mal, was dich herführt.«

»Sie dürfen Anne nichts von unserem Gespräch erzählen.«

»Warum denn nicht? Stimmt etwas nicht mit ihr?«

Marc aß seelenruhig weiter. »Sie müssen das versprechen.«

»Du verhältst dich ein wenig merkwürdig.«

»Das kennen Sie ja von mir.«

Nach kurzem Zögern nickte sie. »Also gut, ich verspreche es.«

»Lassen Sie uns erst zur Stärkung den leckeren Kuchen essen. Danach habe ich dann auch die Hände für Notizen frei.«

Annes Mutter legte die Gabel auf den Kuchenteller. »Nein, du sagst es lieber jetzt. Sonst werde ich ganz nervös. Was ist mit Anne?«

Marc schluckte den letzten Bissen herunter und erzählte dann von Annes Beziehungsende. Ohne in Details zu gehen. Annes Mutter hatte wegen ihres Kurztrips an die Ostsee noch nichts davon gehört und war geschockt.

»Er war so ein netter Mann. Und Anne hat wirklich Schluss gemacht?«

»Sie wird Ihnen das alles sicher noch genau erzählen. Das ist nicht meine Aufgabe.«

»Was ist denn deine Aufgabe?«

»Für Anne den perfekten Mann zu finden. Aber ohne, dass sie es mitbekommt. Sie glaubt schließlich an das Schicksal – ich als Naturwissenschaftler glaube dagegen an die Macht der Algorithmen. Ich benötige dafür nur die entscheidenden Infos von Ihnen über Annes bevorzugten Typ Mann. Sie selbst sagt, sie hätte keinen. Aber eine Mutter besitzt manchmal einen klareren Blick. Leider kenne ich keinen ihrer Exfreunde – im Gegensatz zu Ihnen.«

Barbara Päffgen sah ihn nur stumm an. Dann stand sie auf und umarmte Marc. »Du bist ein guter Kerl, Marc. Und dein Vorhaben ehrt dich. Aber du hast überhaupt keine Ahnung von Frauen.«

»Das höre ich nicht zum ersten Mal. Werden Sie mir trotzdem helfen?«

Sie ging zu einem Schrank und holte eine Flasche Cognac, aus der sie sich einen großen Schluck in den Kaffee goss. »Jetzt schmeckt er nach etwas!« Sie lächelte, und diesmal machte ihr ganzes Gesicht mit. »Weißt du, Anne hat uns immer viel Sorgen gemacht. Bei ihr herrschte stets Chaos, in ihrem Zimmer, ihrem Leben, ihrer Lebensplanung. Und was für Typen sie hier angeschleppt hat!« Sie schlug die Hände vor dem Gesicht zusammen. »Vermutlich hast du auch darüber Listen geführt?«

Marc zog es vor zu schweigen.

»Ich glaub ja, Anne hat manche davon nur angeschleppt, um uns zu ärgern. Irgendwann fing sie dann an, sich Männer zu suchen, die das genaue Gegenteil von ihr waren. Männer, die im Berufsleben standen, die klare Ziele hatten. Nette Männer, weißt du. Früher sagte man: ideale Schwiegersöhne. Nur die waren ihr dann nach einiger Zeit immer zu langweilig. Wenn du mich also fragst, was für einen Typ Mann Anne bevorzugt, dann kann ich dir darauf leider nur antworten: keinen, mit dem sie eine lange, glückliche Beziehung führen kann. Sie hat den richtigen Typ noch nicht gefunden. Ich hoffe wirklich, dass deine Algorithmen mehr Erfolg haben als das Schicksal. Weniger Erfolg können sie kaum haben.«

Es klingelte an der Tür.

»Was ist denn heute nur los?«

Marc gab die Informationen in sein Smartphone ein. Sie waren ein guter Anfang. Er brauchte also einen idealen Schwiegersohn, der trotzdem hochinteressant war.

Plötzlich stand Anne im Raum. »Was machst du denn hier?«

Ihm fiel keine Antwort ein, denn mit Annes Erscheinen hatte er nicht gerechnet. Marc wurde kreidebleich.

Es war Annes Mutter, die schließlich auf die Frage antwortete. »Ich habe ihn gebeten, mir mit dem Computer zu helfen, er funktioniert wieder nicht.«

»Ach, Mama. Hast du versucht, ihn ein- und auszuschalten?«

»Marc hat alles wunderbar hinbekommen. Ich bin sehr froh, dass er Zeit hatte. Du solltest dir von ihm auch einmal den Computer durchprüfen lassen.«

Je schneller er hier rauskam, umso besser. Sonst geriet er nur wieder in eine Situation, die nach einer Lüge verlangte.

»Ich muss gehen. Ganz dringend. Auf Wiedersehen.« Dann stand er auf und ging.

Löwe (24. Juli – 23. August) Das Gespräch mit anderen ist Ihnen heute wichtiger als sonst. Ein reger Gedankenaustausch kann ein Genuss und hilfreich sein, wenn Mitteilen und Zuhören einander die Waage halten. Sie haben allerdings eine verstärkte Neigung, den Gesprächspartner nicht zu Wort kommen zu lassen oder dem Fluss von Geben und Nehmen anderweitig ein Hindernis entgegenzustellen. Vertrauen Sie auf Ihre Worte, auch wenn deren Wirkung Zeit braucht.

Kapitel 3

Es war kurz vor Mitternacht, Marc saß im zweistöckigen Kontrollraum des Radioteleskops Effelsberg vor unzähligen, in exakten Winkeln eingestellten Monitoren – und stritt mit Prian.

»Das mache ich auf gar keinen Fall!«, sagte dieser.

»Aber ich muss jetzt Testreihen durchführen. Echte Begegnungen mit dem anderen Geschlecht. Und du gehörst diesem an.«

Prian biss so fest in einen Mars-Riegel, als könne der etwas für seine Lage. »Ich bin nicht dein Versuchskaninchen!«

Ohne dass es jemand bemerkt hatte, befand sich mit einem Mal die kleine Göttin auf seinem Schoß. Prian ließ seufzend den Schokoriegel sinken und begann, sie zu kraulen.

»Prian, du schuldest mir noch einen Gefallen. Von damals, als der Getränkeautomat kaputt war.«

»Du willst eine Dose Cola mit einer Anbaggerung gleichsetzen.« Er richtete den Finger wütend auf Marc. »Chleudert den Purschen zu Poden!«

Marc konnte nicht anders als grinsen. »Also weißt du, mein Pester, ich pin üperrascht, einen so stämmigen Schwertträger wie dich vor dem Pöpel wanken zu sehen.«

Sie lachten, und es löste die Anspannung. Jetzt schaltete sich Henny ein, die auf dem Schreibtisch Platz genommen hatte.

»Ich gebe Prian sehr selten und genauso ungern recht, aber diesmal bin ich auf seiner Seite. Du solltest das mit den Tests lassen, Anne ist noch nicht so weit. Die Sache mit Dirk ist doch gerade erst passiert. Lass sie Luft holen. Wenn sie irgendetwas gerade nicht will, dann Männer. Sie hat jetzt Karenzzeit.«

Prian hob den Zeigefinger. »Karenzzeit kommt vom lateinischen *carere*, also verzichten.«

»Danke, Klugscheißer. Als wäre mir das nicht bewusst. Du hast doch noch ein Jahr Zeit, Marc. Also kein Grund zu hetzen. Gut Ding, du weißt schon.« Henny nahm Prians Schokoriegel. »Führ noch ein paar Gespräche mit ihr. Dann wirst du ganz schnell merken, dass Prian sowieso nicht ihr Typ ist.«

»Danke«, sagte Prian. »Warte, war das eine Beleidigung?«

»Kann eine Feststellung eine Beleidigung sein, wohl nicht.«

Prian wollte etwas erwidern, doch dann schloss er den Mund, denn Dr. Ingmar Steffensberg trat ein. »Ah, die Hinterkopf-Zwillinge und das wandelnde Filmzitat. Was macht euer kleines Kaffeekränzchen?«

Steffensberg hatte damals auf den Posten des Leiters in Effelsberg spekuliert, aber war in der letzten Runde gegen Marc unterlegen. Dabei war er vier Jahre älter und ein exzellenter Astronom – nur eben kein solches Wunderkind wie Marc. Eine unsichtbare Wand war zwischen ihnen und wurde mit jedem Tag massiver.

Steffensberg klopfte gegen die große Uhr neben der Weltkarte, auf der alle Radioteleskope im Verbund eingezeichnet waren. »Noch eine Stunde und siebenunddreißig Minuten. Das muss ja eine verdammt komplizierte Messung sein, dass gleich drei Koryphäen sie überwachen müssen.«

Henny warf Marc einen drängenden Blick zu, doch der zuckte nur die Schultern. Solche Beleidigungen ließ er einfach an sich abprallen. Im Herzen war Steffensberg sicher kein schlechter Mensch, sondern nur frustriert.

»Wir genießen die Anwesenheit der jeweils anderen«, erwiderte Henny. »Das würde uns nicht bei jedem Kollegen gelingen.«

»Da hat mein kleiner Pfeil wohl getroffen.« Er grinste. »Nichts für ungut, ich zieh euch nur auf. Hab gerade Kaffee aufgesetzt. Richtig guten mit meiner Röstung. Nicht so ein Mist wie aus dem Automaten.«

Prian stand auf. »Ich muss dringend los. Soll ich dich mitnehmen, Kollegin?«

Henny nickte. »Draußen ist auf jeden Fall bessere Luft.«

Steffensberg blickte fragend zu Marc, der den Kopf schüttelte. »Mein Organismus würde richtig guten Kaffee sicher als fremdartige Substanz verweigern.« Er rollte den Stuhl an den hinteren Schreibtisch, um seine heutige Spektografie vorzubereiten, die südliche Milchstraße wollte schließlich kartiert werden. Sein Blick fiel durch die gewaltige Fensterfront auf das in einem warmen Gelb angestrahlte Radioteleskop. Es wirkte auf ihn immer, als könnte es ihm seine Fragen über das Leben, das Universum und den ganzen Rest beantworten. Vielleicht ja sogar die schwierigsten von allen, die über Frauen. Für einen Moment war er so versunken in das stählerne Konstrukt, das sich gerade auf den Quasar 3C 273 ausrichtete, dass er das Piepen des Rechners vor sich überhörte.

Steffensberg klopfte ihm mit Stahlfingern auf die Schulter. »Weißt du nicht mehr, was zu tun ist?«

Marc blinzelte und drückte automatisch die richtige Tastenkombination. Nach einem kurzen Blick auf die wie erwartet korrekten Daten stand er auf. »Ich geh mal hoch in die APEX-Kabine.«

»Lass dich von mir nicht aufhalten.«

Marc wusste, dass Steffensberg dies im doppelten Sinne meinte. Sein Stellvertreter konnte es nicht erwarten, dass er nach Chile ging, denn er hoffte, seine Stelle anzutreten. Doch es gab starke Konkurrenz. Prian hatte sich beworben, und er hatte gerade erst eine Aufsehen erregende Entdeckung gemacht: den größten, bekannten Hyper-Riesen. Zweihundertzwanzigfach massereicher als die Sonne. Selbst *National Geographic* hatte darüber berichtet, Prian war ein aufgehender Stern am astronomischen Himmel.

Der Weg zur APEX-Kabine führte vorbei an den Getränke- und Süßigkeitenautomaten, wo die kleine Göttin aufmerksam saß. Was für eine kluge Strategin die zierliche Katze doch war. Niemand wusste, wie sie nach Effelsberg gekommen war. Wichtig war allen nur, dass sie blieb. Sie war zu einer Art Maskottchen geworden. Seit eine Radioreportage über sie berichtet hatte, hielten sogar Touristengruppen nach ihr Ausschau.

Marcs Weg führte ihn hinaus aus dem Gebäudekomplex und hinunter zum Teleskop, das in einer nach Süden offenen Senke lag, die möglichst viel der störenden Umgebungsstrahlung abhielt. Wie eine weiße Perle in einer waldigen Auster. Treppen führten hinauf zum Aufzug, der ihn ins Zentrum der Auster brachte. Zwei weiß gestrichene Metalltüren führten von der APEX-Kabine zum Außenbereich, doch dieser durfte nicht betreten werden.

Marc öffnete trotzdem eine davon und spürte den kühlen Nachtwind auf den Wangen. Das Weiß der empfindlichen Teleskopplatten, in dem sich der Mond spiegelte, blendete ihn fast. Nachdem sich die Augen etwas daran gewöhnt hatten, zog er die Schuhe aus und trat vorsichtig ins Freie. Mitten in einem der größten Radioteleskope der Welt, das wie ein Ohr ins Weltall hörte, herrschte eine ganz besondere Stille.

Er ging ein paar Schritte und legte sich auf halber Höhe langsam hin. Der nördliche Sternhimmel mit der Milchstraße funkelte über ihm. Hoch im Süden stand das Sommerdreieck, gebildet aus dem Stern Atair im Sternbild Adler, dem Wega im Sternbild Leier und dem Deneb im Schwan.

Der Schwan bereitete genau über ihm seine Schwingen aus. In Form des großen Sternenkreuzes, das als »Kreuz des Nordens« bekannt war. Marc träumte sich empor, stellte sich vor, wie er in die Höhe schwebte und zu den Sternen glitt, die wie Spielbälle an ihm vorbeiflogen. In den chilenischen Anden wäre er dem Himmel noch viel näher als in der Eifel. Im kosmischen Maßstab machte der Unterschied von vierhundertdreiundfünfzig Metern in Effelsberg zu den fünftausend Metern der Atacamawüste nichts aus, doch es würde sich ein wenig anfühlen wie Astronaut zu sein, ganz nah den Sternen. Marc verschränkte die Arme hinter dem Kopf und lächelte. Er gönnte sich diese verbotenen Ausflüge nur ganz selten, aber sie waren der Treibstoff für seine Erforschung der Sterne.

Die Tür wurde geöffnet. »Herr Direktor, was machen Sie denn hier?«

Es war Wolfgang Plattner, der erfahrenste Operateur. Seit Eröffnung des Teleskops 1972 mit dabei. Einer derjenigen, die den Laden in Schuss hielten. Plattner war jedoch auch jemand, dem Regeln und Vorschriften über alles gingen – ein Mann deshalb, vor dem man selbst als Direktor strammstand. Marc wusste nicht, was er antworten sollte, und ging deshalb wortlos zurück in die APEX-Kabine. Hinter sich hörte er, wie Wolfgang Plattner sich räusperte. »Dr. Steffensberg hat gemeldet, dass Sie unerlaubterweise hier oben wären. Ich konnte das von Ihnen gar nicht glauben.«

Es schmerzte Marc, dass er den alten Mann enttäuscht hatte.

Zurück im Kontrollraum strahlte ihn Steffensberg von seinem Schreibtisch aus an. »Musste ich melden, das verstehst du sicher. Ein kleiner Fleck auf deiner perfekten Vita. Ich hoffe, die in Chile bekommen das nicht mit. Ist doch dein großer Traum, oder? Also so was wie eine Seifenblase.« Er grinste breit. »Und die machen bekanntlich ganz schnell Plopp, wenn es zu viele Nadelstiche gibt.«

Nina ächzte. Es war elf Uhr am Vormittag – in der Zeitrechnung von Sommelièren, Köchen und Kellnern mitten in der Nacht. Anne reichte ihr jetzt schon die fünfte Tüte feinster Konditorenkunst. Anne hatte Stachelbeerbaiser, Altdeutschen Apfel und Zitronenschnitte bei Riese gekauft, Sachertorte, Eissplitter und Streuselkuchen bei Pascher, Erdbeerkuchen, Philadelphiatorte und Maulwurfkuchen bei Schlechtrimen, Schwarzwälder Kirschtorte, Marmorkuchen und Frankfurter Kranz bei Klüppelberg und Eierlikörtorte sowie Käse-Sahne-Schnitte bei Printen Schmitz.

Jeweils ein Stück.

Nina stöhnte theatralisch, als sie aus dem Laden traten. »Mein Arm fällt gleich ab. Der rechte. Das ist mein Lieblingsarm.«

»Stell dich nicht so an«, antwortete Anne. »Es sind doch nur vierzehn Stücke.«

»Darf ich noch mal sagen, dass ich diese Kuchengeschichte für völligen Schwachsinn halte?«

»Nein.« Anne schloss den Kofferraum ihres alten, roten Golf auf. Der Wagen wurde längst nicht mehr von Schweißnähten und Nieten zusammengehalten, sondern nur noch von grundlosem Vertrauen.

»Hättest du nicht einfach einen gemischten Karton von Coppenrath & Wiese kaufen können?«

»Das ist nicht dasselbe.« Vorsichtig verstaute sie die Tüten, indem sie sie seitlich durch Verbandskasten, Sicherheitsweste und den noch nie benutzten Sonnenschutz sicherte, sodass sie auch in einer Kurve nicht umfallen konnten.

»Stimmt, das ist nicht dasselbe«, sagte Nina und stieg ein. »Die von Coppenrath sind nämlich dafür gedacht, dass man sie irgendwann auftaut, und schmecken dann auch entsprechend.«

»Ebendrum. Geht nicht. Ist falsch.«

»Das hier ist auch falsch. Vorher hattest du eine persönliche Sammlung, in jedes Kuchenstück war eine Erinnerung eingebacken. Aber die hier sind seelenlos.«

»Sie werden peu à peu ersetzt.« Anne schwang sich auf den Fahrersitz und stellte demonstrativ das Radio an.

Nina stellte es wieder aus. »Mensch, Anne, jetzt mal ehrlich: Das wäre doch die Riesenchance, einen Tiefkühler zu haben, in dem mal was anderes ist als Kuchen. Zum Beispiel Pizza, Eis oder Fertiggerichte. Du glaubst ja nicht, was die wundervolle Welt des gefrorenen Gutes alles zu bieten hat.«

Mit einem Mal wurde Anne ganz ernst. »Ja klar, du hast natürlich recht, aber in meinem Leben ändert sich gerade genug, da will ich nicht auch noch einen Tiefkühler ohne Kuchen haben. Ich will Kuchen! Den habe ich immer gehabt, seit Jahren, und das fand ich gut. Auch wenn es keinen Sinn machte. Ach was, gerade weil es keinen Sinn machte. Ich will da wieder Kuchen drinhaben. Und ich will das jetzt auch nicht weiter erklären müssen, sondern irgendwo eine Himbeercremetorte auftreiben.«

Nina lehnte sich zu Anne und schloss sie in die Arme. »Ich würde mit dir bis ans Ende der Welt fahren, um eine Himbeercremetorte zu finden. Das weißt du, oder?«

»Ja«, sagte Anne. »Und da du so auf deine Linie achtest, würdest du sie mir auch nicht wegessen.«

Nina zog sie dafür am Ohr. Aber das hatte sie verdient.

Sie fanden die Himbeercremetorte bei einer Kamps-Filiale. Anne war der Ansicht, ein Industriekuchen komplettiere die Sammlung. Das Leben bot einem eben nicht nur allergrößte Köstlichkeiten.

Als sie sich dem Altbau mit ihrer Mietwohnung näherten, fuhr Anne langsamer. »Guckst du mit? Er fährt einen mattschwarzen 3er BMW.«

»Findest du dein Verhalten nicht ein ganz klein wenig neurotisch?«

»Nein.« Anne löste den Blick keine Sekunde von den parkenden Autos. »Ich will ihm nicht begegnen, okay? Ist das so schwer zu verstehen?«

Nina schwieg und sah hinaus. Erst nach fünf Minuten sprach sie wieder. »Sein Wagen ist definitiv nicht da.«

Es dauerte weitere zehn Minuten, bis Anne einen Parkplatz gefunden hatte, rund einen halben Kilometer entfernt. Für das Agnesviertel kein schlechter Wert. Nachdem sie den Motor ausgestellt hatte, sah sie Nina an. »Tut mir leid, bin echt gereizt gerade. Bin sehr froh, dass du dabei bist.«

»Er wird nicht in der Wohnung sein. Und wenn doch, dann tret ich ihm so in die Familienjuwelen, dass sie oben wieder rauskommen.«

Anne musste lächeln. »Das würdest du wirklich tun?«

»Und ob!« Sie strich Anne über den Kopf. »Also auf in den Kampf. Ehrlich gesagt fände ich es gut, wenn er jetzt da wäre. Dann könnte ich das gleich erledigen.«

Annes Herz schlug schneller, als sie die Haustür aufschloss und die erste Stufe hoch zur vierten Etage nahm. Dirk würde sicher nicht da sein, doch dass er es könnte, dass er wegen seines Schlüssels jederzeit die Möglichkeit hatte reinzukommen, hatte ihren sicheren Hafen in ein Piratennest verwandelt, in dem Geister der Vergangenheit die Bewohner heimsuchten. Leider fühlte es sich nicht halb so lustig an wie in *Fluch der Karibik*.

Das Treppenhaus kam ihr kahler vor als je zuvor, der Hall der Schritte auf den blanken Steinstufen schneidender und ihre Wohnungstür viel weniger einladend.

»Geh du vor«, sagte sie zu Nina. »Hier hast du den Schlüssel.«

Nina tat, als zöge sie Rotz in der Nase hoch und spucke diesen auf den Fußboden. Anne schaffte es nicht zu lächeln. Erst als Nina nach dem Aufschließen wie eine Kung-Fu-Kämpferin in den Wohnungsflur sprang, gelang es ihr ein wenig.

»Eckstein, Eckstein, alles muss versteckt sein«, rief Nina. »Nee, Quatsch, komm raus, wenn du Dirk Benz heißt und ein Vollidiot bist.«

Es war ein Spaß, trotzdem entstand eine angespannte Stille.

Anne beruhigte sich nur langsam. Sie zog ihre dünne Sommerjacke straff, als sei diese eine Rüstung.

Nina gab ihr den Wohnungsschlüssel zurück. »Warum lässt du das Schloss nicht einfach auswechseln?«

»Weil das ein Mietshaus ist und wir eine komplette Schließanlage haben. Wenn Dirk den Schlüssel nicht rausrückt, müssen alle Schlösser ersetzt werden. Was ein Heidengeld kostet. Ich brauche diesen Schlüssel wieder!«

Anne ging es deutlich besser, als der Tiefkühler wieder gefüllt war. Sie hatte den Eindruck, er gebe ein zufriedenes Geräusch von sich, als sie die Tür schloss.

»Willst du einen Kaffee?«, fragte sie Nina.

»Gerne. Und dazu ein Stück Kuchen. Falls du zufällig eins da hast…« Nina ging breit grinsend ins Wohnzimmer, wo sie Annes Ein-Jahr-Keine-Männer-Plan an der Wand betrachtete. »Du lebst also jetzt zölibatär?«

Anne kam mit zwei Kaffees und ohne Kuchen ins Wohnzimmer. »Hab leider keinen Kuchen da.« Sie blieb ganz ernst. »Aber die Kekse hier sind so trocken wie einige, die ich schon gegessen habe.«

»Du weichst aus, Nonne.«

»Es ist nur ein Jahr, und es ist besser so.« Anne setzte sich nicht. »Lass uns schnell wieder gehen. Ich bin echt noch nicht so weit hierzubleiben. Kann ich wirklich nicht noch mal bei dir übernachten?«

Nina trank einen Schluck Kaffee. »Sonst immer gern, aber diese Nacht geht nicht. Da kommt mein Schatzi aus dem Lipperland zu Besuch, und wir werden … nun ja, wir werden wohl die ganze Wohnung brauchen.«

»Das ist echt doof. Bei Luise kann ich heute auch nicht schlafen, weil ihre Eltern zu Besuch sind. Und die alten Herrschaften wollen ihr Töchterlein ganz für sich haben. Ich bin also heimatlos.«

»Und in ein Hotel?«

»Bei meinen Finanzen?«

»Jugendherberge?«

»Das fehlt mir noch mit einer Gruppe pubertierender Sechstklässlerinnen, die bis früh in den Morgen giggeln. Da kann ich mich besser unter eine Brücke legen, da ist es sicher ruhiger.«

»Was ist denn mit diesem alten Schulfreund, den du letztens wiedergetroffen hast? Der klang nett und so harmlos, dass er sicher nicht irgendwas versucht, wenn du da pennst.«

»Marc? Tja, wenn einer nichts versucht, dann er. Das ist eine Idee! Ich glaub, dem tut es gut, wenn mal eine Frau da ist.«

»Sieh es als Entwicklungshilfe.«

Anne lachte und schrieb eine SMS. Hoffentlich ging es bei Marc – und hoffentlich machte es ihm keine Umstände.

Marc starrte auf sein Smartphone, dann brach ihm der kalte Schweiß aus. Nur noch lächerliche sieben Stunden, bis Anne eintraf! Er musste aufräumen – das dachte er zumindest. In Wahrheit war alles genau an seinem Platz, und der Boden dank täglichem Saugen fast porentief rein. In keiner Ecke fand sich Staub.

Trotzdem brachte er den Hochglanz nun auf Hochglanz.

Zumindest bis er sich die Frage stellte, wo Anne überhaupt schlafen sollte.

Er hatte leichtfertigerweise »Ja« auf ihre SMS geantwortet, denn die Gelegenheit, sie bei sich zu haben und unauffällig befragen zu können, erhöhte die Chance, den perfekten Mann für sie zu finden, beträchtlich. Und er würde sich mit nichts weniger als dem perfekten zufrieden geben! Einem Mann, mit dem sie für alle Zeiten glücklich werden würde.

Drängender war jedoch die Frage des Schlafplatzes. In seinem Bett, zwei Meter mal ein Meter zwanzig, wäre kein Platz für sie und ihn. Er könnte es ihr natürlich überlassen, allerdings war der Härtegrad auf sein Gewicht abgestimmt. Von der Fernsehcouch ließen sich die Polster abnehmen, aber sie wies an der Stelle eine Kuhle auf, wo er immer saß. Das würde für die schlafende Anne ein deutliches Gefälle bedeuten.

Und seine schöne Kuhle in Mitleidenschaft ziehen.

Auf dem Boden wäre es trotz des Teppichs zu hart, und die Luftmatratze eignete sich nur für ausgelassenen Wasserspaß.

Blieb eigentlich nur noch …

Er rannte in den Keller, wo eine mit groben Holzbrettern gezimmerte Nische zu seiner Wohnung gehörte. Im Karton mit der Beschriftung H3 wurde er fündig (H3 für den dritten Karton, dessen Inhalt mit dem Buchstaben H begannen; H1 gehörte dem Heißluftgrill Turbo 3000; H2 diversen Werken zum Thema Hieroglyphen). Kurze Zeit später justierte er die Hängematte in den entsprechenden Haken auf dem Balkon und legte Kissen sowie eine Tagesdecke hinein. Das Segel, das tagsüber Schutz vor der Sonne bot, würde dies nachts vor dem Schein des Mondes und leichtem Regen tun.

Mit Heimwerkerstolz blickte er auf sein Werk. Alles bereit für Annes Ankunft! Doch zurück im Wohnzimmer fiel sein Blick auf die Urkunde der International Astronomical

Union für seinen Kometen, großgeschrieben dessen Name. Annes Name.

Sie durfte nie davon erfahren.

Er verstaute die Urkunde hinter dem Sofa.

Die Wohnung kam ihm dadurch geradezu leer vor.

Aber ansonsten sehr passabel. Die gold gerahmten Plakate der ersten Monster-Movie-Collection, die in mühevoller Arbeit zusammen mit Prian errichtete Tardis in Originalgröße, das von der Decke hängende Modell der USS Enterprise NCC-1701 – komplett aus Kronkorken! Sie schmückten das Wohnzimmer, das von einem großen Schreibtisch und einem noch viel größeren, hochauflösenden Fernseher beherrscht wurde.

Anne würde es lieben.

Und das würde sie in die Stimmung versetzen, mit ihm über alles zu reden.

So weit die Theorie.

Bis auf Brigitte war allerdings nie eine Frau über Nacht hier gewesen. Und da er sie auf einer Star-Trek-Convention in Bonn kennengelernt hatte, auf der sie als aufreizende Klingonin verkleidet war (er dagegen als kuscheliger Tribble), schwang sie in Sachen Inneneinrichtung genau auf seiner Wellenlänge. Aber warum sollte das nicht auf Champagner-Sommelièren übertragbar sein? Raumschiffmodelle beeindruckten schließlich jeden und versinnbildlichten den Traum des Menschen, das All zu kolonisieren. Und wann sah man sie schon mal aus Kronkorken?

Kurz prüfte er den Kühlschrank, in dem sich, genau wie erwartet, lange haltbare Lebensmittel wie H-Milch, Bifi, Essiggurken, Cola Zero oder Käse in einzeln abgepackten Streifen befanden. Miracoli hatte er auch noch. In drei Varianten.

Kulinarisch würden keine Wünsche offenbleiben!

Anne traf über eine halbe Stunde später ein als verabredet. Eine halbe Stunde, in der Marc auf dem Sofa saß, bereit, aufzuspringen und zur Wohnungstür zu rennen. Eine halbe Stunde, in der er sich nicht traute, auf die Toilette zu gehen, weil Murphys Gesetz besagte, dass schiefging, was schiefgehen konnte. Ein Klingler beim Wasserlassen gehörte ganz gewiss dazu.

Er war deswegen doppelt glücklich, als Anne erschien, und verschwand, nachdem er die Tür geöffnet hatte, wortlos auf dem WC.

Es klopfte an der Tür. »Marc?«

»Ja, was ist?«

»Alles okay bei dir? Ist dir übel oder so? Soll ich vielleicht was in der Apotheke holen?«

»Geh schon mal ins Wohnzimmer. Ich komm gleich nach.«

»Ähm.«

»Einfach die nächste links.«

Als Marc zu ihr ins Wohnzimmer kam, saß sie schon im Schneidersitz auf dem Sofa. Die durchlöcherte Jeans stand ihr sehr gut, fand Marc, wobei er immer noch nicht begriff, warum Frauen sich kaputte Hosen zulegten. Das bekam man doch mit ein bisschen rumrutschen in einem Kiesbett problemlos selbst hin.

»Genau so hab ich mir deine Wohnung vorgestellt«, sagte Anne. »Nur ein Aquarium mit Eidechsen fehlt.«

»Du meinst ein Terrarium. Nach Doc Browns Tod wollte ich keinen neuen Leopard-Gecko mehr haben. Es hätte sich angefühlt, als würde ich ihn ersetzen.«

Anne unterdrückte ein Lachen. »'tschuldigung, aber das sollte eigentlich nur ein dummer Witz sein mit der Echse.«

»Er war eigentlich ein Mädchen. Aber das hab ich erst rausgefunden, nachdem ich ihr den Namen gegeben habe. Und den wollte ich dann nicht mehr wechseln.«

»Hat sie denn drauf gehört?«

»Für einen Gecko ziemlich gut.« Marc musste selbst grinsen. »Also so gut wie gar nicht.«

Anne zog eine Flasche Wein aus ihrer Tasche, um deren Hals sie goldenes Geschenkband gebunden hatte. »Für dich, als Dankeschön. Ich find es wirklich total lieb, dass du so kurzfristig zugesagt hast. Immerhin haben wir uns erst vor Kurzem wiedergetroffen.«

»Aber wir waren immer Freunde«, sagte Marc. »Wir sind Freunde, seit wir Kinder waren. Unsere Freundschaft sitzt ganz tief. Dann ist man auch befreundet, wenn man sich nicht sieht. Selbst wenn das ganz lange her ist.«

Anne sah ihn an, und ihre Wangen bekamen ein leichtes Abendrot. »Ja, da hast du recht. Wir sind ein bisschen wie Geschwister, oder?«

»Ein bisschen«, antwortete Marc und sah sich die Weinflasche an, auf der rundherum Fotos des Mondes angebracht waren, die diesen in seinen verschiedenen Phasen zeigten. »Neumond? Ist das eine Rebsorte?«

»Nein, der Name des Weins. Ist ein sehr seltener Riesling. Ich dachte, er passt gut zu dir.«

»Das ist echt nett von dir«, sagte Marc. »Mir fällt gerade ein, dass ich eine Sonderedition Buchstabensuppe mit Sternen habe. Dazu würde er super passen, oder?«

»Spitzenidee! Ich hab nämlich wahnsinnig Hunger. Soll ich uns einen Salat dazu machen?«

»Gern, ich hab alles da, was man braucht: Essiggurken, eingelegte Oliven und Dosen-Mais.« Marc verstand nicht, warum Anne jetzt lachte.

Das ließ sie nur noch mehr lachen.

Der Salat schmeckte sogar. Auf eine sehr eigenwillige Art. Und er ließ die Laune steigen. Die beiden redeten viel über die alten Zeiten und machten dieselben Witze wie damals.

Nach ein paar Gläsern Wein fühlten sie sich sogar wieder ein bisschen, als wären sie zehn Jahre alt und spielten auf dem Schulhof Fangen. Sie sprachen nur über die schönen Erinnerungen, die waren wie bunte Luftballons, sie sprachen über all das, was die Kindheit wie einen einzigen Geburtstag aussehen ließ, und sparten die Tage aus, an denen man sich vorkam wie ein Multi-Sanostol-Kind, bevor es seine Glücksdroge nahm.

Doch im Moment der größten Ausgelassenheit, als sie über ihre erste Klassenfahrt nach Blankenheim sprachen, auf der einige Mädchen sich nachts ins Jungszimmer geschlichen hatten, wurde Anne plötzlich ernst.

»Du hast gar nicht gefragt, warum ich bei dir übernachten muss. Das ist echt nett von dir, aber ich finde, du hast eine Erklärung verdient.« Sie trank ihr Rieslingglas in einem Schluck leer. »Es ist wegen Dirk. Er hat noch den Schlüssel zu meiner Wohnung und rückt ihn nicht raus. Ich fühl mich da jetzt nicht mehr sicher.«

»Wird er ihn dir bald zurückgeben?«

»Das muss er.«

»Warum?«

Anne setzte das leere Glas an die Lippen und ließ den letzten Tropfen vom Grund auf ihre Zunge laufen. »Darum. Weil es sich so gehört.«

»Und wenn er es nicht tut?«

»Darüber will ich nicht nachdenken. Mein Leben kann erst normal weitergehen, wenn ich diesen Schlüssel wiederhabe.«

Marc nickte. Er hatte verstanden. Dann musste dieses Problem behoben werden, ehe wieder ein Mann in ihr Leben treten konnte.

Sie stand auf. »Aber ich will da jetzt gerade nicht mehr drüber nachdenken, denn das ist ein richtig schöner Abend mit einem richtig netten Freund. Hast du irgendwas Schönes zum Angucken? Einen Film, den ich unbedingt sehen muss?« Sie zeigte auf das Modell an der Decke. »Aber kein *Star Wars* oder so. Was Echtes.«

Ohne zu zögern, zog Marc eine DVD-Box aus seiner Sammlung. »Da habe ich genau das Richtige für dich! Du wirst begeistert sein, das weiß ich.«

»Oh, wie schön. Ist es so ein richtiges Feel-Good-Movie?«

»Wenn das keiner ist, dann weiß ich echt nicht, was. Mich macht er immer total hoffnungsfroh. Und es ist sogar eine Mini-Serie!«

Anne legte sich die Kissen auf dem Sofa zurecht. »Super, liebe ich. Nur bloß nix Romantisches, ja? Romantik ertrage ich gerade gar nicht.«

»Nahezu romantikfrei.«

»Gut, das klingt richtig gut. Was machst du da?«

Genau in der Mitte des Raumes platzierte Marc eine kleine Kugel. »Das passt super dazu. Ist das Sega Homestar Extra – gibt es heute nur noch zu astronomischen Preisen zu kaufen.« Er lachte über seinen Witz. »Jetzt nicht wundern, wenn es dunkel wird.« Er schaltete alle Lichter in der Wohnung aus, dann das kleine Gerät an. Mit einem leisen Klick erschien der funkelnde Sternenhimmel der nördlichen Hemisphäre über ihnen. »So sähe der Himmel über Köln aus, wenn wir ihn jetzt sehen könnten.«

Anne ließ sich auf den Rücken gleiten. »Das ist ganz toll, weißt du das.«

»Wir können nachher auch zur südlichen Hemisphäre wechseln.«

»Falls nicht wieder ein Irrer für einen Stromausfall sorgt. Hab heute gelesen, dass sie eine heiße Spur haben. Wohl aufgrund eines Telefonanrufs einige Zeit nach dem Stromausfall in der Nähe des Hotels am Wasserturm. Frag mich echt, was für ein Hirni dafür verantwortlich war.«

Marc dachte an Prian, und dass er ihm niemals verraten würde, wie Anne ihn gerade genannt hatte. Er deutete schnell auf den Fernseher. »Geht gleich los, du wirst es lieben. Alle lieben es! Ist gerade erst auf den Markt gekommen.« Der Schriftzug »Mars« erschien auf dem hochauflösenden Großbildfernseher. »Ist von *National Geographic*, zu einem Teil eine Dokumentation über den aktuellen Stand in Sachen Reisen zum Mars, zum anderen Teil spielt es im Jahr 2034 und erzählt die Geschichte der ersten Landung. Denn die wird kommen! Auf der Arbeit haben sich alle für den Flug zum Mars beworben, und jetzt wird natürlich heiß über diese Serie diskutiert. Die ist echt gut und macht Hoffnung, wirst sehen.«

Marc konnte die Augen nicht von den Bildern des roten Planeten lösen, obwohl er die Serie jetzt schon zum fünften Mal sah.

Anne schaffte es nicht mal bis zum Ende der ersten Folge und schlief ein, den Kopf an Marcs Schulter gelehnt.

Ab diesem Moment traute Marc sich nicht mehr, eine Bewegung zu machen.

Um fünf Uhr am nächsten Nachmittag berührten Annes Fingerspitzen fast die Decke des Weinkellers im Champagne Supernova, so hoch streckte sie sich. Anne räkelte sich, kreiste mit den Schultern, dehnte sich nach allen Seiten, doch ihr Körper fühlte sich trotzdem an, als sei sie eine zum Leben erwachte Schaufensterpuppe.

Sie hatte gehofft, die Verspannungen würden sich schon bei der heutigen Fütterungsaktion der FDSUAUV, Ortsgruppe Köln, lösen, bei der diesmal die Halsbandsittiche der Südstadt auf dem Plan gestanden hatten. Doch dadurch war es fast noch schlimmer geworden. Immerhin hatten die FDSUAUV nun ein neues Mitglied in Form von Luises Mutter Ursula. Eine schweigsame Frau, zweiundneunzig Jahre alt, mit herausragendem Wurfarm.

Die Verspannungen waren natürlich kein Wunder, nachdem sie die Nacht in Marcs Arm geschmiegt und danach auf seinem Sofa geschlafen hatte – den Oberkörper in einer Sitzkuhle. Aber diese Science-Fiction-Serie war einfach so schnarchlangweilig gewesen, dass Einschlafen eine Form der Selbstverteidigung darstellte.

Anne versuchte jetzt den Sonnengruß, den sie aufgrund der Enge des Kellers als Glühbirnengruß ausführte. Aber sie konnte so viel grüßen, wie sie wollte, die Schmerzen grüßten immer wieder zurück. Alles in ihrem Körper rief danach, sich auf den weichen Teppichboden des Restaurants zu legen, statt gleich darüber zu laufen.

Also noch eine Ibu 400, bevor die Gäste kamen. Da Mittwoch war und keine Messe in Köln stattfand, würde angenehm wenig los sein.

Bis acht Uhr waren tatsächlich nur drei Tische besetzt. Ein junges Pärchen, das so hüftsteif dasaß und so fasziniert die vielen Bestecke vor sich betrachtete, dass sie sicher zum ersten Mal in einem Sternerestaurant speisten. Eine Gruppe von drei Vollbarthipstern, die schon beim Eintreten nur über Geschäftliches gesprochen und beharrlich auf deutschem Sekt bestanden hatten. Außerdem ein älteres Paar, das wie jedes Jahr hier seinen Hochzeitstag feierte und dazu die Söhne samt Begleiterinnen eingeladen hatte. Sie hatten sich gegen das begleitende Weinmenü entschieden und für einen Champagner, den sie den ganzen Abend durchtrinken wollten. Diese Unterforderung passte Anne heute gut in den Kram.

Doch um 20:27 Uhr öffnete sich die Tür, und die letzte Reservierung des Abends trat ein – Jürgen Kohnke, der Kritiker des *Kölner Stadt-Anzeigers*. Bei dessen letztem Testbesuch alles schiefgelaufen war.

Und gerade jetzt rauchte Maître Herbert Schönberner im Hof eine Zigarette.

Also musste sie den Gast begrüßen. Scheiße, scheiße, scheiße!

»Guten Abend, darf ich Ihnen die Jacke abnehmen?«

»Wenn ich eine anhätte, gerne. Ich habe einen Tisch auf Christian Fischer reserviert.« Er lächelte trocken. »Zwei Personen für 20:30 Uhr, leider hat meine Begleitung kurzfristig abgesagt. Ich hatte bei der Reservierung um den Tisch am Fenster gebeten – aber ich sehe schon, dass Sie dies nicht möglich gemacht haben.« Dort saß wie jedes Jahr die Hochzeitstagsgesellschaft. »Ist der Maître krank?«

»Er raucht im Hof«, sagte Anne automatisch und hätte sich dafür am liebsten geohrfeigt.

»Wie schön für ihn«, antwortete Kohnke und blickte sich um.

»Vermutlich schrecklich überarbeitet. Raucht der Koch auch eine?«

»Nein, er raucht nicht, er trinkt nur.« Hallo?! Was war nur los mit ihr? Schnitt ihr endlich mal einer die Zunge ab?

»Ist das hier ein Restaurant oder eine Drogenhöhle?« Kohnke grinste breit. »Nur ein Scherz.«

Mit pochendem Herzen wies Anne auf die reservierten Plätze nahe der Küche. Es war der mieseste Tisch, da die Kellner hier vorbeirauschten, man den Lärm der Küche hörte, und wenn die Tür zum Hinterhof geöffnet wurde, zog es auch noch. Aber dieser Tisch war vorgesehen – und Anne gerade nicht so geistesgegenwärtig, ihm sofort einen anderen zuzuweisen.

»Sie können aber auch gerne woanders sitzen!«, sagte sie etwas zu spät.

»Das ist sehr nett von Ihnen, aber wenn Sie Ihre Gäste hierhin setzen, dann sitze ich auch hier. Schließlich bin ich nur ein Gast.«

»Nein, wirklich …«

»Alles gut.«

Sie schüttelte den Kopf. »Nein, ist es nicht.«

»Was?«

»Ich mach gerade alles falsch. So als wär ich den ersten Tag hier und nicht schon seit Jahren. Da fragt man sich, wofür die ganze Ausbildung gut war. Ich bin IHK geprüfte Sommelière, aber ich bekomme es nicht auf die Reihe, wenn ein Tester reinkommt? Schönberner sollte mich rausschmeißen. Und zwar sofort.«

»Quatsch, jeder hat mal einen schlechten Tag.«

»In einem Sternerestaurant darf man keinen haben, schreiben Sie ja immer. Und stimmt auch. Die Leute nehmen sich den Abend extra Zeit für ein tolles Essen, zahlen viel Geld dafür, und dann müssen sie am Katzentisch sitzen. Bitte kommen Sie nach vorne, da ist es …«

»Anne, warum setzt du den Herrn denn hierhin, wir haben doch da hinten für ihn eingedeckt?« Schönberner rauschte so flamboyant herein wie eine Operndiva vor der großen Arie. Der glatzköpfige Maître und Geschäftsführer des Champagne Supernova war besonders stolz auf seinen Zwirbelbart, der ihn wie einen Horst-Lichter-Imitator wirken ließ. Niemand traute sich, ihm das direkt zu sagen, denn Schönberner war zwar ein herzensguter Mann, aber schrecklich eitel.

»Aber …«, erwiderte Anne, weiter kam sie nicht.

»Sie hat schon …«, versuchte es Kohnke, doch weiter kam auch er nicht.

»Darf ich Ihnen einen Aperitif anbieten? Einen Champagner? Weiß oder Rosé? Oder lieber einen deutschen Sekt?«

Das zu fragen, wäre Annes Job gewesen, deren Wut sich mit dem Rückenschmerz zu einem explosiven Gemisch verband, weshalb sie nun herausplatzte: »Der Blanc de Blancs von Legras & Haas wird Ihnen sicher gefallen.« Schließlich war Kohnke Skorpion, da war Anne sich sicher, und dieser Wein besaß im Abgang ebenfalls einen Stachel, der einen unvorbereitet traf und dann nicht mehr losließ.

»Nein, danke«, sagte Kohnke.

»Ich hole mal die Flasche und lasse Sie probieren.« Anne drehte sich um, stolperte in der Eile über die Tasche des Kritikers, fiel kopfüber Richtung Fußboden, hielt sich am freien Stuhl des Nachbartisches fest, dessen Sitzfläche dadurch emporschnellte und den Tisch hob, wodurch alles, was darauf stand, umgeschmissen wurde. Es war der Tisch mit den drei Geschäftsleuten, die eine unfreiwillige Champagnerdusche verpasst bekamen.

»Verfickte Scheiße!«, brüllte Anne. Und hielt sich die Hand vor den Mund. »'tschuldigung.« Sie riss sich zusammen. »Aber ist doch wahr.« Gemeinsam mit den herbeieilenden Serviererinnen richtete sie den Tisch wieder und schenkte allen neuen Champagner ein. Aufs Haus.

Jürgen Kohnke beobachtete all dies höchst amüsiert – obwohl Maître Schönberner bemüht war, sich immer so vor ihn zu stellen, dass er nichts von den Aufräumarbeiten mitbekam. Anne sah, dass schon die Amuse-Gueule vor dem Tester standen, das hieß, sie musste endlich die Weinberatung durchführen. Doch als sie die Weinkarte nehmen wollte, merkte Anne, dass sie bereits bei Kohnke auf dem Tisch lag. Schnell trat sie zu ihm.

»Haben Sie bereits einen Wein gewählt?«

»Das hat mich der Maître gerade erst gefragt. Ich komme ja gar nicht dazu, mal in Ruhe reinzuschauen.«

»Wünschen Sie vielleicht eine Empfehlung?«

Er sah sie mit einem Blitzen in den Augen an. »Gibt es einen Wein, von dem Sie mir abraten würden?«

Sie wusste, dass Kohnke sich gut mit Wein auskannte und er die Karte schon beim letzten Mal studiert hatte. Er würde die Leichen in ihrem Keller entdeckt haben. Nicht jeder Wein verkaufte sich, und manch einer lagerte über sein ideales Trinkfenster hinaus. »Der Wilhelmshof Riesling ist nur etwas für Freunde von gereiften Sekten.«

»Oh, der ist mir noch gar nicht aufgefallen.«

Mist!

»Dann nehme ich den.«

»Sind Sie denn ein Freund gereifter Rieslinge?«

»Nein, aber ich will wissen, was Gäste hier ordern können.«

Anne fühlte sich, als wäre sie mit dem Fuß in eine ausliegende Schlinge getreten und hinge nun kopfüber am Baum. Wie kam sie aus der Nummer bloß wieder raus? Es gab nur einen Weg: Lügen.

Sie ging in den Keller und trat kurze Zeit wieder an den Tisch von Kohnke.

»Wir hatten leider nur noch eine Flasche, und die wies Kork auf.«

»Würde ich trotzdem gern probieren.«

So nicht, mein Lieber! »Ich habe sie schon entsorgt.«

»Ohne dem Gast die Chance zu geben, den bestellten Schaumwein zu verkosten?« Er machte sich eine Notiz.

Durfte man Gästen eigentlich den Inhalt ihrer Gläser ins Gesicht schütten? »Ein korkiger Wein ist etwas, das wir unseren Gästen niemals zumuten würden.«

Schönberner kam hinzu. »Wie ich sehe, sind Sie bei der Weinbestellung. Ich übernehme, Anne. Schenk bitte den Herrn an dem Tisch nach, den du eben demoliert hast.«

Widerwillig ging Anne, hörte aber genau zu, was Schönberner empfahl. Einen italienischen Merlot, der in einer wunderschönen Flasche an den Tisch kam, aber zu dem gewählten Menü eine grauenvolle Wahl darstellte.

Kohnke würde das Champagne Supernova dafür in der Luft zerreißen.

Anne wartete, bis Schönberner den Wein serviert hatte und zum Tisch der Hochzeitstagsgesellschaft gewechselt war. Dann trat sie zu Kohnke.

»Ein wundervoller Wein, dieser Merlot, und sein Geld wirklich wert.«

»Wenn Sie es sagen.«

»Genauso wundervoll wie unser Maître, ein Mann mit vielen Vorzügen und einer großen Leidenschaft für gutes Essen. Außerdem ein … passionierter Biertrinker.« Sie zwinkerte ihm zu.

»Ich verstehe. Dann überraschen Sie mich mit einem Wein. Ich begebe mich vertrauensvoll in Ihre Hände. Da bin ich doch gut aufgehoben, oder?«

»Meine Hände werden Sie sehr glücklich machen!«

Es sollte nur eine lockere Erwiderung sein. Erst nachdem Anne die Worte ausgesprochen hatte, wurde ihr deren Zweideutigkeit klar.

Wobei man von Zweideutigkeit kaum noch reden konnte.

Es hätte sie nicht gewundert, wenn Kohnke sie danach mit auf die Männertoilette genommen hätte.

Er machte sich stattdessen weitere Notizen. »Gut zu wissen.«

Anne servierte ihm Champagner, die perfekt passten, sowohl zu seinem Sternzeichen wie den ungewöhnlichen Speisen von Wahabi Nouri. Sie fragte immer nach, wie sie ihm mundeten, doch der Tester gab nie eine Antwort und lächelte nur. Jedes Lächeln schien einen weiteren Muskel in ihrem Körper zu verspannen.

Um kurz nach elf hatte sie das Gefühl, es sei nur eine Frage der Zeit, bis sie wie ein Brett umfiele und sich nichts mehr rührte. Doch sie hielt tapfer bis zum Schluss durch – sehr tapfer, denn Kohnke war der letzte Gast.

Als die Tür hinter ihm ins Schloss fiel und sie durch die beschlagenen Fenster sah, dass er weit genug entfernt war, ließ sie einen Brüller los, dass die an der Decke aufgespannten Schirme erzitterten.

Maître Schönberner bat sie mit einer Geste seines Zeigefingers zu sich. Er hob das Kinn und musterte sie.

»Warum lächelst du?«, fragte er.

»Weil mir gerade etwas klar geworden ist.«

»Ich höre.«

»Das war ein ganz schrecklicher Abend.«

»Und du hast bis jetzt gebraucht, um das zu begreifen?«

»Es war ein ganz schrecklicher Abend, aber zum ersten Mal seit Tagen habe ich für ein paar Stunden nicht an Dirk gedacht.«

»Dann hat der Abend ja wenigstens für dich etwas Gutes gehabt.« Er ging zur Tür und öffnete diese.

»Wie meinst du das?«

»Ich habe mitbekommen, was du zu Kohnke über mich gesagt hast. Dass ich ein passionierter Biertrinker sei. Musst nicht denken, ich sei blöd und wüsste nicht, was du damit zum Ausdruck gebracht hast. Dass ich keine Ahnung von Wein habe. Ich hab dich wirklich gern gehabt, Anne. Aber so eine wie dich kann ich hier nicht mehr brauchen. Ich will dich nie mehr im Champagne Supernova sehen!«

Die Schüssel des Radioteleskops Effelsberg stellte sich surrend auf ein neu entdecktes Doppelsystem aus zwei Neutronensternen ein. Die Umlaufbahn der beiden Sterne war enorm, trotzdem umkreisten sich diese seit Urzeiten, und sie würden es bis zu ihrem Verglühen weiterhin tun. Ein langsamer Walzer in den Tiefen des Alls. Marc hatte den Eindruck, das Universum wolle ihm etwas mitteilen, aber er wusste nicht, was.

Er griff zum Telefonhörer des alten, orangefarbenen Wählscheibengeräts im Kontrollraum und wählte Hennys Nummer, die sicherlich längst schlief. Es dauerte lange, bis sie abhob.

»Henny Range«, meldete sich eine verschlafene Stimme am anderen Ende der Leitung.

»Was mögen Frauen?«, fragte Marc. Seine Gedanken jagten jetzt so rasant im Kopf hin und her, dass er sofort eine Antwort brauchte, um sie aufzuhalten. Sonst konnten sie ernsthaften Schaden anrichten.

»Marc, bist du das?«

»Eine Antwort, schnell!«

»Was Frauen mögen? Fragst du mich das ernsthaft? Um die Uhrzeit?«

»Hast du eine Antwort für mich?« Marc drehte das spiralförmige Kabel des Telefonhörers so um seinen Finger, dass dieser zum Schluss komplett im Inneren lag. Er hörte ein Rascheln von der anderen Seite, Henny setzte sich wohl im Bett auf.

»Wer sind denn ›die Frauen‹ bitte schön? Eine gleichgeschaltete Masse bar jeder Individualität?«

»Ich meine halt die meisten Frauen.«

»Also von dem Teenie-Mädchen bis zur häkelnden Oma?«

»Schon *Frauen*. Du weißt, wie ich es meine.«

»Nein, ich weiß es nicht, und dein Frauenbild ist sehr merkwürdig. Wie hat es deine Ex mit dir eigentlich ausgehalten?«

»Sie war ja keine richtige Frau, sie war Naturwissenschaftlerin.«

Ein hartes Lachen drang aus dem Telefonhörer »Wenn Alice Schwarzer das hört, wird sie nicht mehr aufhören, dich zu ohrfeigen. Madame Curie dreht sich derweil wie ein Propeller im Grab.«

»Du willst mich falsch verstehen!« Marc befreite seinen Finger von der Kabelschnur, um damit seine Buddy-Holly-Brille den Nasenrücken emporzuschieben.

»Nein, ich verstehe dich ganz richtig. Echt. Ich lerne gerade einen ganz neuen Marc kennen.«

»Anne übernachtet heute wieder bei mir, und ich will eine angenehme Umgebung schaffen, damit sie in Redelaune kommt. Wobei die meisten Frauen ja ohnehin gerne reden.«

»Marc! Noch eine solche Bemerkung, und ich lege auf.«

Er schwieg.

»So ist brav. Du bekommst jetzt eine stereotype Antwort, zu der ich mich später nicht bekennen werde. Frauen sind sensibel, deshalb mögen sie Tiere. Pferde und so. Oder was Kuscheliges. Das weckt ihre mütterliche Seite. Frauen wollen aber auch verwöhnt werden, mit Blumen oder Schmuck oder teurem Essen. Frauen mögen auch Schuhe, das höre ich immer wieder. Ich bin ja eher für festes Schuhwerk, das weißt du ja. Kosmetika ist auch typisch Frau. Oh, Gott, was rede ich? Als hätte die Emanzipation nie stattgefunden. Hast du wenigstens alles mitgeschrieben?«

Das hatte Marc tatsächlich. »Danke, reicht.« Er legte auf.

Ein Pferd war keine Option.

Wenn der Vermieter das mitbekam, gäbe es Riesenärger.

Selbst für ein Shetland-Pony war der kleine Innenhof nicht artgerecht. Blieben also Schuhe, Kosmetika, Blumen, Schmuck, teures Essen und kuschelige Tiere. Anne etwas zu schenken fand Marc unangemessen, deshalb blieben nur die letzten zwei.

Was wäre richtig teures Essen? Für eine Frau, die als Sommelière in einem Sternerestaurant häufig Teures bekam? Marc dachte an Kaviar, allerdings war ihm der Gedanke an Fischeier in seiner Wohnung unangenehm. Alba-Trüffel wären eine Möglichkeit, doch wie er seit einer Reise zur Università di Torino wusste, begann die Saison erst im Oktober.

Marc dachte sehr intensiv über Essen nach, worauf die kleine Göttin ihrem Ruf als Diät-Katze alle Ehre machte, auf seinen Schoß sprang und sich, nach einigen die Stabilität seiner Hose testenden Schritten, auf dieser einrollte.

Marc bemerkte, wie unheimlich kuschelig sie war.

Sie hob ihr Köpfchen, spitzte die großen Ohren, legte den Kopf schief und sah Marc an. In ihrem Blick lag Verwunderung.

Eine gute Stunde später ließ er sie in seiner Kölner Wohnung aus dem Pappkarton.

Sie sprang sofort auf die hohe Lehne des Sofas und hielt Ausschau, den Körper angespannt, bereit zur Flucht.

Marc füllte ein Schälchen mit Wasser und eines mit dem teuersten Futter, dass er in einer 24-Stunden-Tankstelle finden konnte. Schließlich war sie eine kleine Göttin – und er hatte ein schlechtes Gewissen, die Katzenfreundin für sein Projekt rekrutiert zu haben. Doch nach unzähligen Eifelnächten, während derer er sie im Kontrollraum stundenlang gestreichelt und mit dem Gouda aus seinen Käsebroten gefüttert hatte, war es nun einmal an ihr, ihm etwas Gutes zu tun.

Dann fuhr er wieder los, um sich um das Essen zu kümmern. Es würde Hummer Thermidor geben. Im Internet hatte er sowohl die Zutaten für den Klassiker der französischen Küche recherchiert als auch ein Feinkostgeschäft vor den

Toren der Stadt, das ganze Hummer verkaufte – und für ihn um diese Uhrzeit öffnete. Gegen einen stolzen Aufschlag.

Kurz nach seiner Rückkehr planschte ein Hummer im kalten Wasser der Badewanne. Er tat dies unter den interessierten Blicken der kleinen Göttin, die bei Ankunft des neuen Mitbewohners schnell vom Sofa gesprungen war und nun auf dem Beckenrand saß. Ihr Köpfchen folgte den trägen Bewegungen des Hummers. Marc hatte die mit Klebeband zusammengepappten Scheren aufgeschnitten, nun griff der Hummer wahllos alle Wände der anscheinend aggressiven Emaille-Badewanne an.

Zufrieden nickte Marc den beiden zu. »Wenn Anne von der Arbeit kommt, schaukeln wir drei das Ding zusammen. Bis dahin arbeite ich noch etwas am Algorithmus der Liebe.«

Er setzte sich an den mit Leuchtsternen beklebten Rechner, der mit dem Geräusch einer startenden Falcon-9-Rakete hochfuhr. In der Mitte des Desktopbildschirms erschien ein kleines Foto von Anne. Marc klickte zweimal darauf. Es war das Programm, das er extra für die Suche nach ihrem perfekten Partner geschrieben hatte. Alle Informationen über Anne pflegte er darin ein. Die Feinabstimmung würde noch etwas Zeit in Anspruch nehmen. Denn selbst wenn man wusste, dass eine Frau den Besuch von Rockkonzerten dem von Ballettaufführungen vorzog, so war es doch schwierig, diese gegenüber nicht-kulturellen Interessen zu gewichten (wie Radfahren oder Bergsteigen). Ziel des Programms war es, eine virtuelle Anne zu erschaffen, und zwar so genau, dass sein Programm vorhersagen konnte, über welchen Scherz sie lachen und welchen Fernsehsender sie einschalten würde. Auf Grundlage wissenschaftlicher Studien würde er dann herausfinden, in welchen Bereichen Übereinstimmung mit ihrem Partner herrschen musste, und wo Unterschiede das Salz in der Suppe darstellten. Ein faszinierendes Projekt!

Sogar noch faszinierender als die Suche nach alten, längst verloschenen Sternen. Und doch glich es dieser Arbeit, denn es war ihm, als kartografiere er all jene Sterne, die Anne ausmachten, die zusammen ihr persönliches Sternbild ergaben.

Erst durch das beständige Maunzen der Katze wurde Marc aus seinen Gedanken gerissen. Die kleine Göttin saß neben seinem Stuhl auf dem Boden und schaute ihn vorwurfsvoll an. Als er ihr über das Köpfchen streicheln wollte, rannte sie ein paar Schritte davon, setzte sich wieder auf den Boden und maunzte.

Dieses Spiel wiederholte sich, bis sie im Badezimmer ankamen.

Dort lag der Hummer reglos im Wasser, seine Stielaugen richteten sich auf Marc.

Die kleine Göttin maunzte nun herzerweichend. Das tat sie eigentlich nur, wenn sie selbst Hunger hatte. Dabei hatte sie eben erst gegessen. Also musste es wohl den nassen Mitbewohner betreffen. Marcs Wissen nach aßen Hummer Muscheln, Borstenwürmer und Artgenossen. Da er gerade nichts davon zur Hand hatte, holte er eine Dose Thunfisch aus der Küche und stellte sie dem Hummer in die Badewanne. Dieser machte sich darüber her, als hätte er noch nie etwas im Leben gegessen.

Es war gleichermaßen erschreckend wie faszinierend zu sehen, in welchem Tempo der Hummer sich das Zeug reinspachtelte.

Marcs Smartphone spielte den Titelsong aus *2001 – Das Jahr, in dem wir Kontakt aufnehmen* und verkündete damit das Eintreffen einer SMS. Sicher schrieb Anne, wann sie ungefähr hier sein würde. Voller Vorfreude holte Marc die Nachricht auf den Handybildschirm:

Hey, Marc, schlafe heute bei meiner Kollegin Luise. GLG Anne

Marc warf das Smartphone auf den Schreibtisch, wo es in der geometrischen Genauigkeit aller ausgerichteten Gegenstände wie ein unerwünschter Eindringling lag. Er ging zum Kühlschrank und griff sich die Flasche Champagner, die er für heute Abend gekühlt hatte. Dann setzte er sich auf den Teppich im Wohnzimmer und schenkte sich ein Glas ein.

Champagner ging immer, hatte sie gesagt.

Aber heute schmeckte er ihm nicht.

Mit einem leisen Klacken schaltete er den Sternenprojektor an und besah sich all die Gestirne, die er Anne heute hatte zeigen wollen.

Obwohl er gar keinen Hunger hatte, sprang die kleine Göttin auf seinen Schoß und schnurrte sanft.

Löwe (24. Juli – 23. August) Sie haben Ihren Platz in der Welt aus den Augen verloren. Eine innere Unruhe macht sich immer mehr bemerkbar. Es fällt Ihnen deshalb schwer, ruhig und gelassen zu sein. Sie neigen jetzt vermehrt zu impulsivem und unüberlegtem Vorgehen. Passen Sie auf, dass Sie nicht überstürzt handeln! Vielleicht liegt die Lösung Ihrer Probleme nur wenige Meter entfernt.

Kapitel 4

Eine weiche Tatze berührte ihn an der Stirn.

Dann auf der Nase.

Und schließlich an der Wange.

Die kleine Göttin wollte ihn wecken, doch Marc drehte sich auf die andere Seite. Dabei wusste er genau, was jetzt passieren würde. Doch er wollte weiterschlafen, nur noch ein paar Minuten.

Gefühlt vergingen nicht einmal zwei, bis es schepperte, und ein fauchendes Geschoss über das Bett sprang. Marc schaltete das Licht an. Kurze Zeit später schoss das Fellbündel wieder über ihn. Er war nicht schnell genug. Beim nächsten Sprung musste er es sein.

Aufrecht im Bett sitzend erwartete Marc die nächste Runde der kleinen Göttin. Er zog die bereitliegenden Winterhandschuhe an.

Und holte tief Luft.

Das Getrappel von Katzenpfoten auf dem Parkettboden erklang, dann nahm die kleine Göttin rasant die Kurve ins Schlafzimmer und sprang auf das Bett.

An ihr hing der Hummer.

Eine Schere fest um ihren Schwanz geschlossen.

Marc packte blitzschnell zu. Dann nahm er mit einer Hand die ebenfalls auf dem Nachttisch bereitliegende Rohrzange und befreite den Katzenschwanz.

Er blickte den Hummer an. Dieser ließ sich nichts anmerken. Schuldbewusstsein war beim Krustentier nicht vorhanden. So ging das nun schon seit mehreren Tagen.

»Na, wieder Frühsport getrieben?«

Der Hummer schwieg entschieden.

»Immer noch kein Schleudertrauma?«

Das Schweigen wurde so hart wie sein Panzer.

Marc hatte sich in die Namensgebung von Hummern eingelesen. In der Regel hörten diese, wie auch Fische oder Katzen, auf Worte die mit »i« enden. Wasserliebende Tiere besaßen Seitensensoren, um Schwingungen zu bemerken, daher brauchte es mindestens zwei Silben, wobei »i« besonders schwang. Hunde hörten im Gegensatz dazu nur einsilbig (aus, sitz, fass), Schweine dreisilbrig (Susanne, Evelyn). Der Name musste sich zudem von den häufigsten Nebengeräuschen unterscheiden, zum Beispiel dem Klacken der Tastatur oder dem Röhren am Haus vorbeifahrender Autos. Also nicht Klacki oder Röhri. Total daneben wären Namen wie Grilli, Schmackofatzi oder Abendessi. Hummer wussten genau, wie so etwas endete.

Wegen dieser Informationen standen Schnappi und Knippsi zuerst ganz oben auf der Namensliste. Weitere Favoriten: Der rote Baron, Bocuse, Twiki (nach dem Roboter aus *Buck Rogers*), Panzerbert, Petrosilius Zwackelmann und Sebastian (wie die Krabbe in *Arielle die Meerjungfrau*). Doch dann war Marc die Erleuchtung gekommen. Zwar würde der Hummer nicht darauf hören, aber dafür hätte er den coolsten Namen unter allen Hummern.

Edward mit den Scherenhänden.

»Zurück ins Körbchen, Edward«, sagte Marc und brachte den mit den Scheren klappernden Mitbewohner in seine Wanne. Wenn man sie noch als solche bezeichnen konnte. Eigentlich war es nun ein Hummer-Reservat. Mit Rückzugshöhle, Pflanzen, und blubberndem Sauerstoff. Edward schien sich dort immer wohler zu fühlen. Hummer galten als streitlustige Eigenbrötler, sie wurden über einen Meter lang und bis zu hundert Jahre alt.

Dies war also der Beginn einer wunderbaren Freundschaft.

Die kleine Göttin warf sich derweil auf die Seite und putzte ihren Schwanz. Marc hatte gehofft, dass sie schnell lernen würde, was für eine blöde Idee es war, den Schwanz in Wassernähe zu bewegen. Aber sie lernte es nicht. Oder genoss die morgendliche Runde mit ihrem rotschaligen Kumpel.

Nachdem er sich einen Kakao zubereitet hatte, nahm Marc am Schreibtisch im Wohnzimmer Platz. Der Raum hatte in den letzten Tagen genau wie die Wanne manche Veränderung erfahren. An den Wänden hingen Computerausdrucke, perfekt an der Oberkante ausgerichtet. Vier zeigten verschiedene Aspekte von Annes Persönlichkeitsprofil in Kuchen- und Stabdiagrammen, drei aneinandergeheftete Blätter dokumentierten Annes Beziehungen als Zeitstrahl anhand von Fotos der entsprechenden Männer. Diesen waren eigene Infosheets mit Beruf, Hobbys und Charakteristika zugeordnet. Das größte Plakat in der Mitte zeigte Annes Idealmann, einen sportlichen, dunkelhaarigen mit Dreitagebart. Neben den einzelnen Körperteilen die Prozentzahlen für ihre Gesamtbedeutung, wobei der Bizeps beispielsweise nur auf sieben Prozent kam.

Marc wusste, wie hochspekulativ dies alles war, und doch basierte es auf validen Daten, die er bei Annes Mutter und im Internet erhoben hatte. Das Projekt musste schnell beendet werden, damit er sich wieder auf seine Arbeit in Effelsberg konzentrieren konnte. Wenn alles gut ging, war es bald so weit. Harald Depenheuer entsprach zu sechsundsiebzig Prozent Annes perfektem Mann. Marc blickte auf den Countdown in der rechten Ecke des Monitors. In 14:32 Minuten würden sie miteinander chatten und ihr erstes Date vereinbaren. Genug Zeit, um zuvor Annes Datenbank zu öffnen und ihre Sprachmuster nochmals anzuschauen, schließlich musste er ihren Sprachduktus nachempfinden. Harald Depenheuer würde sonst beim ersten Date überrascht und befremdet sein. Dabei war es enorm wichtig, dass bei diesem ersten Zusammentreffen die Botenstoffe für Euphorie (Dopamin), Aufregung (Adrenalin), rauschartige Glücksgefühle (Endorphin), tiefes Wohlbefinden (Cortisol) sowie sexuelle Lust (Testosteron) flossen. Liebe war im Endeffekt bloß Chemie.

Nach Annes Sprachmustern checkte Marc nochmals Harald Depenheuers Vorlieben. Dieser war bei der Agentur für Arbeit angestellt, las gern skandinavische Kriminalromane, unternahm regelmäßig lange Fahrradtouren und hatte bereits zweieinhalb ernsthafte Beziehungen.

Die halbe war nur von seiner Seite aus ernsthaft gewesen.

Harald Depenheuer wünschte sich eine Hochzeit, auch kirchlich, sowie zwei bis drei Kinder. Nach Möglichkeit gemischt. Auf der Partnersuchseite nannte er sich Heraldo.

Der Chat-Alarm klingelte. Das Duett aus *Dirty Dancing*. Marc hatte es ausgewählt, um sich in die richtige Stimmung zu versetzen – Anne liebte diesen Film (genau wie *La Boum*, *Drei Haselnüsse für Aschenbrödel* und *Die Mädels vom Immenhof*). Er hatte ihn sich sogar angeschaut. Marc konnte durchaus verstehen, dass Johnny immer den letzten Tanz der Saison tanzte und sich nichts verbieten ließ.

Schließlich gehörte sein Baby zu ihm.

Marc wechselte zum Chat und sagte zu sich, dass dies kein Lügen war, sondern darstellende Kunst. Trotzdem kam er sich nicht gut dabei vor, aber es musste sein. Es war die Zitrone seines Lebens, in die er nun beißen musste.

Heraldo:	Hallo, schöne Sternentrinkerin!
SternenAnne:	Hallo, Jan Ullrich ;-)
Heraldo:	Ich dope aber nicht!
SternenAnne:	Weiß ich doch. Was machste gerade?
Heraldo:	Na mit dir chatten :-D Und ansonsten ein neues Ikea-Regal aufbauen. Das alte ist voll.
SternenAnne:	Womit?
Heraldo:	Verrate ich nicht. Musste dir selber mal anschauen …
SternenAnne:	Vielleicht mach ich das ja irgendwann. Aber erst treffen wir uns mal irgendwo. Ganz zufällig.
Heraldo:	Ganz zufällig? Wie meinst du das? Keine Verabredung? Auf das Schicksal vertrauen? Das könnte dann aber echt lange dauern!
SternenAnne:	Ungeduldig?
Heraldo:	Klar, du nicht? Ich würde dich gerne richtig kennenlernen. Deine Stimme hören, sehen, wie du dich bewegst und so. Ich stell mir das alles vor, aber vielleicht liege ich ja total falsch.
SternenAnne:	Ich will dich auch gern treffen.
Heraldo:	Dann ist gut. Mach einen Vorschlag, ich kann.
SternenAnne:	Immer?
Heraldo:	Mach ich möglich. Und wenn ich mich krankmelden muss. Das mit dir ist mir wichtig.
SternenAnne:	Okay, also treffen wir uns. Aber ein bisschen schauspielern, ja?
Heraldo:	Wie meinst du das?
SternenAnne:	Lass uns so tun, als würden wir uns zufällig treffen.
Heraldo:	Wieso?
SternenAnne:	Weil es Spaß macht!

Heraldo:	Ich bin nicht so gut im schauspielern. Ich mag es nicht, mich zu verstellen. Ich bin, wie ich bin.
SternenAnne:	Du sollst ja du sein! Aber tu so, als würden wir uns nicht kennen, so als würdest du mich spontan ansprechen. Ich mach es auch so. Das ist viel besser.
Heraldo:	Meinst du?
SternenAnne:	Vertraust du mir etwa nicht?
Heraldo:	Ja, doch schon.
SternenAnne:	Das ist lieb von dir. Danke!
Heraldo:	Wenn ich so drüber nachdenke, klingt es lustig.
SternenAnne:	Aber wir müssen das ganz ernsthaft durchziehen, ja? Von Anfang bis Ende.
Heraldo:	Wird mir schwerfallen.
SternenAnne:	Mir ganz bestimmt auch. Aber versprich mir bitte, keine Zeichen zu geben, dass wir uns kennen, auch nicht zum Spaß.
Heraldo:	So kenne ich dich gar nicht.
SternenAnne:	Magst du mich jetzt nicht mehr treffen? Nur weil ich etwas anders machen will als alle anderen.
Heraldo:	Was machst du denn noch anders als alle anderen???
SternenAnne:	Das ist wie mit dem Inhalt von deinem Ikea-Regal: Verrate ich nicht. Musste dir selber mal anschauen …
Heraldo:	:-D Touché!
SternenAnne:	So, jetzt: Ich bin heute Nachmittag am Rheinufer und füttere Möwen. Falls Tauben da sind, auch die. Ich bin da mit zwei Freundinnen. Wir sind so eine Art Verein. Aber kein

	eingetragener. Schicke dir gleich die Adresse und die Zeit.
Heraldo:	Soll ich auch füttern?
SternenAnne:	Gute Idee! Bring was mit. Tu so, als würdest du auch füttern. Sag, das wäre auch dein Hobby.
Heraldo:	Die Sache wird echt immer merkwürdiger…
SternenAnne:	Wenn du gut warst, bekommst du nachher einen Oscar!
Heraldo:	Mir wäre ein normales Treffen mit dir echt lieber.
SternenAnne:	Das bekommst du dann auch. Haben wir einen Deal?

Marc schaute erwartungsvoll auf den Bildschirm, doch keine Antwort erschien. Platzte nun alles?

Er wünschte sich so, dass dieses Treffen erfolgreich war und er wieder zu seinem alten Leben zurückkehren konnte. Zurück zu den Sternen. Die ließen einen nachts auch nicht einfach im Stich. Oder sorgten durch ihr Nichterscheinen dafür, dass man plötzlich mit einer Katze und einem eigenbrödlerischen Hummer zusammenlebte.

Die kleine Göttin würde er bald zurückbringen müssen. Dabei hatte er sich irgendwie daran gewöhnt, sie bei sich zu haben. Obwohl sie ihn selbst beim Toilettengang nicht aus den Augen ließ.

Marc zuckte zusammen.

Auf dem Bildschirm erschien Harald Depenheuers Antwort.

Heraldo: Deal, du Verrückte!

Nina stolzierte in die Wohnung, als ginge sie vor Heidi Klum über den Laufsteg von *Germanys Next Topmodel.* In der

Hand hielt sie einer Siegestrophäe gleich einen geöffneten Briefumschlag.

»Ich hab's nicht ausgehalten und reingeguckt.«

Anne stand im Türrahmen der Küche, ein langes, verwaschenes Simpson-T-Shirt tragend. Sie nippte müde an der Kaffeetasse. »Keine Ahnung, wovon du redest. Und ob ich es okay finde, dass du einfach meine Post öffnest.«

»Wer mich aus lauter Schissigkeit dazu abkommandiert, die Blumen in seiner Wohnung zu gießen und die Post zu holen, der darf sich nicht wundern. Dienstbotinnen schlagen manchmal über die Stränge.« Sie streckte den Po heraus. »Außerdem sind sie verdammt heiß.«

»Na, dann passt ja der heiße Kaffee in der Küche bestens zu dir. Hast du an die Croissants gedacht?«

»Natürlich!«

Während sie sich an den kleinen Küchentisch mit den gusseisernen Beinen setzte, der eigentlich ein Gartenmöbel war, reichte Nina den Brief an Anne.

Der Eindruck des Umschlags verriet, dass er von der Sommelier-Union Deutschland stammte.

Anne ahnte, was darin stand.

»Ich bin im Finale, oder?«

Nina nickte enthusiastisch. »Finaaaaaale oho, Finaaaaaale ohohohooooooo!«

Anne grinste und las sich das Schreiben durch. Es war eine große Ehre, die sie nun aber unheimlich traurig machte. Das Schicksal schien sie zu verhöhnen.

»Die neuen Regeln besagen, dass man als Sommelier in einem Restaurant angestellt sein muss. Und das bin ich nicht mehr.«

»Du findest bald eine neue Stelle!«

»So einfach ist das aber …«

»Papperlapapp.«

»Nein, echt jetzt, so was dauert mindestens …«

»Pipperlipipp.«

»Du nimmst mich nicht ernst.«

»Popperlopopp.«

»Klingt wie eine artistische Stellung beim Sex.« Anne ließ die Augenlider erotisch flattern, doch das Problem blieb. Die Welt der Spitzengastronomie war klein, sehr geschwätzig, und die Geschichte ihrer unehrenhaften Entlassung hatte sicher längst bewiesen, dass es doch etwas gab, das schneller reiste als das Licht: Klatsch.

»Schöne Grüße von deinem Nachbarn, den hab ich im Treppenhaus getroffen.« Nina biss herzhaft in ein Croissant und verzog verzückt das Gesicht. »Mjamm, die sind sogar noch warm.«

»Welchen meinst du?«

»So ein netter Großer, mit Bart, aber keinem von den Hipsterdingern. Ich finde sowieso, wer nicht fähig ist, einen Bären mit bloßen Händen zu erlegen, dürfte so einen nicht tragen.«

»Ach, der, ja … der wohnt eine Etage unter mir. Hab noch nie richtig mit ihm gesprochen.«

»Ich hab ihm gesagt, er soll Dirk eine reinhauen, wenn er ihn sieht. Aber ich fürchte, er hat nicht den Mumm dazu. Was ist? Du siehst ganz schlecht aus, Schätzchen.« Nina nahm ihre Hand.

»Hab nicht viel geschlafen. Und wirres Zeug geträumt. Vom Weltall, dem Mars, und dass da ein Komet oder Meteorit oder so vorbeifliegt, der Anne heißt.«

Nina schlürfte ihren Kaffee, das machte sie immer. Anne hasste es, aber eine Tasse pro Tag ließ sie kommentarlos durchgehen. »Vielleicht gibt es ja einen. Die müssen ja Tausenden, ach was, Millionen einen Namen geben. Kann doch sein, dass die einfach Namen zusammenwürfeln, und da könnte dann deiner rauskommen.«

»Müsste ich Marc mal fragen, der weiß so was.«

Nina reichte ihr das Telefon. »Los, mach's.«

»Nee, nicht jetzt.«

»Ich will das jetzt wissen! An Träumen ist manchmal nämlich echt was dran.«

Anne holte ihr eigenes Handy, in dem Marcs Nummer gespeichert war. Er ging sofort dran.

»Marc Heller, guten Tag.«

Anne grinste, weil er sich anhörte wie die Ansage auf einem AB. »Ich bin's, Anne.«

»Gehst du heute nicht zum Möwenfüttern?«

Sie stutzte. »Doch, gut gemerkt. Geh ich gleich hin. Aber vorher hab ich eine kurze Frage an dich, ich missbrauche dich quasi als meinen persönlichen Wikipediasten. Ist 'ne komische Frage, hat was mit einem Traum zu tun. Auch egal. Also: Gibt es vielleicht einen Meteoriten, der meinen Namen trägt?«

Keine Antwort.

Nur ein schweres Atmen.

»Marc? Hallo? Bist du noch da?«

Nach einem langen Luftholen eine Antwort. »Ja, natürlich.«

»Hast du meine Frage verstanden? Die ist echt verrückt, oder?«

»Nicht so verrückt, wie du glaubst. Aber es gibt keinen Meteoriten, der deinen Namen trägt. Die Regeln der Namensgebung für diese Himmelskörper wurden von der Meteoritical Society aufgestellt. Meteoriten werden nach ihrem Fundort benannt. Bei Orten, an denen sehr viele Meteoriten gefunden werden, wie beispielsweise in einigen Gebieten der Sahara, wird eine laufende Nummer angehängt, zum Beispiel DaG 262.«

»Ach, wie schade.«

»Tut mir leid.«

Was für ein blöder, bei Tag betrachtet frustrierender Traum. »Kannst du ja nichts für.«

»Gehst du jetzt sofort zu den Möwen?«

»Ja, ich muss los. Warum interessiert dich das so?«

Schweigen. »Bis bald und viel Freude beim Füttern.«

»Danke, dir auch. Also beim dich selber füttern.« Sie lachte, aber da hatte Marc schon aufgelegt.

Als sie zu Nina blickte, hatte diese den Mund voll mit Croissant und flößte sich erneut Kaffee ein. Sie nannte das »Tunken im Mund« und hielt es für eine nobelpreiswürdige Idee. Durch diese Tunkart würden nämlich viel weniger Flecken entstehen.

»Ich glaube, sein Leben ist viel entspannter als meins«, sagte Anne. »Menschen wie er haben weder Stress im Job noch in ihrer Beziehung. Der Glückliche!«

Wenn man nur auf die Wellen schaute, wie sie sachte über den Sandstrand glitten, kleine Schaumkronen bildeten und wie durch einen Zaubertrick versickerten, dann konnte man denken, dies sei das Meer. Doch wenn man den Blick hob, dann sah man die schönste Kapelle der Welt, die als Kölner Dom bekannt war, und die Hohenzollernbrücke, die immer wirkte, als führe gleich eine Dampflok darüber und stoße ihren Rauch rhythmisch in den Himmel. Wenn man den Blick hob, befand man sich nicht mehr am Meer, sondern in einer Millionenstadt. Das war für Anne Teil der Magie dieser merkwürdigen Stadt, die seit der Geburt ihre Heimat war. Köln steckte voller Widersprüche, genau wie sie selbst. Vielleicht fühlte sie sich deshalb hier so wohl.

»Hey, nicht träumen! Füttern!«

Sie salutierte vor Luise. »Zu Befehl. Aber ich mach's vom Wasser aus.«

»Wie bitte?«

»Man soll jeden Tag etwas anders machen als zuvor. Raus aus der Routine. Und ich zieh jetzt meine Schuhe und Socken aus, kremple diese tolle, neue Jeans mit den aparten Rosenstickereien hoch und stapfe in den Rhein.«

Und genau das tat sie.

»Füttert es sich von da besser?«, fragte Luise.

»Entscheidend besser!«, antwortete Anne. Das kühle Wasser des Rheins kitzelte angenehm zwischen den Zehen.

»Kohletanker!«, sagte die alte Ursel und deutete Richtung Südbrücke, wo ein Schleppverbund schwer geladen hatte und tief im Strom lag.

»Ja, sehe ich, kommt aus den Niederlanden.«

»Kohletanker!«, sagte Ursel nochmals, doch da war es bereits zu spät. Die erste Welle erreichte Anne – und damit ihre Beine bis über die Knie.

»Ich hasse diesen Tag«, sagte Anne. »Er wird immer noch schlimmer. In meinem Horoskop stand, eine innere Unruhe würde sich in mir bemerkbar machen. Das kann ich gerade aus vollstem Herzen unterstreichen!«

»Füttert ihr hier auch?«, war plötzlich eine fremde, männliche Stimme zu hören.

»Falls wir Eisenbahngleise verlegen, machen wir etwas falsch«, antwortete Anne.

»Das ist wahr, die verlaufen selten im Rhein«, antwortete die männliche Stimme glucksend.

Anne drehte sich um. Der Typ sah eigentlich ganz nett aus. Wenn auch ziemlich herausgeputzt für einen Strandspaziergang. Und er lächelte sie merkwürdig an. Jetzt kam er auf sie zu und reichte ihr die Hand.

»Hallo, ich bin Harald.«

War das ein Zwinkern?

»Anne, das sind Luise und Ursel. Wir sind die ›Freundinnen der Stadttauben und anderer urbaner Vögel, Ortsgruppe Köln‹.«

»Ich füttere nur solo. Also bisher.«

Da! Wieder dieses Zwinkern! Jetzt war Anne sich sicher. »Hast du was am Auge?«

»Nein, wieso?«

Vielleicht merkte er es gar nicht, und es war ein Tick? Besser, wenn sie ihn nicht weiter drauf ansprach. »Vergiss es. Was fütterst du denn?«

Harald schien zu überlegen. »Meistens mich.«

»Tanker!«, rief Ursel, und Anne trat schnell aus dem Wasser und damit nah zu Harald, der sich zu ihrem Ohr lehnte.

»Du bist genau so, wie ich mir dich vorgestellt habe.«

Annes Augenbrauen wurden wie magnetisch zusammengezogen. »Was hast du gesagt?«

»Nichts.«

»Doch, du hast was gesagt.«

»Nur, dass es hier genau so ist, wie ich es mir vorgestellt habe.« Zwinker.

»Warum zwinkerst du?«

»Tu ich gar nicht.«

»Doch, tust du. Du zwinkerst mich an. Warum zwinkerst du mich an?«

Luise trat zu ihnen. »Belästigt er dich?«

»Das habe ich ihn gerade auch gefragt.«

»Mir ist nur was ins Auge geflogen, deshalb hab ich gezwinkert.«

»Tanker!«, brüllte Ursel wieder.

»Wenn du jetzt bei jedem Schiff rufst, kannst du dich ranhalten. Der Rhein ist die meistbefahrene Wasserstraße der Welt. Noch vor dem Suez-Kanal!«

»Ich brülle nur bei großen«, antwortete Ursel.

Dann erschütterte sie das Schiffshorn. Es war ohrenbetäubend. Der Schubverband war zu nah ans Ufer geraten. Es wirkte, als werde eine riesige schwarze Mauer an ihnen vorbeigeschoben.

Danach sah Anne aus, als habe sie gebadet.

Harald hörte auf zu zwinkern, stattdessen lachte er. Dann machte er ein Foto. »Dein Blick ist echt unbezahlbar.«

Luise ging zu ihm, packte ihn an den Schultern und schubste ihn in den Rhein. »Taubenfreundinnen, wir gehen.«

Harald versuchte, auf dem rutschigen Grund Halt zu finden, und zappelte dabei wie ein Fisch.

»Tanker«, sagte Ursel. Und dann noch einmal deutlich lauter: »Tanker!«

Marc hatte nicht gewusst, dass man im Internet, nur mit Buchstaben, so angebrüllt werden konnte. Doch er hatte Heraldos Lautstärke körperlich gespürt.

Das Date schien nicht so super gelaufen zu sein.

Zwei Tage Fehlersuche brachten ihn zu folgender Erkenntnis: Harald und Anne passten perfekt zusammen, doch wie bei einer chemischen Reaktion mussten beide Elemente bereit zu einer Bindung sein, und die Temperatur musste stimmen. Anne jedoch war nicht bindungsbereit, und ihre emotionale Temperatur lag unter null. Alles wegen ihres Exfreunds Dirk, der den Wohnungsschlüssel nicht rausrückte. Deshalb fehlte ihr der Rückzugsort, an dem sie sich emotional wieder aufladen konnte.

Aus diesem Grund saß Marc nun in seinem Fiat Multipla, dessen Farbe eine netzhautreizende Symbiose aus gold-metallic und senfgasgelb war. Für 99,99 Prozent der Bewohner des Erdballs galt der Multipla mit seinem platt gedrückten Insektengesicht als hässlichster Wagen aller Zeiten. Für Marc dagegen war es ein Gefährt wie aus einem Science-Fiction-Film.

Zwar einem mit billigen Spezialeffekten, aber trotzdem. Mehr Weltraum ging auf deutschen Straßen nicht!

Das Blech gewordene Design-Missverständnis parkte gegenüber dem Zweifamilienhaus, in dem Dirk Benz lebte. Marc stieg betont lässig und unkriminell aus seinem Wagen und schlenderte zum rückseitig gelegenen Garten, wo er über den niedrigen Jägerzaun stieg. So als mache er das jeden Tag.

Nun galt es, die Terrassentür aufzuhebeln, wie er es im Internet recherchiert hatte. Auf Youtube gab es mehrere anschauliche Schulungsvideos. Ein Kinderspiel. Trotzdem schlug ihm das Herz nun so fest im Hals, dass er meinte, kaum noch Luft zu bekommen. Dirk Benz arbeitete für gewöhnlich bis 17:30 Uhr bei Amnesty International, das heißt, er hatte noch zweiundfünfzig Minuten im Rheinauhafen zu arbeiten, dazu kam ein Heimweg, der laut Google-Maps siebzehn Minuten in Anspruch nehmen würde.

Marc setzte den großen Schlitzschraubenzieher zwischen Türblatt und Zarge an, dann hebelte er. Marc hebelte nochmals. Warum hebelte das denn jetzt nicht richtig? Und schaute da nicht irgendjemand aus dem Kirschlorbeer zu ihm hinüber?

Marc setzte neu an, näher an der Seite des Schlosses. Diesen Tipp hatte jedoch nur ein User gegeben. In seinem Video hatte es an dieser Stelle beim ersten Versuch Klack gemacht.

Klack.

Die gläserne Tür sprang auf. Ein Glücksgefühl durchströmte Marc. Er fühlte sich mit einem Mal bedeutend muskulöser, männlicher und behaarter.

Dirk Benzs Wohnung stellte sich als sehr übersichtlich heraus. An den Wänden hingen große Schwarz-Weiß-Fotos von New York, London und Los Angeles. Die Möbel waren so weiß wie Fußboden und Decke. Es kam Marc vor, als sei eine weiße Farbbombe inmitten des Wohnzimmers explodiert. Nach einem Blick ins Schlafzimmer, dessen Bett mit weißen Laken unter einer weißen Ballonlampe bezogen war, wurde ihm klar, dass es mehrere weiße Bomben gegeben hatte. Es lag nichts herum, die Tischplatten waren leer, in den Küchenschränken stand ordentlich weißes Geschirr. Die Amerikaner sprachen vom Sitz des Präsidenten gerne als dem Weißen Haus – sie hatten ja nicht den Hauch einer Ahnung. Vielleicht fingen die Augen hier irgendwann an, Farben zu sehen. Aus Notwehr. Falls Dirk Benz' Haut genauso weiß war wie seine Wohnung, konnte er ungesehen wie ein menschliches Chamäleon durch sie hindurchschleichen.

Marc fragte sich, was für ein Mensch man sein musste, um so wohnen zu wollen. Also welches Problem man hatte. Beziehungsweise welchen psychologischen Befund.

Er konnte nicht widerstehen und musste im Kühlschrank nachschauen, welche Farbe die Lebensmittel hatten. Zu seiner Enttäuschung war er größtenteils leer und noch dazu farblich chaotisch. Dabei wäre eine Ernährung mit Milch, Ziegenkäse und Rettich doch möglich.

Dann begann Marc mit der systematischen Suche. Zuerst die Kommode neben der Eingangstür, die Schubladen von oben angefangen. Schnell wurde ihm klar, dass Benz zwar äußerlich alles wohlgeordnet erscheinen ließ, dahinter aber Chaos herrschte. Alles lag durcheinander. Annes Haustürschlüssel konnte folglich überall sein.

Nach dem Flur (inklusive der Durchsuchung aller der Länge nach geordneten Jacken), dem Gäste-WC, der Einbauküche und dem Wohnzimmer folgte das Schlafzimmer. Es gab nicht nur einen großen Kleiderschrank, sondern auch Schubladen unter dem Bett und in den Nachttischschränken. Auch hier lag überall alles: Taschentücher, Bücher, Magazine, Bonbons, Schraubenzieher, Feuerzeuge, Kopfschmerztabletten, Notizzettel, Stifte, CDs. Aber keine Schlüssel. Nicht einer.

Über dem Bett hing ein schwarz-weißes Foto von Dirk Benz und Anne. Marc fand ihr Lächeln gequält, Benz dagegen hielt sie strahlend im Arm, als habe er sie gerade auf der Kirmes gewonnen. Dieses Foto gehörte hier nicht mehr hin, deshalb nahm er es ab.

Und fand auf die Rückseite mit Tesafilm geklebt den Schlüssel.

Es klingelte an der Tür.

Marc öffnete nicht, schließlich war er gar nicht hier. Stattdessen verstaute er das Stemmeisen im Rucksack. Er würde denselben Weg zurück nehmen, den er gekommen war.

Das war zumindest der Plan.

Doch der endete, als Marc die gläserne Terrassentür öffnete.

»Der gehört hier nicht hin! Der wohnt hier nicht«, sagte eine aufgebrachte Frau. »Und er ist die ganze Zeit in der Wohnung von dem Herrn Benz herumgelaufen!«

Zwei Polizisten traten an den Zaun. »Weisen Sie sich bitte aus. Und erklären Sie uns, was Sie in der Wohnung gemacht haben.«

Marc wusste, dass er nicht der Typ für eine Verfolgungsjagd war. Deswegen ging er zum Zaun und wies sich aus. »Ich kann Ihnen nicht sagen, was ich in der Wohnung gemacht habe.«

»Nachdem Sie sich gewaltsam Zutritt verschafft haben.«

Selbst in diesem Moment wollte Marc nicht lügen. Gerade in schwierigen Situationen hieß es, den Grundsätzen treu zu bleiben, sonst waren sie nichts wert. Zudem durfte er nichts sagen, weil Anne dann von seinem Einbruch erführe, was sie und ihn entfremden würde.

»Ich verweigere die Aussage.«

»Das ist Ihr gutes Recht, Herr Dr. Heller. Dann dürfen Sie uns jetzt aufs Präsidium begleiten.«

Er saß dann aber erst mal noch eine ganze Weile auf der Rückbank des Einsatzwagens. Marc bekam sogar noch zu sehen, wie die Spurensicherung an der aufgebrochenen Terrassentür ihre Arbeit begann.

Sein Atem wurde schnell und immer schneller, dann schwärzte sich die Welt ein, als gieße jemand Teer über ihr aus.

»Na-naaaaa-na-na-naaa!« Anne hielt den Wischmopp, als wäre er ein Mikrofonständer und sang lauthals hinein. Sie hatte eine alte Kassette aus den Achtzigern gefunden, die Nina damals Lied für Lied aus dem Radio aufgenommen hatte, ohne eine Sekunde Pause dazwischen. »Ninas Superdupermix 1988« stand darauf. *Live is Life* von Opus war unzweifelhaft der geschmackliche Tief- und emotionale Höhepunkt.

Der Boden blitzte so vor Anne, dass sie sich vorkam wie in der Meister-Proper-Reklame. Wobei sie sich immer gefragt hatte, was ein glatzköpfiger Muskelmann mit Bodenwischen zu tun hatte. Wenn man sich jemanden vorstellen sollte, der keinen Bock auf Hausarbeit hatte, kam einem doch sofort einer wie Meister Proper in den Sinn.

Ninas Boden duftete nun nach sizilianischen Zitronen, das versprach zumindest der Haushaltsreiniger. Aber wichtiger war, dass Anne sich wieder besser fühlte. So viele Tage bei Nina zu wohnen, hatte ihr Schuldgefühle beschert, die sich nur durch Einkaufen, Kochen und Putzen halbwegs in den Griff bekommen ließen. Jetzt eine Dusche und danach irgendeinen Mist im Fernsehen gucken. Zuvor warf Anne aber noch einen Blick in den Spiegel, denn sie hatte sich für die Hausarbeiten ein altes Karnevalskostüm von Nina angezogen: deutsche Putzfrau. Mit Kittelschürze, Kopftuch und Schlappen. Nur so fühlte es sich richtig an.

Als nächstes Lied lief *Man in the Mirror* von Michael Jackson. Anne trat vor den bodentiefen Spiegel im Flur.

»Wie fühlt man sich so als Putzfrau und internationaler Superstar, Frau Päffgen?«

Anne streckte die Brust heraus und fuhr sich lasziv mit der Zunge über die Lippen. »Ach, der ganze Ruhm und das viele Geld, die sind mir total egal, ich wünsche mir eigentlich nichts anderes als den Weltfrieden. Dafür singe ich in meinen Songs *I will always love me (Queen of the Bitches), Nobody's hotter than me, you bitch* und *Bitchiest Bitch in Bitchy Town.*«

Sie sah sich an, und mit einem Mal kam ihr die Kostümierung albern vor.

»Was willst du eigentlich?«

»Ich weiß es nicht. Erst mal wieder arbeiten. Mir fällt die Decke auf den Kopf.«

»Und außer arbeiten? Was sind deine Pläne? Dein Traummann hat sich als Albtraum rausgestellt. Aber war er deine ganze Zukunftsplanung, Frau Päffgen?«

Anne überlegte und blickte sich tief in die Augen, das facettierte Grün-Braun der Iris kam ihr mit einem Mal fremd vor.

»Es gab keine Planung. Es war ein Rutschen, oder? Ich liebte Wein und rutschte von der Zwanzigjährigen, die neben ihrem Jurastudium kellnert, in ein Leben als Sommelière. Ich liebte Dirk, und plötzlich war er nicht nur der Mann, in den ich verliebt war, sondern der, mit dem ich leben würde.«

»Und an ihm hing dein ganzes Glück?«

»An ihm hing meine Sicherheit.«

»Und dein Selbstwertgefühl, nicht war? Gib's zu, du fühlst dich gerade total unattraktiv und alt und …«

»Ist gut, ich hab's verstanden.«

»Glaube ich nicht.«

»Es ist total scheiße, wenn all das von einem anderen

Menschen abhängt. Das will ich nicht mehr! Du kennst doch diesen blöden Spruch von wegen: Wir sind alle Engel mit nur einem Flügel. Um fliegen zu können, müssen wir einander umarmen. Ich will zwei Flügel! Ich will auch alleine fliegen können! Und wenn dann jemand anders mit zwei Flügeln kommt, können wir uns durch die Wolken jagen. Das macht viel mehr Spaß, als sich ständig festhalten zu müssen.«

»Also ist der Plan, im nächsten Jahr den zweiten Flügel wachsen zu lassen?«

»Genau. Und dann erst wieder ein männliches Geflügel kennenlernen.«

»Männer sind sowieso scheiße.«

»Ganz genau!«

»Wie der Spacko am Strand.«

»Hör bloß auf mit dem!« Anne winkte ab. Und musste wieder grinsen.

»Was meinst du, sollen wir uns heute Abend mal wieder richtig schön betrinken? Nur um den Kopf freizubekommen? Mit hochklassiger Medizin aus der Magnumflasche?«

Aus dem Ghettoblaster drang Kylie Minogue mit *I Should Be So Lucky*.

»Aber erst nach meinem nächsten Auftritt. Denn das Publikum ruft nach mir.«

»Selbstverständlich.«

Anne kiekste, streckte die Arme nach oben und wippte so stark mit den Hüften nach links und rechts, dass die Kittelschürze über die Schultern rutschte. Auf diese Weise sah es sogar ziemlich verrucht aus.

»Hallo, Untermieterin«, sagte Nina plötzlich.

Anne hatte wegen der lauten Musik nicht gemerkt, wie sie hereingekommen war. »Nenn mich ab jetzt Kylie.«

»Soll unser Chef dich ab jetzt auch Kylie nennen oder lieber bei Anne bleiben?«

Sie drehte sich um. Neben Nina stand Herbert Schönberner. Fragen zündeten in ihrem Kopf wie Feuerwerksraketen: Was wollte er hier? Kam er wegen ihr? Wollte er ihr vielleicht noch eine Chance geben? Hatte sie diese Chance als Kylie-Putzfrau nun verspielt? Wieso hatte Nina ihn mitgebracht, ohne sie vorher zu warnen? War ihr Akku wieder mal leer? Schaute Schönberner ernst drein? Und vor allem: Wie tief war eigentlich die Kittelschürze an ihr heruntergerutscht?

Anne überprüfte es.

Sehr tief.

Ihre Brüste hielten den Stoff gerade eben noch vom kompletten Herunterrutschen ab. Sie zog die Schürze schnell wieder über die Schultern

»Anne arbeitet jetzt hier«, kommentierte Nina trocken. »Als sexy Putze. Kostet ein Vermögen, ist aber jeden Euro wert. Ich kann sie wirklich nur wärmstens weiterempfehlen.«

Schönberner lächelte nicht. »Können wir kurz alleine reden?«

War Geld aus der Kasse verschwunden, und das sollte nun ihr angehangen werden?

»Ich möchte ihr kurz noch etwas sagen«, sagte Nina. »Wegen der Zeitung.«

»Das kann ich übernehmen.«

Was um alles in der Welt wurde hier gespielt?

Sie gingen in die kleine Küche, Schönberner schloss die Tür hinter ihnen. »Ich will es kurz machen.«

»Das ist mir auch am liebsten. Soll ich mich setzen?«

»Setzen? Nein, wieso? Ich meine, wenn du willst, setz dich ruhig.« Schönberner wirkte unruhig.

»Ich steh lieber.«

»Gut, also.« Er atmete durch. »Ich würde dich gerne zurückhaben. Also die Kündigung rückgängig machen.«

Anne setzte sich. »Was? Warum?«

»Ich möchte dir noch eine Chance geben. Du hast jahrelang gute Arbeit geleistet, die Entlassung war ein klein wenig überhastet.«

Anne schnaubte. »Fand ich auch. Ich fand es richtig mies.«

»Das war ein Abend, an dem die Emotionen hochschlugen.«

»Und wann soll ich wieder anfangen?«

»Ich würde es gerne so handhaben, dass du gar nicht entlassen wurdest und deshalb wieder ganz normal in den Dienstplan einsteigst.«

»Und die Tage, die ich nicht gearbeitet habe, muss ich als Urlaub abrechnen?« Anne stand auf, sie brauchte etwas für die Nerven. Da es schlecht aussah, wenn sie jetzt vom Champagner im Kühlschrank trank, ging sie zur Isolierkanne mit Frühstückskaffee.

Schönberner kam ins Stottern. »Ähm, da habe ich noch gar nicht drüber … aber, also nein, die werden berechnet, als hättest du gearbeitet. Aber dann komm bitte auch heute Abend schon.«

Anne trank einen Schluck Kaffee. Irgendwas hier war komisch. Schönberner wirkte total nervös. Jetzt streckte er ihr die Hand entgegen. Fehlte nur noch, dass er vorher reinspuckte, um die Vereinbarung mit Körperflüssigkeiten zu besiegeln. Aber Anne wollte das nicht wie Bauern beim Kuhhandel regeln, sie wollte es so behandeln, wie auch Champagner und gutes Essen es verdienten. Mit Gefühl.

Sie ging zu Schönberner, stellte sich auf die Zehenspitzen und gab ihm einen Kuss auf die Wange. »Gern und danke. Kein unangenehmer Nachgeschmack, ja?«

»Mein Gaumen ist völlig unbelastet.«

»Dann ist gut.«

»Ich muss mich dann auch schon wieder verabschieden. Finde alleine zur Tür.« Schönberner flüchtete nahezu aus der Wohnung.

Nina rückte mit dem Fuß den dabei leicht verrutschten Teppich wieder zurecht. »Ist er zu Kreuze gekrochen?«

»Nicht unbedingt.«

»Nein? Ich hätte einen Kniefall erwartet.«

»Wieso? Er war so nett, mich wieder einzustellen, da ist doch kein Kniefall nötig.«

»Ach, Liebelein.« Nina verschwand im Flur und kam mit ihrer Handtasche zurück, aus der sie eine gefaltete Seite des *Kölner Stadt-Anzeigers* zog. »Schönberner ist ein verdammtes Schlitzohr!« Sie wies auf einen Artikel, es war die neueste Restaurantkritik von Jürgen Kohnke. Über das Champagne Supernova.

Anne las schnell. »Oha, die Küche kommt ja nicht so gut weg.«

»Kein Wunder, Wahabi war an dem Abend ja nicht da, der lag mit Grippe und vierzig Grad Fieber im Bett. Sein neuer Sous-Chef kocht einfach nicht so exakt wie er. Das hat Kohnkes Zunge mitbekommen. Schönberner hat getobt! Aber sein Besuch hier hat mit dem letzten Abschnitt zu tun.«

Anne las ihn laut vor.

Auf Sterne-Niveau war an diesem Abend einzig Sommelière Anne Päffgen, deren Empfehlungen makellos waren, ebenso passend zum Essen wie zum Geschmack des Testers. Auch durch Nachfragen und Missgeschicke ließ sie sich nicht aus der Ruhe bringen, blieb stets authentisch und erfrischend ehrlich dem Gast gegenüber. Die von ihr gepflegte Weinkarte ist voller Entdeckungen und Geheimtipps, allesamt gastfreundlich kalkuliert. Selbst berühmte Restaurants würden sich solch eine engagierte Sommelière wünschen! Wäre ich ein Headhunter, ich würde sie nach London oder New York vermitteln.

Anne wurde rot. »Das hat der nicht wirklich geschrieben!«

»Doch, ich würde es eine Ode nennen. Im Restaurant gingen heute wohl etliche Reservierungen ein, und alle baten ausdrücklich darum, von dir bedient zu werden. Schönberner ging so was von der Arsch auf Grundeis.«

»Er hat kein Sterbenswörtchen davon gesagt!«

»Komm, lass uns feiern. Immerhin bist du jetzt die berühmteste Weinschubse Kölns. Und bald von London, New York oder dem Palast des Kaisers von China. Wir zwei fahren jetzt schön zum Fühlinger See, wo wir unsere Astralleiber in der Sonne aalen. Und heute Abend kommst du mal gepflegt eine Stunde zu spät zur Arbeit!«

Marc hatte erwartet, zwischen Gitterstäben hindurchschauen zu müssen. Zusammen mit finsteren, tätowierten Gesellen eingesperrt zu werden.

Er hatte sich geschworen, auf keinen Fall zu duschen.

Doch jetzt saß er in einem Gang, der aussah wie im Finanzamt. Er hatte nicht einmal Handschellen bekommen, sollte einfach hier warten. Vielleicht meinten sie, ihn auf diese Art weich zu kriegen, nachdem er zuvor jegliche Aussage verweigert hatte.

Marc hätte niedergeschlagen sein müssen, doch seine Hand schloss sich um einen Schlüssel in der Hosentasche, und er lächelte. Das tat er recht lange.

Bis von der Sitzbank gegenüber eine Frage kam.

»Warum gucken Sie so fröhlich?«

Der Junge mochte um die vierzehn Jahre sein, aber Marc konnte Kinder schlecht schätzen. Er sah ein wenig aus wie Tommy von *Pippi Langstrumpf*, war auch ähnlich ordentlich gekleidet, allerdings standen seine Haare in alle Richtungen, und die Sohlen seiner Schuhe blinkten wie eine Dorfdisco.

»Weil ich erfolgreich war.«

»Was haben Sie gemacht?«

»Einbruch.«

Der Junge blies beeindruckt die Wangen auf. »Sehen nicht aus wie ein Einbrecher.«

»Das ist der Trick dabei. Und warum bist du hier?«

»Hab geklaut.«

»Was denn?«

»Lippenstifte. Vier verschiedene. Pink Fantasy, Strawberry Kiss, Glitter und Hollywood. Das ist rot mit Glitzer.«

Nun war es an Marc, die Wangen aufzupusten. »Gibt es die jetzt auch für Jungen?«

»Nee, die sind nicht für mich, sondern für Schascha. Die sitzt drei Plätze neben mir. Und Schascha hat in der Pause erzählt, dass sie unbedingt die Lippenstifte von Bibi haben will, von Youtube die Bibi. Aber ihre Mutter ist dagegen, dass sie schon Lippenstifte hat, weil sie doch erst neun Jahre alt ist.«

Also war der Junge auch neun, da hatte er mit vierzehn ja ziemlich gut geschätzt. »Und für diese Schascha wanderst du in den Knast?«

»Ich hab vorher noch nie geklaut und hatte total Schiss. Die Verkäuferinnen bei Rossmann spüren es voll, wenn man Angst hat, die sind wie Hunde. Na ja, und außerdem haben die Lippenstifte voll meine Hosentasche ausgebeult.«

»Würdest du es wieder tun?«, fragte Marc.

»Da die Polizisten mir die Lippenstifte abgenommen haben, muss ich das ja.«

»Trotz Ärger mit deinen Eltern?«

»Ich würde für Schascha echt alles tun. Vielleicht kapiert sie dann ja auch, dass ich sie echt mag. Viel mehr als der blöde Malte! Würden Sie sich von Ärger mit den Eltern abhalten lassen, wenn Sie voll verliebt sind?«

»Mich darfst du da nicht fragen«, antwortete Marc. »Ich bin nur in meine Arbeit verliebt.«

Die Tür ging auf, und der Polizist trat heraus, der Marcs Delikt behandelte. Ein rundlicher Mann Mitte fünfzig, der aussah, als würde er jetzt lieber im Fußballheim über die letzten Bezirksliga-Spiele philosophieren. »Kommen Sie bitte herein, Herr Dr. Heller.«

Marc drückte dem verblüfften Jungen gegenüber fünf Euro in die Hand. »Kauf dir dafür die Lippenstifte und für dich einen schönen Kamm.«

Im Büro des Polizeibeamten richtete Marc seinen Stuhl vor dem Schreibtisch durch Rutschen mittig aus. Das war gar nicht so einfach. Aber seine Nervosität ließ keinen Millimeter Fehlertoleranz zu.

»Sitzen Sie jetzt gut?«, fragte der Polizeibeamte. »Oder soll ich Ihnen einen Zollstock bringen?«

»Nein, passt. Ist mein Anwalt jetzt da?«

»Sie haben uns sehr viel Arbeit umsonst gemacht.«

»Bitte?«

»Herr Benz hat uns gerade angerufen und darüber informiert, dass er Sie gebeten hat, über die Terrasse in seine Wohnung einzubrechen.«

»Hat er das?«

»Ja, er hat uns auch mitgeteilt, dass Sie dort dringend einen Schlüssel für ihn holen sollten. Wann wollten Sie uns das erzählen?«

Marc blickte ihn fassungslos an.

»Herr Dr. Heller? Sind Sie noch da?«

»Ich überlege.«

»Dann überlegen Sie schnell, warum Sie uns das nicht früher erzählt haben.«

Die Wahrheit. Nichts als die Wahrheit.

Aber nicht die ganze.

Den Teil in der Mitte konnte er herauslassen, die Abschnitte links und rechts davon würden hoffentlich reichen.

»Sie haben mich so verunsichert. Und Sie hätten mir sowieso nicht geglaubt. Es sah ja alles ganz anders aus.«

Der Polizeibeamte schüttelte den Kopf. »Mit der Wahrheit kommt man immer am weitesten. Sie können der Polizei da ruhig vertrauen, Herr Dr. Heller. Ihrer Akte entnehme ich, dass Sie niemals mit dem Gesetz in Konflikt geraten sind, selbst in Flensburg haben Sie keine Punkte. Wenn man jemandem glaubt, dann einem wie Ihnen.«

»Und was jetzt?«

»Fall abgeschlossen, Sie können gehen.«

»Sofort?«

»Falls es Ihnen auf unserem Flur gut gefällt, können Sie gerne noch die Nacht bleiben.« Er räumte geräuschvoll die Unterlagen weg. »Nein, natürlich nicht, wir sind ja hier kein Hotel.«

»Steht jetzt irgendwas in meinen Akten?«

»Scotland Yard, GSG 9 und die NSA wissen Bescheid, aber sonst niemand.« Er grinste. »Herr Dr. Heller, es ist alles gut. Sie müssten den falschen Alarm nur mit Ihrem Arbeitgeber besprechen, denn dort haben wir angerufen. Die waren natürlich ein wenig irritiert, als wir sagten, dass Sie wegen Einbruchs verhaftet worden seien.«

»Warum haben Sie da denn ...?«

»Um festzustellen, ob Sie tatsächlich einen festen Arbeitsplatz haben. Soziale Bindungen, so was müssen wir überprüfen. Wegen einer möglichen Fluchtgefahr.«

»Mit wem haben Sie –« Noch während er fragte, ahnte Marc die Antwort.

Der Polizeibeamte fuhr mit dem Zeigefinger über ein Protokoll. »Ein Dr. Steffensberg, stellvertretender Leiter des Radioteleskops Effelsberg. Er war äußerst hilfsbereit. Ist alles in Ordnung, Herr Dr. Heller? Sie sind auf einmal so blass?«

Löwe (24. Juli – 23. August) Es heißt, manchmal muss man eine lange Reise tun, um ganz bei sich anzukommen. Ihnen steht eine Reise bevor. Nur Sie allein bestimmen, wohin diese führt! Auch wenn jemand anderes am Steuer ist, vergessen Sie das nie. Sie können neue Kontakte knüpfen oder bestehende bedeutend vertiefen.

Kapitel 5

Die Augenbinde saß fest. Vorsichtig ertasteten Marcs Füße die Stufen der Treppe. Annes Hand führte ihn, sie fühlte sich weich und warm auf seiner an – und ein wenig feucht. Wie ein nasser Waschlappen.

»Weißt du, woran mich deine Hand erinnert?«

»Nur noch zwei Stufen, dann sind wir da. Ich bin so froh, dass es heute nicht regnet.«

Anne hatte ihn eingeladen – und eine Überraschung versprochen. Der Einbruch bei Dirk Benz lag mittlerweile fünf Tage zurück.

»Und du hast noch keine Vorahnung?«

»Ich bin Wissenschaftler, deshalb sind Vorahnungen nicht mein Ding. Aber ich weiß, wo wir sind.«

»Ach ja?«

Die letzte Stufe war erreicht, der Boden wurde eben, eine Tür öffnete sich, er spürte Wind auf den Wangen. »Auf deinem Dach.«

»Tja, das denkst du…« Anne nahm ihm die Augenbinde ab. »Weil der Kölner Himmel nicht sternensicher ist, habe ich selber für welche gesorgt.«

Überall auf dem Flachdach brannten Windlichter. Ihre Flammen bewegten sich synchron im Lufthauch, als seien sie ein Schwarm aus Licht. In der Mitte stand eine Holzkiste, links und rechts davon zwei große Sitzkissen. Anne stellte sich daneben und wies auf etwas dunkles Rundes, das Marc zuvor nicht aufgefallen war. »Tadaaa! Sternenkuchen.« Sie hob ihn empor. »Ist mit ganz dunkler Schokolade gemacht, und drin sind silberne Zuckerperlen, als Sterne. Einen Mond aus weißer Schokolade hab ich auch eingebacken, wer den findet, der gewinnt. Komm setz dich!«

»Das wäre wirklich nicht …«

»Doch, das war es. Du hast mir den Schlüssel besorgt, dadurch habe ich mein altes Leben zurück. Zumindest den Teil davon, den ich zurück wollte.«

Wind kam auf. Die Flammen der unzähligen, kleinen Kerzen flackerten und erinnerten tatsächlich etwas an das Glitzern der Sterne in klaren Eifelnächten. Marc bemerkte, dass Anne zufällig das Sternbild der Kassiopeia gelegt hatte. In ihm befand sich die nach der Sonne stärkste Radioquelle am Himmel, Cassiopeia A, der Überrest einer Supernovaexplosion die im Jahr 1680 stattgefunden hatte. Sie war das wunderschöne Echo einer gewaltigen Zerstörung. Wie passend für den Anlass.

»Als du ins Restaurant gekommen bist und mir den Schlüssel gegeben hast, war ich total perplex. Du bist dann leider direkt wieder gegangen, weil du dringend zu deinem Teleskop musstest. Ich konnte mich gar nicht mehr richtig bedanken!« Anne stand auf und kniete sich neben Marc. Mit einem Lächeln umarmte sie ihn und lehnte ihren Kopf an seinen. »Du bist echt ein guter Freund, Marc. Danke dafür!«

Marc wusste nicht, was er sagen sollte. Es kam ihm vor, als hätten sich alle richtigen Worte irgendwo versteckt. Er kannte dieses Gefühl und hasste es. Als Brigitte Szymanski ihn überraschend geküsst hatte, damals auf der Studien-Exkursion zur Thüringer Landessternwarte und dem Karl-Schwarzschild-Observatorium. Sie waren gerade auf dem Rückweg zur Jugendherberge Bad Sulza, er hatte ihr erzählt, wie gern er zu den Sternen blicke, weil er als Kind immer gedacht habe, sie würden ihm zuzwinkern – und er manchmal sogar zurückgezwinkert habe. Ihr Kuss kam ansatzlos. Es war der erste seines Lebens. Marcs Lippen wussten zuerst nicht, wie sie sich verhalten sollten, doch dann machten sie einfach dasselbe wie die von Brigitte Szymanski. Es war merkwürdig, aber nicht unangenehm. Auch nicht eklig. Was ihn überraschte, da er grundsätzlich nicht von einem Glas trank, aus dem schon jemand getrunken hatte. Doch Brigitte Szymanskis Lippen waren nicht aus Glas, sie waren wie Seide gewesen. In diesem Moment war es ihm vorgekommen, als gäbe es nichts im Universum, das besser auf seine Lippen passe als ihre Lippen. Als seien sie dafür gemacht gewesen, sich zu finden. Ein Lippen-Puzzle aus zwei Teilen.

Nach dem Kuss hatte sie ihn lächelnd angesehen und darauf gewartet, dass er etwas sagte oder sie von sich aus küsste. Er wusste es bis heute nicht. Keins von beidem hatte er getan, und Brigitte Szymanskis Lächeln war in sich zusammengefallen wie ein kollabierender Spiralnebel.

Es hatte zwei Wochen gedauert, bis sie wieder mit ihm sprach, und weitere vier Monate, bis sie sich zum zweiten Mal küssten. Auch danach hatten Marc die Worte gefehlt, doch er hatte einfach weitergeküsst, da es sich so wundervoll richtig anfühlte. Nach einer ganzen Menge von Küssen hatte sie in dieser Nacht dann keine Worte mehr von ihm erwartet.

Annes Umarmung endete. Sie setzte sich zurück auf ihr Kissen und lächelte.

Jetzt musste er etwas sagen.

»Kann ich ein Stück Kuchen?«, fragte Marc und hoffte sehr, es waren die richtigen Worte.

Annes Lachen schien das zu bestätigen. »Gerne! Und dann erzählst du mir, wieso du nicht im Knast steckst. Du hast mir bei der Schlüsselübergabe nur gesagt, dass die Polizei dich beim Einbruch in Dirks Wohnung erwischt hat, aber jetzt alles gut wäre. Ich war echt perplex.«

Marc nahm eine Gabel. »Der Kuchen ist sehr gut, aber die Sterne sind etwas hart. Kommen mir eher wie Gesteinsplaneten vor.«

»Dann ist es ab jetzt ein Gesteinsplanetenkuchen.«

»Ein sehr guter Gesteinsplanetenkuchen.« Marc aß seelenruhig weiter.

»Jetzt erzähl schon, was abgelaufen ist!«

Er schluckte den letzten Bissen hinunter und tupfte sich den Mund mit einem Taschentuch ab. »Aus der U-Haft habe ich meine Freundin Henny angerufen. Also Freundin im Sinne von Bekannte, nicht im Sinne von Lebensgefährtin. Sie hat daraufhin, ohne dass ich davon wusste, deinen Exfreund Dirk Benz kontaktiert und ihm die Sache erklärt. Also dass ich eingestiegen bin, weil du so verzweifelt wegen des Schlüssels bist. Sie muss zudem etwas in der Art gesagt haben wie: ›Wenn du jetzt nicht sofort bei der Polizei anrufst und sagst, dass Marc die Chose in deinem Auftrag gemacht hast, bist du ein Riesenarschloch. Die blöde Reparatur bezahlt er dir sicher, obwohl du es echt nicht verdient hast. Denk mal drüber nach, dass Anne sich nicht mehr in ihre Wohnung traut, seit du die Schlüsselrückgabe verweigert hast!‹ Darauf meinte er dann wohl, das sei ihm gar nicht bewusst gewesen, es tue ihm schrecklich leid, und er würde sich natürlich sofort bei der Polizei melden. Das war sehr nett von ihm.«

Nach kurzem Zögern nickte Anne. »Ja, das war es tatsächlich.«

»Aber die Reparatur der Terrassentür muss ich bezahlen. Er argumentierte, ich hätte ja erst mal wegen des Schlüssels fragen können.«

Anne nahm sich ein großes Stück Gesteinsplanetenkuchen und biss hinein. Sie aß sehr langsam und blickte lange in den wolkenverhangenen Himmel, der aus Schattierungen von Grau bestand. Erst als sie geschluckt hatte, schaute sie wieder zu Marc. »Du bist jetzt aber nicht vorbestraft oder so?«

»Nein, das nicht...«

»Was willst du damit sagen?«

»Die Polizei hatte bei meiner Arbeitsstelle angerufen und meinen Stellvertreter Ingmar Steffensberg am Telefon. Der hat die Max-Planck-Gesellschaft, unsere übergeordnete Forschungsorganisation, informiert, und es gab ... Irritationen. Ich konnte sie irgendwie ausräumen. Aber ein bisschen was bleibt hängen. Ist vielleicht gut, dass ich jetzt erst mal weg bin.«

Anne setzte sich kerzengerade auf. »Wie weg? Wohin?«

»Darf ich noch ein Stück Gesteinsplanetenkuchen?«

»Ja, klar, aber lass dir doch nicht immer alles aus der Nase ziehen. Wieso weg?«

Marc biss hinein. Der Kuchen beruhigte ihn. »Nach Chile, zum ALMA, dem großartigsten Radioteleskop der Welt. Du glaubst ja nicht, was man mit ihm alles aufzeichnen kann! Noch vor wenigen Jahren hätte man das für völlig unmöglich gehalten. Mit ihm kann man bei der Geburt von Sternen quasi live dabei sein.« Marcs Blick wurde für einen Moment ganz versonnen. »Ich bin insgesamt für fünfzehn Tage da, also mit An- und Abreise. Bringe dort auch eine Tafel zum Sirius an, als Teil unseres Planetenwegs in Effelsberg. Weißt du, die Entfernung von uns nach Chile, also rund elftausend Kilometer, entspricht im Maßstab unseres Planetenwegs der von unserer Sonne zum Sirius. Aufgrund seiner Nähe ist Sirius der hellste Stern am Himmel.« Marc verschwieg, dass es eine Art Antrittsbesuch bei seiner neuen Arbeitsstelle war. »Deshalb würde ich dich gerne um einen Gefallen bitten.«

»Ich fürchte, in Sachen Planeten bin ich die Falsche. Es sei denn, die Planeten wünschen etwas zu trinken.«

»Ist nichts Schlimmes. Aber etwas, wobei ich dir am meisten vertraue.«

»Oh, nein!« Anne schlug sich gegen die Stirn.

»Dann nicht ...« Marc war irritiert und biss wieder in den Kuchen.

»Ich hab den Wein zum Kuchen vergessen, ein süßer Sparkling Shiraz aus Australien. Warte, ich hole ihn schnell!«

Marc nutzte die Zeit, bis sie wiederkam, um ein Foto auf sein Handydisplay zu holen. Nach einigen Minuten kam Anne atemlos die Treppe herauf und hielt triumphierend eine dunkle, von Feuchtigkeit beschlagene Flasche in die Höhe. »Den musst du unbedingt zum Gesteinsplanetenkuchen trinken!«

Marc konnte sich nicht wehren. Und Anne hatte recht, die Brombeersterne im roten Schaumwein passten wunderbar zum schokoladigen Universum des Kuchens. »Sehr, sehr lecker!«

»Darf man nie über Wein sagen!« Anne senkte die Stimme. »Aber unter uns: Stimmt, der ist tierisch lecker. So und jetzt dein Gefallen. Ich erfülle ihn dir. Egal, was es ist.«

»Es geht um ihn.« Marc reichte ihr das Handy. »Er heißt Edward.«

»Ist es das, was ich glaube?«

»Ein *Homarus gammarus*, ein europäischer Hummer. Aus der Bretagne. Aber du kannst Deutsch mit ihm reden.«

Das Foto zeigte die Unterwasserlandschaft, die mittlerweile in der Badewanne entstanden war. Edward schaute misstrauisch aus einem halbierten Keramikblumentopf.

»Süß. Also auf eine Hummerart.«

»Er lässt sich leider nicht streicheln.«

»Auf die Idee wär ich auch gar nicht gekommen.« Anne lachte.

»Jemand muss ihn füttern, während ich ihn Chile bin, und du wohnst am nächsten. Ich habe auch noch eine Katze, aber die bringe ich zurück nach Effelsberg. Sie war eigentlich nur zum Urlaub bei mir.«

Marc wusste jetzt schon, dass er die kleine Göttin sehr vermissen würde. Die Katze hatte sich viel schneller in sein Herz geschnurrt, als er es für möglich gehalten hatte.

»Mach ich gern für dich.«

»Das wird Edward freuen. Sofern er zur Freude fähig ist. Hummer sind von eher grummeliger Natur.« Marc steckte die Gabel wieder in sein Kuchenstück – und fand den Mond. Er zeigte ihn Anne. »Was bedeutet das?«

»Ist wie mit Sternschnuppen, du darfst dir was wünschen. Aber da es ein Mond ist, muss es ein Wunsch sein, der nachts in Erfüllung gehen kann. Er kann das dann allerdings auch nur in einem Moment, wenn der Mond am Himmel steht.«

»Das hast du dir doch gerade ausgedacht!«

Anne ließ sich rücklings in das Kissen fallen und breitete die Arme aus. »Wäre es nicht schön, wenn Dinge wahr werden können, die man sich ausdenkt? Und wer sagt, dass es nicht so ist?«

»Also wissenschaftlich gesehen…«

»Wenn du nicht willst, dann gib mir das Stück Kuchen. Ich weiß schon ganz genau, was ich mir wünsche.«

Marc hatte das Gefühl, sie erwarte keine Antwort. Deshalb wünschte er sich etwas, das nachts wahr werden konnte, und aß den Mond. Es kam ihm vor, als entlüde sich ein kleiner elektrischer Blitz in seinem Mund.

Wahrscheinlich bedeutete es nichts, und er hatte sich irgendwo statisch aufgeladen.

Der Blick auf die zwischen den Baumgipfeln auftauchende riesige, weiße Schüssel, berührte Marc jedes Mal. Er fuhr stets langsamer, sobald das Teleskop vor ihm auftauchte. Es kam ihm immer vor, als werde er Teil eines Science-Fiction-Films.

Neben Marc maunzte es.

Die kleine Göttin tangierte die ganze Erhabenheit nicht. Sie hatte Kohldampf. Ihr Köpfchen drückte sich fest gegen die Gitter der Transportbox, sie wollte heraus und in ihrem alten Revier jagen.

Marc parkte am Gebäudekomplex neben dem Teleskop und ging die Außentreppe hinunter. Die kleine Göttin hatte sich immer gern an dem kleinen Feuerwehrteich herumgetrieben, der zwischen dem großen Teleskop und dem neueren Low Frequency Array, kurz LOFAR, lag, einem Radiointerferometer, das aussah wie unordentlich in einem Feld verteilte Sonnenkollektoren.

Marc merkte nicht, wie seine Schritte langsamer wurden. Dabei ging es die meiste Zeit bergab.

Schließlich setzte er die Transportbox ab.

»Bist wieder zu Hause, Kleine.« Er öffnete die Gittertür. »Raus mit dir und Mäuse jagen.«

Die Schnurrhaare der kleinen Göttin erschienen, gefolgt von Schnäuzchen und Augen, die nervös in alle Richtungen lugten. Vorsichtig setzte sie die Vordertatzen auf den Rasen. Ihre rechte verharrte eine Weile zögerlich in der Luft, dann rannte sie los.

Doch plötzlich blieb sie stehen und blickte zurück zu Marc. Mit großen Augen und gespitzten Ohren sah sie ihn an und maunzte. Es klang fragend.

»Ab mit dir.«

Verdammt, fiel ihm das schwer. Wenn solche Abschiedsszenen in Filmen kamen, spulte er immer vor. Nun trottete die kleine Katze auch noch zurück zu ihm und schmiegte sich an sein Hosenbein. Sie war wie ein kleiner Komet, der in seine Umlaufbahn geraten war. Und nun schien die Anziehungskraft zu groß, um zurück ins All zu fliegen.

Doch genau das musste sie tun.

»Hör zu, ich werde dich nicht wegscheuchen, das bringe ich einfach nicht übers Herz. Ich gehe jetzt einfach. Wir sehen uns ja wieder. Du findest mich oben an meinem Schreibtisch. Und wie du weißt, esse ich da manchmal auch was.« Marc lächelte, obwohl ihm nicht danach war.

Dann nahm er die Transportbox und ging wieder hoch zum Gebäude. Mit jedem Schritt wurde ihm klarer, dass die kleine Göttin nicht der einzige Komet war, der sich zu ihm gesellt hatte und den er nicht mehr verlieren wollte.

Womit er nicht nur Edward meinte.

Ein Streifenwagen vor dem Bürogebäude riss ihn abrupt aus den Gedanken. Die Polizisten fanden sich im Kontrollraum, wo sie Ingmar Steffensbergs PC sowie sämtliche seiner Unterlagen in Kartons verfrachteten.

»Darf ich erfahren, was hier los ist?«

Ein älterer Beamter drehte sich um. »Wer sind Sie?«

»Mein Name ist Heller, ich leite das Radioteleskop.«

»Wir haben Grund zu der Annahme, dass Dr. Ingmar Steffensberg den Stromausfall in Köln am 12. August herbeigeführt hat – und zwar von diesem PC aus.«

Jetzt erst fiel Marc auf, dass sein Stellvertreter im verglasten Computerraum stand, zwei Zivilbeamte an seiner Seite. Steffensberg schüttelte nahezu unentwegt den Kopf, Tränen in den Augen. Seine zentimeterdicke Selbstsicherheit schien in großen Brocken von ihm abgefallen.

Im Kontrollraum selbst saß Prian und richtete die Teleskopschüssel aus. Seine Augen zuckten so nervös, als stünde sein Drehstuhl unter Strom.

Marc stellte die leere Transportbox auf den Boden und winkte ihn zu sich. »Prian, komm bitte mal mit in mein Büro.«

Auf dem Weg sagte Marc kein Wort, aus Angst, die Polizisten würden es auf irgendeine 21.-Jahrhundert-Art mitbekommen – obwohl sie vermutlich froh waren, wenn sie mit aktuellen Diensthandys ausgerüstet wurden statt mit Exemplaren, die noch auf Handbetrieb liefen.

Als Marc die Bürotür von innen geschlossen hatte, atmete Prian so laut aus, als hätte er die ganze Zeit die Luft angehalten. »Das wollte ich nicht! «

Marc setzte sich. »Falls du es wirklich nicht wolltest, ist es sehr merkwürdig, dass du die Aktion über seinen PC hast laufen lassen.«

»Das war nur ein Insider-Gag! Ich dachte nie, dass die das nachverfolgen können!« Prian ließ sich in einen Stuhl fallen. »Ihr solltet mich zu Poden chleudern und hundertmal ›Romani ite domum‹ schreiben lassen.«

»Jetzt keine Sprüche. Das geht so nicht, du musst das klarstellen.«

»Er hat Bonn von deiner Verhaftung erzählt und von deinem Ausflug aufs Teleskop! Er will dich fertigmachen und deinen Job übernehmen.«

»Ich bin ja eh bald weg.« Marc sortierte die Stifte auf seinem Schreibtisch. Dabei lagen sie perfekt.

»Das ist dem egal, er will ihn schon vorher und dir die Zukunft verbauen. Der Steffensberg ist ein Charakterschwein, Marc.«

»Ist egal. Er hat nicht getan, was die Polizei ihm vorwirft.«

»Er bekommt, was er verdient!«

Marc stand auf. »Kümmere dich drum. Musst dich ja nicht selber reinreiten. Ich sag's anders: Reite dich nicht selber rein, aber ihn raus. Finde einen Weg. Und zwar schnell. Deine Aufgabe ist, dich ab jetzt nur noch darum zu kümmern.« Vor dem Fenster fuhr der Streifenwagen davon, mit

Ingmar Steffensberg auf der Rückbank. »Ich fahr zur Polizei, um Steffensberg beizustehen.«

»Du spinnst. Jetzt echt. Der spuckt dich doch an.«

»Ich bin sein Chef, er ist mein Mitarbeiter. Wenn ich das nicht für ihn mache, kann ich morgen nicht mehr in den Spiegel sehen.«

Damit verließ er das Büro. Marc wollte nicht mehr mit Prian streiten. An seinem Hals pulsierte die Schlagader. Er musste hier raus. Vorher ging er noch in den Kontrollraum, der nun erschreckend leer war, und brach das Pointing ab. Es gab jetzt Wichtigeres als die Sterne. Marc wollte die leere Transportbox holen, doch als er sie anhob, hörte er aus dem Inneren ein lautes, zufriedenes Schnurren.

Marc seufzte tief.

Anne nahm Marcs Schlüssel aus der kleinen Keramik in Form einer Sonnenblume, die sie als Fünfjährige in der Grundschule getöpfert hatte. Man musste wissen, dass es eine Sonnenblume war, um sie zu erkennen. Für das ungeübte Auge sah es aus wie ein unförmiger Pfannkuchen. Sie musste grinsen, aber nicht wegen ihres einzigen Ausflugs in die wundervolle Welt der Keramik, sondern weil sie jetzt tatsächlich einen Hummer sitten würde. Als sie eben Nina im Champagne Supernova davon erzählte hatte, fühlte die sich total auf den Arm genommen. »Hummer isst man, die sittet man nicht!«

Anne hatte genau die Reaktion erwartet.

Und wollte unbedingt Ninas Gesicht dabei sehen.

Heute war Test-Fütterung, da Marc im Radioteleskop Effelsberg die Nacht verbringen würde, um einen sterbenden Stern anzupeilen. Er schien es für die absolut aufregendste Sache zu halten, mit der man eine Nacht verbringen konnte.

Anne fiel vor Schreck der Schlüssel aus der Hand. Verdammt, sie hatte vergessen, Muschelreste aus dem Champagne Supernova für den Hummer mitzunehmen! Und nun? Alle Läden mit Muscheln hatten zu, die Kölner Büdchen mochten gut sortiert sein, aber Muscheln wurden eher selten zu einer Packung Kippen und einem kalten Kölsch gekauft. Eine Fischkonserve würde es auch tun, aber sie hatte keine. Nur Fischstäbchen. Frittiertes stand auf dem Meeresboden aber sicher selten auf der Speisekarte. Kurz entschlossen rannte sie die Treppe des Mehrfamilienhauses herunter und hinaus auf die Straße, um die Etagen in Augenschein nehmen zu können. In der Wohnung unter ihrer brannte noch Licht, gleich in zwei Zimmern. Da konnte sie klingeln!

Oder vielleicht lieber klopfen.

Ganz sachte.

Drei Minuten später tat sie das und wartete gespannt.

Nichts. Nicht einmal Fußtritte. Auch der helle Türspion verdunkelte sich nicht, weil jemand dahinter hinauslugte.

Sie drehte sich um zum Gehen, als Schritte erklangen, die sich der Tür näherten. Diese wurde ohne einen Blick durch den Spion geöffnet. Da hatte jemand Gottvertrauen.

»Oh, Frau Päffgen. Ist was passiert?«

Er kannte ihren Namen! Und sie hatte keinen Schimmer, wer er war. Außer: der große, bärtige Mann, mit dem ich manchmal im Treppenhaus zusammenstoße.

Wie unangenehm.

»Nichts passiert, Herr … Nachbar.« Sie grinste, als wäre es eine pfiffige Anrede. »Also noch ist nichts passiert, es soll noch passieren. Na ja, irgendwie ist schon was passiert, nämlich dass nichts passiert ist.«

Der Nachbar schaute sie verwirrt an.

»Ich glaube, ich fang noch mal von vorne an.«

»Könnte unter Umständen helfen.« Er schaute sie verschmitzt an. »Lassen Sie sich Zeit.«

»Die habe ich gerade nicht. Hab nämlich vergessen, Muschel- oder Fischreste aus dem Restaurant mitzunehmen. Könnten Sie mir vielleicht eine Konserve leihen? Also nicht leihen, sondern geben, und dafür bekommen Sie dann von mir eine neue.« Sie blickte ihn fragend an. »Oder zwei, also quasi Fischzinsen.«

Er lächelte. »Ich bin ja ein Nachbar und keine Bank, deshalb kann ich Ihnen auch einfach eine schenken. Warten Sie.« Er ging, drehte sich dann aber nochmals um. »Lieber Thunfisch oder Sardellen?«

Anne zuckte mit den Schultern. »Ist für einen Hummer.«

»Als Füllung würde ich eher zu Sardellen raten, dann müssen Sie auch nicht salzen.«

Es fiel Anne schwer, nicht laut loszulachen. »Ich will ihn nicht essen. Sondern füttern. Wenn Füllung, dann verpasst er die sich selbst.«

Der Nachbar senkte ungläubig den Kopf. »Sie füttern einen Hummer? Vielleicht auch Weiße Haie und Seeungeheuer?«

»Ich weiß, es klingt komisch. Ist ein Freundschaftsdienst. Er heißt Edward. Also der Hummer.«

»War wohl zu erwarten, dass Hunde und Katzen irgendwann aus der Mode kommen.« Auch er unterdrückte ein Lachen. »Ich hol den Thunfisch. Für den großen Hunger, beziehungsweise Hummer, gleich zwei.«

Wenig später stand sie an Marcs Badewanne und löffelte großzügig Thunfisch hinein. Der Hummer hockte in der Höhle und behielt sie mit seinen Stielaugen immer im Blick. Als er plötzlich loslief, hätte Anne beinah aufgeschrien.

Thunfisch war offensichtlich mehr als akzeptabel.

Die Unterwasserwelt der Badewanne mit ihrem Kies, den Schlingpflanzen, dem blubbernden Sauerstoffspender und der großen Hummerhöhle hatte etwas Surreales. Sie konnte sich nicht vorstellen, wie Marc ernsthaft in der Eckkabine duschte, wenn direkt neben ihm ein solches Vieh mit gewaltigen Scheren lebte. Aber Marc konnte man sowieso nicht verstehen. Er war einfach Marc, mit all seinen Widersprüchen. Auf der einen Seite ein echter Frauenversteher, was ihre Probleme betraf, auf der anderen Seite hielt er *Mars* für eine geeignete Serie, um sie mit einer Frau zu schauen. Einerseits leitete er ein riesiges Radioteleskop, andererseits hielt er sich einen Hummer. Einen gefräßigen, wie sie jetzt feststellte. Marc war genauso eigenartig wie der Hummer. Und doch hatte sie ihn ins Herz geschlossen. Damals schon. Diesen merkwürdigen, schüchternen Jungen von nebenan, den die Halbstarken immer gejagt hatten und dessen dunkles Haar immer so zerwuschelt aussah, dass sie schon als kleines Mädchen am liebsten mit einer Bürste durchgegangen wäre.

Das hatte sich im Übrigen bis heute nicht geändert.

Nach der Raubtierfütterung ging sie ins Wohnzimmer und warf sich aufs Sofa. Die Müdigkeit schien nur darauf gewartet zu haben, von ihren Muskeln Besitz zu ergreifen – jetzt, da die letzte Aufgabe des Tages erledigt war.

Anne ließ die Arme zur Seite fallen – und berührte mit den Fingerspitzen etwas Hartes neben dem Sofa. Sie setzte sich auf. Es war ein Rahmen, der falsch herum gegen die Wand lehnte. Ohne darüber nachzudenken, hob sie diesen hoch und drehte ihn um. Eine Urkunde auf Englisch. Langsam las sie alles, ihr Herz klopfte dabei wie verrückt.

Marc hatte die Urkunde für die Entdeckung eines Kometen erhalten. Dem Jahr zufolge war er damals gerade einmal zwölf Jahre alt gewesen.

Der Name, den Marc dem Kometen verliehen hatte, stand auch dort.

Ganz groß, in goldenen Lettern.

C/2002 T7 (Anne Päffgen)

Anne konnte die Augen nicht von den geschwungenen Buchstaben abwenden. Es war ihr, als sei die Temperatur in ihrem Herz hochgedreht worden und als strahle die Wärme nun in ihren ganzen Körper aus. Sie schüttelte den Kopf, als wäre dies ein Traum, doch die Lettern blieben. Sie verschwammen nur leicht, da Tränen Annes Augen füllten.

Er hatte einen Kometen nach ihr benannt.

Und nie etwas darüber erzählt.

Lange blickte sie die Urkunde noch an, fuhr mit den Fingerspitzen über das schützende Glas, las den Text doppelt und dreifach. Dann stellte Anne sie ganz sachte an ihren Platz zurück. Da ihr Kreislauf leicht holperte, beugte sie sich vor und griff nach einem der Milky Ways, die in einer kleinen schwarzen Schale auf dem Wohnzimmertisch standen.

Plötzlich ertönte ein Maunzen. Kurz danach sprang eine kleine, grazile Katze auf ihren Schoß und begann, tief und wohlig zu schnurren.

Über Funk kam die Nachricht, dass die Flotte von über fünfzig Schiffen sich in Bewegung setzen konnte. Anne spürte den Ruck der startenden Motoren und die Kraft des Schaufelrades, das sich auf dem kleinen Mississippi-Dampfer namens River Lady in Bewegung setzte. Es ging gen Süden, zum Dom, denn zwischen Zoo- und Hohenzollernbrücke würde das alljährliche Feuerwerk »Kölner Lichter« stattfinden.

»Nicht träumen, Anne, servieren!« Schönberner stand neben ihr. »Komm, hopp hopp!«

Anne löste den Blick vom tiefdunklen Blau des Rheins, das ihr immer wie ein Versprechen auf das Meer vorkam, und blickte ins Innere der River Lady, wo die Gäste langsam in Stimmung kamen. Heute musste sie einen einfachen Sekt servieren und darauf achten, dass auch nach dem zehnten Glas niemand von Bord fiel. Das Catering war ein Pflichttermin, den weder Service noch Küche mochten, doch der Geschäftsführer dafür umso mehr. Für Anne würde es kaum Gelegenheit geben, die aufflammenden Heißluftballons oder die sechs Tonnen Pyrotechnik zu bewundern, die heute Abend in die Luft gejagt wurden.

Sie setzte ihr professionelles Lächeln auf und verteilte den Sekt unter der durstigen Menge.

Die Flotte wurde auf ihrem Weg von kleineren Feuerwerken am Ufer begleitet. Sie schossen in die Luft, explodierten in wunderschönen Farben und verglühten schnell wieder. Was blieb, war die Sehnsucht nach ihnen, der Geruch von Schwarzpulver und verbrannter Pappe. Anne merkte nicht, wie sie ihre Hände um das kühle Metall der Reling verkrampfte. Sie erinnerte sich, wie es war, als das Feuerwerk mit Dirk seinen Höhepunkt erreichte. Sie hatte natürlich nicht gedacht, es würde für immer so bleiben, aber doch, dass einige Sterne weiter scheinen und stetig ihre Wärme abgeben würden.

»Anne, echt, muss ich dich peitschen, damit du arbeitest?«

»'tschuldigung, war in Gedanken.«

»Das hab ich gemerkt. Jetzt hör mit dem Denken auf und mach verdammt noch mal deinen Job.«

»Gilt Sektschubse jetzt offiziell als Job? Ich dachte, das fällt unter Strafmaßnahme?«

»Ich sag's nicht noch mal!«

Anne schnappte sich ein mit Sektflöten gefülltes Tablett und drehte die nächste Runde über die schwankenden Decks. Viele weitere öde Runden folgten. Immerhin breitete sich der köstliche Duft von Chefkoch Wahabi Nouris Buffet wie eine wohlige Wolke auf den beiden Decks aus, doch für Essen war keine Zeit. Sie hatte mit dem Rest der Serviceteams vorher Personalfutter bekommen. Bratkartoffeln mit Speck, das hielt gut vor.

Als sie gerade ein neues Tablett balancierend emporhob, sprach sie jemand an.

»Hätten Sie vielleicht einen Champagner für mich? Sie sind doch die Sommelière aus dem Champagne Supernova, oder? Die letztens so eine tolle Kritik bekommen hat?«

Anne drehte sich nicht um. Extrawünsche waren jetzt nicht angesagt.

»Ja, stimmt. Leider ist heute nur Sekt im Preis inbegriffen.«

»Ich würde auch zahlen. Bitte, retten Sie meinen Abend!«

Die Stimme des Mannes klang tief und weich, sie war selbstsicher, aber nicht überheblich. Es war eine Stimme, in die man sich wie in einen wärmenden Mantel einhüllen wollte.

Anne drehte sich um.

Wenn sie vorher nicht wusste, auf welchen Typ Mann sie stand, dann wusste sie es jetzt: groß, mit dunklen, leicht gelockten Haaren, die vom Fahrtwind leicht zerzaust waren. Dazu ein selbstbewusstes Lächeln wie der Marlboro-Mann. Doch was ihn perfekt machte, war das schelmische Glitzern in seinen Augen.

»Wenn Ihr Abend schon mit einem Glas Champagner zu retten ist, guck ich mal, was ich machen kann.«

»Blanc de Blancs, wenn es geht.«

Den bevorzugte sie auch. »Irgendwas dazu?«

»Nicht, wenn er gut ist.«

Der Kandidat hatte hundert Punkte.

Sie brachte ihm ein Glas Noël Bazin. Er bedankte sich mit einem herzlichen Lächeln und trank in großen Schlucken, wie es sich bei Champagner gehörte.

Zweihundert Punkte.

Dann stellte er sich an die Reling und blickte Richtung Dom. »Toller Ausblick, klasse Champagner, nette Gesellschaft.« Er zeigte auf seine Ohren. »Nur die Musik stimmt nicht. Könnten die nicht irgendwas spielen, das zur Nacht passt? The Cure, die Sisters of Mercy oder The Church?«

Das waren die Punkte dreihundert bis fünfhundert.

Er näherte sich dem Jackpot.

»Leider nicht, das müssten Sie dann schon selbst singen.«

Und er sang tatsächlich. Die ersten Zeilen von *Under the Milky Way*.

Es war peinlich und gleichermaßen schön, denn er traf jeden Ton. Anne applaudierte.

Er verneigte sich spielerisch. »Trinken Sie einen Schluck Champagner mit mir? Man sollte ihn ja niemals alleine trinken, nicht wahr? Das haben Sie mal in einer Gast-Kolumne für den *Feinschmecker* geschrieben.«

»Sie sind ja nicht allein, die River Lady ist voll besetzt.«

»Bitte!«

Anne sah sich um. Schönberner war nirgends zu sehen. Schnell verschwand sie hinter der Theke, füllte sich auch ein Glas und trat wieder hinaus zu dem Unbekannten an die Reling. Sie stießen an.

»Ich bin André.« Er reichte ihr die Hand. »Schön, dich kennenzulernen.«

Sein Händedruck war angenehm fest, aber nicht so, dass ihre Hand zerquetscht wurde. An diesem Mann stimmte einfach alles. Er war nicht Mr. Right, er war Mr. Superright.

»Ich bin Anne«, sagte sie. Nein, sie hauchte es, stellte Anne überrascht fest.

André hielt immer noch ihre Hand. Sanft zog er sie nah zu sich und beugte sich vor, um sie zu küssen. Genau wie Anne es sich in diesem Moment wünschte, kein Zaudern und Warten, ein Mann, der den Moment nutzte.

Hätte man einen Mann aus ihren Tagebucheinträgen zusammengebastelt, dann wäre André herausgekommen.

Sie scheute zurück.

Er wirkte überrascht, nippte dann lächelnd an seinem Glas. »Ich dachte, so wolltest du es.«

»Wieso dachtest du das? Du kennst mich doch gar nicht.«

Er zögerte. »Nur so ein Gefühl.«

Anne blickte ihm in die Augen. Das Funkeln darin war schelmisch, keine Frage, aber es war auch merkwürdig wissend. »Woher weißt du das alles über mich?«

»Ich weiß nicht, was du meinst.«

»Verarsch mich nicht! Du kennst meine Lieblingsbands, meinen Lieblingschampagner, mein Gott, du weißt sogar, wann ich geküsst werden will.«

»Ich hab halt ein gutes Gedächtnis.«

»Du redest Blödsinn.«

»Ich kann es dir nicht verraten. Hab ich versprochen.« Er lächelte immer noch.

»Wem?«

»Das kann ich dir auch nicht sagen. Tu doch nicht so, als wüsstest du es nicht.«

Anne überlegte, ob sie ihn über Bord schubsen sollte, aber das musste aufhören mit der Männerentsorgung im Rhein.

Er trat wieder näher zu ihr. »Alles nach deinem Drehbuch, oder? Nur der Kuss fehlt noch, und der ist doch das Wichtigste in Hollywood.«

Sie schüttete ihm ihren Rest Champagner ins Gesicht.

Schade um das gute Zeug.

Die Hohenzollernbrücke kam in Sicht, gefüllt mit Menschenmassen. Anne konnte nicht hinschauen, denn dort oben hing das große, gravierte Schloss, auf dem »Anne & Dirk« stand. Umrandet von einem großen Herz. Nachdem sie damals einen Platz dafür gefunden hatten, wandten sie sich mit dem Rücken zum Rhein, küssten sich und warfen den kleinen Schlüssel gemeinsam über die Schulter. Für immer.

Für immer und ewig.

Ob irgendwer die Schlösser vergangener Lieben abfräste oder ob sie dort oben für alle Zeiten weiter hingen wie kleine, metallene Grabsteine eines toten Gefühls?

Es war halb zwölf, der Feuerwerksmeister startete den Countdown. Zehn … neun … acht …

Als die ersten Takte der Polonaise aus Tschaikowskys Oper *Eugen Onegin* erklangen und Raketen passend zum Takt in den dunklen Nachthimmel sausten, wollte Anne nur noch weg.

Sie wollte zu Marc.

Als sie den weißen Klingelknopf neben dem Namen Marc Heller drückte, wusste Anne, dass sie ihn wecken würde. Schließlich war es schon nach eins, also mitten in der Nacht. Doch Anne wollte jetzt nicht allein sein. Sie konnte nicht sagen, was sie sich davon versprach, Marc zu treffen. Diesen Mann, der ihr als Kind einen Kometen gewidmet hatte und der ihr manchmal genau so weit weg vorkam wie ein Himmelskörper.

Sie drückte nochmals.

Vielleicht wollte sie bei ihm sein, weil sie bei ihm keine Angst haben musste, dass er sie küssen würde. Weil er ein echter Freund war, einer, der merkwürdige Sachen erzählte, die ihre Welt erweiterten. Das war schon damals so gewesen, als sie zusammen zur Grundschule gingen. Marc hatte nicht nur von den Sternen erzählt, sondern auch von Abenteuern im Weltraum, von Superhelden, die er sich selbst ausgedacht hatte, und ihr Landkarten gezeigt, die er von fremden Welten entworfen hatte. Er hatte ihr klargemacht, wie klein die Erde und sie selbst auf dieser waren und zu welch wunderbarem Ganzen sie gehörten.

Über ihr wurde ein Fenster geöffnet, und Marcs Kopf schob sich mit verwuschelten Haaren heraus. »Anne, bist du das?«

»Zeigst du mir noch mal die Sterne? Mit dem Projektor?«

Marc sah sie lange an, dann verschwand sein Kopf. Danach passierte erst mal nichts. Anne hatte erwartet, dass der

Türsummer ertönte und sie eintreten konnte, doch stattdessen stolperte fünf Minuten später Marc die Treppe herunter, mit klimperndem Schlüssel in der Hand.

»Komm mit!« Marc ging vor zu seinem Fiat und startete sofort den Motor. Schnell kurbelte er das Seitenfenster herunter. »Steig ein.«

»Was hast du vor?«

»Wirst schon sehen. Hab eben gecheckt, dass es auch klappt.«

Anne versuchte während der Fahrt mehrmals, Marc dazu zu bringen, ihr das Ziel zu verraten, doch er reagierte nicht darauf, sondern fragte sie nach den »Kölner Lichtern«. Er war sehr interessiert, alles im Detail zu erfahren, vor allem über die Gäste, was das denn für Leute wären, ob die nett seien. Irgendwann erzählte Anne von André.

Marc wirkte richtiggehend enttäuscht, dass die Sache schiefgelaufen war.

Vielleicht war es ein Fehler gewesen, zu ihm zu fahren.

»Wir sind da«, sagte Marc und hielt den Multipla nach einer kurvigen Fahrt vor einem Gatter, das er mittels eines Codes am seitlichen Terminal öffnete. Anne war eingedöst. Als sie nun aufblickte, sah sie die Schüssel des Radioteleskops vor sich – und über ihr den sternenklaren Nachthimmel.

»Effelsberg?«

»Ja.«

»Habt ihr hier auch einen Sternenprojektor?«

Marc zeigte nach oben, während er weiterfuhr. »Den größten und besten Sternenprojektor der Welt: den Himmel. Und es ist eine tolle, klare Nacht.«

Sie mussten viele Stufen emporgehen, gefühlt Hunderte, und durch metallene Räume hindurch, die aussahen, wie man sich in den 1970ern die Zukunft vorstellte. Als wären sie Teil eines alten James-Bond-Films, der damals ins Übermorgen blickte. Irgendwann öffnete sich die letzte Tür, und blendend weiß erstreckte sich vor Anne das Herz des Teleskops. Sie zogen die Schuhe aus und traten hinaus.

»Warte!« Marc verschwand im Inneren und kehrte mit zwei Strandtüchern zurück.

»Hast du die hier deponiert?«

Wortlos breitete er sie auf der weißen Fläche aus.

»Hast du das etwa von langer Hand geplant?«

»Voilà«, sagte Marc und wies auf die Strandtücher. Eines zeigte Garfield beim Verschlingen einer Lasagne, eines Alf als Rockstar mit Lederjacke. »Ich hab die Strandtücher vor Ewigkeiten hier versteckt und nie benutzt. War eine Schnapsidee, als ich anfing.« Er legte sich auf Alf. Als Anne neben ihm lag, reichte er ihr eine Tüte.

»Lachgummis?«

»Ja, sind das Gegenteil von Weingummis!«

Anne grinste. »Spinner.«

Dann blickten sie in den Himmel und sagten lange nichts mehr. Anne genoss es, an diesem weißen Strand zu liegen und den Ozean der Sterne zu beobachten. Nach einiger Zeit glaubte sie zu spüren, wie der Himmel über ihr ganz langsam wanderte. Und ihre Augen, die sich an die Dunkelheit gewöhnten, sahen immer mehr Sterne. Es war, als klebe eine unsichtbare Hand ständig neue glitzernde Punkte über sie.

Dann erklärte Marc ihr die Sterne, zeigte ihr alte, die kurz nach dem Urknall entstanden waren, und ganz junge Baby-Sterne, die nach kosmischen Maßstäben gerade erst geboren waren.

So schön das Feuerwerk der »Kölner Lichter« auch gewesen war, es konnte mit dem hier nicht mithalten. Weder in Sachen Schönheit noch in Sachen Dauer. Bruchteile von Sekunden gegenüber der Ewigkeit. Vielleicht war das auch der Unterschied zwischen einer Romanze und der Liebe. Die erste strahlte hell und bunt, für die andere musste man lange hinsehen. Manchmal war die Liebe gar nicht zu erkennen, weil Wolken sie verdeckten. Doch sie war immer da.

Sie würde die Sterne wählen, jedes Mal.

»Manchmal fühl ich mich ihnen ganz nah«, sagte Anne. »Dabei haben wir für sie keine Bedeutung. Sie wissen nicht mal von uns. Es sind riesige Feuerbälle, Millionen über Millionen von Kilometern entfernt. Komisch, dass es Dinge gibt, die sich ganz nah anfühlen und doch unerreichbar sind.«

»Ja«, sagte Marc, ein leichtes Zittern in seiner Stimme.

Sie drehte sich zu ihm. »Wieso haben wir uns damals eigentlich aus den Augen verloren?«

»Manche Dinge passieren einfach.«

»Aber so was eigentlich nicht. Wir waren Nachbarn. Und Freunde!«

Marc nickte. »Wir waren die Schwarzen Panther.«

»Unsere Detektivtruppe, die hatte ich ja total vergessen!« Anne senkte die Stimme, sodass sie gefährlich klang. »Keiner ist so schlau wie wir, die Schwarzen Panther ermitteln hier!« Sie lachte. »Aber keiner kam mit einem Fall zu uns, dabei hätten wir sicher jeden gelöst!«

»Schließlich hatten wir die komplette Detektiv-Ausrüstung der *Yps*!«

Sie waren damals immer auf einem Bauplatz herumgeschlichen, wo sie Kunstdiebe vermuteten. Falls es wirklich welche waren, hatten sie ihre Schätze aber so gut versteckt, dass die neugierigen Schwarzen Panther sie nie fanden.

»Als ich vierzehn wurde, war dann plötzlich alles vorbei mit uns«, sagte Anne. »Du hast nie wieder geklingelt. Und wenn ich rüberkam, musstest du immer lernen. Dabei brauchtest du das doch gar nicht.«

»Manchmal laufen Planeten eine Weile lang parallel, und dann entfernen sich ihre Bahnen wieder.«

Anne erinnerte sich jetzt immer mehr an die gemeinsame

Zeit. Es war, als würde ihre Erinnerung die Fotos entwickeln, mit jeder Sekunde im Fixierbad kehrten mehr Farben zurück. »Das muss das Jahr gewesen sein, in dem ich total verknallt in Stephan Haasler war. Meine erste große Liebe! Damals dachte ich, die hält für immer. Waren dann aber nur drei Monate, zwei Wochen und vier Tage. Und außer Knutschen ist nicht viel gelaufen. Erinnerst du dich noch an Stephan? Der war zwei Jahre älter als wir, aber nur eine Stufe höher, da er gerade eine Ehrenrunde drehte.«

Eine kurze Pause entstand. »Klar erinnere ich mich an den.«

»Er trug damals eine Bomberjacke und hatte ein Nunchaku, das er ganz schnell auf- und zuklappen konnte, wie ein Actionstar. Hat immer so getan, als wäre er ein ganz böser Bube.«

»Er hat nicht nur so getan«, sagte Marc.

Sie blickte zu ihm. »Was meinst du damit?«

»Nichts. Ist lange her. Willst du den letzten Lachgummi?«

»Ja, gern. Aber weich meiner Frage nicht aus.«

Er reichte ihr die Tüte. »Lass uns nicht über Stephan reden. Nicht jetzt unter solch einem Himmel.«

»Hat er dich damals drangsaliert?«

»Ich will nicht darüber reden.«

Anne stützte sich auf. »Bist du deshalb nicht mehr rübergekommen, weil du Angst vor ihm hattest? Sag schon!«

»Es gibt Menschen, die will man einfach nicht treffen.«

»Warum bist du nicht wiedergekommen, nachdem ich mit ihm Schluss gemacht hatte?«

»Du gehörtest dann zu den Coolen. Wir lebten zwar nur wenige Meter entfernt, doch es war wie auf zwei unterschiedlichen Planeten.«

»Ich war eine eingebildete Gans. Kannst du ruhig sagen.«

»Manches bleibt besser unausgesprochen.«

Sie knuffte ihn. Und dachte sich: Jetzt ist der richtige Moment, ihn auf »C/2002 T7 (Anne Päffgen)« anzusprechen.

»Ich glaube, ich hab da gerade einen Kometen gesehen.« Sie zeigte an eine Stelle des Himmels, wo ein Komet sich gut machen würde.

Marc schmunzelte. »Das war die ISS. Wenn man Kometen sieht, dann ist es ihr Schweif. Wie beim Halleyschen Kometen.«

»Wobei der keinen schönen Namen hat ...«

»Er wurde nach seinem Entdecker, Edmond Halley, benannt.«

»Ich mag Kometen. Will auch einen.« Anne hielt die Luft an. Sie hatte ihm den Ball auf den Elfmeterpunkt gelegt, er musste ihn nur noch ins Tor schießen.

»Vielleicht gibt es ja schon einen ...«

»Wie meinst du das?«

Eine Tür schlug zu. Marc schreckte auf. Es musste die auf der anderen Seite sein. »Wir dürfen gar nicht hier sein!«

Ein schrilles Piepen erklang.

»Was ist das?« Anne stand schnell auf.

»Der Warnton, bevor sich die Schüssel bewegt. Sie braucht fünf Minuten für eine Komplettdrehung.«

Anne stellte sich nah zu Marc und fuhr ihm durch die Haare. Sie lächelte ihn an, mit all der Wärme, die sie gefühlt hatte, als sie den Namen des Kometen gelesen hatte. Sie wollte ihn küssen, ohne Plan, zu was es führen sollte, einfach nur, weil es jetzt genau das Richtige zu sein schien.

Marcs Blick wurde seltsam leer.

Und ohne es wirklich zu wollen, glitten ihre Lippen an seinen vorbei und setzten sich sanft auf seine Wange. »Danke für den Sternenhimmel.«

»Er ist immer hier, falls du ihn brauchst«, antwortete er. Und biss sich auf die Unterlippe.

Löwe (24. Juli – 23. August) Gedanken und Worte haben eine tiefere Bedeutung als sonst. In privaten Gesprächen stoßen Sie schneller zum Kern der Sache vor und können auch einmal verletzend sein. Halten Sie aber nicht mit der Wahrheit hinter dem Berg, seien Sie authentisch!

Kapitel 6

Lieber

Marc stockte. Na, das fing ja gut an. Schon nach dem ersten Wort kam er nicht weiter. Die kleine Göttin blickte ihn von der Couch im Besucherraum aus neugierig an. Ihrer Couch. Alle anderen hatten nur Besucherstatus und durften die eigentliche Bewohnerin nicht stören, wenn sie sich in ihrem Reich ausstreckte.

Marc hatte eine Lösung für sein linguistisches Problem. Zwei praktische Satzzeichen.

Lieber »Engel«,
ich nenne dich jetzt einfach so in Ermangelung eines besseren Wortes (wie Wesenheit, Schicksal oder »die Macht«). Falls es dich gibt, was ich im Übrigen stark bezweifle, weißt du sicher ohnehin, dass ich dich meine. Ich brauche Hilfe, und zwar welche, die nicht von der Wissenschaft kommen kann. Denn die Wissenschaft hat gestern an Bord der River Lady völlig versagt. André Schütz war perfekt für Anne. Als ich ihn auf der Partnersuchseite fand, konnte ich mein Glück gar nicht fassen. Unauffällig hab ich ihm als »ChampagnerQueen« alle Informationen über Hobbys und Vorlieben mitgeteilt, die er brauchte, um Anne zu beeindrucken. Es war wie ein digitales Trainingslager.

Dann waren alle, wirklich alle meine Verbindungen (oder besser die von Prian) nötig, um eine Karte für die River Lady zu ergattern.

Es war zudem extrem teuer gewesen, aber der Engel musste ja nicht alles wissen. Vermutlich war Geld sowieso ein Konzept, das nicht-materiellen Wesen fremd war. Sogar noch fremder als ihm. Marc meinte plötzlich, ein Geräusch hinter sich zu hören, und drehte sich um, doch die kleine Göttin schlief. Ansonsten sollte jetzt niemand mehr im Kontrollraum sein. Merkwürdig.

André besitzt sämtliche Kerneigenschaften, die bei allen von Annes Männern gleich waren! Er ist etwas größer als sie (aber nicht größer als einen Meter neunzig), er ist sportlich (aber nicht fanatisch), er trägt sein Haar kurz (die Farbe ist Anne egal, wobei es eine leichte Präferenz zu dunklem Haar gibt). Er hat kulturelles Interesse, aber eher an Populärem (wichtig ist zum Beispiel, dass er jeden Sonntag Tatort *schaut und zu Jahresbeginn* Ich bin ein Star holt mich hier raus!*).*

Vermutlich beides keine Sendungen, die Engel in ihrer Freizeit schauten. Sicher war Bibel-TV bei ihnen der Mega-Hit.

André ist intelligent (ermittelt habe ich einen Mindest-IQ von hundertzwanzig) und verdient mehr als Anne (mit Männern, die weniger verdienen, endeten ihre Beziehungen innerhalb von drei Monaten). Ich hatte eine achtundneunzigprozentige Kongruenz! Der Algorithmus war eindeutig – und ich hatte ihn aus den gehackten Algorithmen der zehn populärsten Dating-Seiten generiert. Was also ist der Grund für den Reinfall? War vielleicht der Ansatz falsch zu denken, dass es einen Typ Mann gibt, den ich aus Annes bisherigen Männern generieren kann? Wandelt sich unter Umständen das, was sie in einem Partner sucht?

Marc trank einen Schluck heiße Schokolade. Er war da einer Sache auf der Spur. Menschen änderten sich, ihre Hobbys und Ansichten änderten sich. Warum sollte unser Wunschpartner sich als Einziges nicht ändern?

Vielleicht ist jeder neue Mann eine Reaktion auf den Ex? Wenn der Ex eine Frau mit seiner Unordnung genervt hat, dann sucht sie danach sicher einen, der ordentlich ist. Hat der Expartner zu viel Kontrolle ausgeübt, so will man als Nächstes einen, der viel Raum gibt. Sehr guter Einfall, Engel! Ich merke, wir verstehen uns!
Das alles würde bedeuten, ich muss mir Annes letzten Ex Dirk Benz ganz genau anschauen und herausfinden, was Anne nicht an ihm mochte. Und dann einen Mann finden, der genau diese Fehler nicht aufweist – und dies Anne schnell deutlich macht.

Marc spürte das Adrenalin in seinem Körper explodieren. Er griff sich eines der süßen Jelly Babies, die griffbereit in der Schublade lagen. Doch bevor er es in den Mund stecken konnte, sprang die kleine Göttin auf seinen Schoß. Er nahm sie jetzt immer mit zur Arbeit – und sie kam stets mit zurück. Marc aß die fruchtige Süßigkeit nun trotzdem, was mit einem lauten Maunzen kommentiert wurde und einem Katzenkörper, der sich an seinen Bauch drückte.

Außerdem erschien Steffensberg und nahm sich auch ein Jelly Baby. »Na, alles klar, Chef?«

»Seit wann nennst du mich Chef?« Marc stellte den Monitor aus.

»Manche sind halt gleicher als gleich. Und können sich mehr erlauben.«

»Was soll das bedeuten?«

Steffensberg nahm sich noch mehr Fruchtgummis. »Nicht jeder kann es sich erlauben, hier Süßigkeiten zu essen.« Er lachte. »Ich mach nur Spaß.«

War Steffensberg für die zugeschlagene Tür in der APEX-Kapsel zuständig gewesen, als er das Teleskop für einen Strandbesuch mit Anne bei den Sternen genutzt hatte? Marc konnte ihn unmöglich fragen. Wenn Steffensberg es nicht wusste, würde er ihn dadurch erst aufklären. Und wenn er es wusste, ließ sich ohnehin nichts mehr ändern. Dann konnte er nur dasselbe tun wie die Menschheit, wenn ein großer Meteor, ein Planetenkiller, auf die Erde zuraste.

Sich auf den Einschlag vorbereiten.

»Du bist ziemlich gut gelaunt«, sagte Marc.

»Ist ja auch ein schöner Tag.«

»Gibt es etwas Neues wegen der Stromausfall-Geschichte?«

Steffensberg grinste breit. »Tja, leider war ich es nicht.«

»Daran habe ich nie gezweifelt.«

»Ach, ja?« Er setzte sich an Marcs eigentlichen Schreibtisch im Kontrollraum und damit dem des Observatoriumsleiters. »Es ist rausgekommen, dass jemand anderes meinen Computer als Relay-Station benutzt hat, um seine Spuren zu verwischen. Sehr clever. Die Polizei hat ein Virusprogramm mit kyrillischen Buchstaben gefunden und vermutet deshalb russische Hacker hinter der Aktion. Eventuell haben die während des Stromausfalls irgendwo Geld transferiert. Frag mich nicht nach Details. Wichtig ist nur: Ich bin von jedem Verdacht befreit.«

Davon hatte er Marc, seinem Vorgesetzten, nichts berichtet.

»Reingewaschen«, setzte Steffensberg hinzu. »Blitzeblank. Weiß wie Schnee.«

»Das freut mich wirklich.«

»Hast du schon alles gepackt?«

Steffensberg spielte auf den Flug nach Chile an. In wenigen Stunden war es so weit. Zu Marcs Überraschung würde sein Stellvertreter ihn begleiten. Das Max-Planck-Institut für Radioastronomie hatte beschlossen, eine Zwei-Mann-Delegation zu schicken, um den Chilenen den großen Stellenwert der Zusammenarbeit zu verdeutlichen.

»Ich könnte sofort los«, antwortete Marc.

»Je eher du weg bist, desto besser«, sagte Steffensberg augenzwinkernd. »Nur ein Scherz!« Dann verschwand er pfeifend in Richtung Kantine. Dort wurde Essen serviert, das alle Mitarbeiter des Radioteleskops auf Weltraumnahrung vorbereitete. Und zwar so, dass man über Weltraumnahrung wahnsinnig glücklich sein würde.

Nach einem prüfenden Schulterblick schaltete Marc den Monitor wieder an. Nun kam der unangenehmste Teil des Briefes. Aber irgendwann musste er gegenüber dem Engel ja mal zum Punkt kommen.

Ein wenig himmlische Unterstützung wäre wünschenswert. Die Liebe scheint zum Teil unberechenbar zu sein, was es unmöglich macht, einen perfekten Algorithmus zu finden. Wenn du meine Zahlen in die richtige Richtung drehen könntest, lande ich sicher einen Treffer. Es ist ja nicht für mich, sondern für Anne. Sie hat es verdient, endlich den Richtigen zu finden! Ihr erster Freund war ein Vollidiot, ihr zweiter hat sie nahezu eingesperrt, ihr dritter hat sich aushalten las-

sen, und ansonsten war sie ihm egal, ihr vierter hatte nur seinen Job im Kopf und Marathonläufe, und der letzte hat sie auf dem Klo betrogen. Lass den sechsten einen Volltreffer sein. Mit Zusatzzahl.
Dein Marc
P.S.: Du weißt es sicher längst, aber falls nicht: Ich bin aus der Kirche ausgetreten und Agnostiker. Falls du meinen Brief deshalb nicht bearbeiten kannst, verstehe ich das. Wer die Gebühren nicht bezahlt, muss sich über fehlenden Service nicht wundern.

Schnell druckte Marc den Brief aus. Vorsichtshalber stellte er sich daneben, faltete die Blätter sofort zusammen und steckte sie in einen selbstklebenden Umschlag. Er würde ihn nicht in eine Box mit *Bravo*-Aufklebern legen, er würde ihn verbrennen. Auf diese Weise würden die Buchstaben zum Himmel aufsteigen – der passende Übertragungsweg zu einem Engel. Zur Sicherheit plante er, sich eine Kerze im Kölner Dom zu kaufen und das Papier mit deren Flamme anzuzünden. Sicher war sicher.

Nach Steffensberg erinnerte ihn nun auch sein Handy daran, dass bald der Flug nach Chile abhob. Er wollte sich noch persönlich von Anne verabschieden. Seit der Nacht auf der Schüssel hatte sie sich nicht mehr bei ihm gemeldet, weder auf seine Mails noch SMS geantwortet. Dabei gab es keinen Grund für sie, ihm irgendetwas übel zu nehmen. Er hatte sich wie ein Gentleman verhalten. Sie würde einfach viel zu tun haben.

Marc rief sie an.

Anne hob nicht ab.

Er ließ es klingeln, bis der AB ansprang, dann legte er auf. Es würde keinen Sinn machen, heute zum fünften Mal draufzusprechen.

Dann rief er erneut an und verabschiedete sich. Bis ein Piepton die lange Nachricht unterbrach.

»Du sollst die Tauben füttern, Anne.« Luise saß auf einer Bank am Rathenauplatz und warf die Körner vor die gurrende Truppe um sie herum.

»Tu ich doch.«

»Nein, du bewirfst sie.«

»Quatsch!«

»Sie haben schon Angst vor dem Futter. Und das ist für Tauben sehr ungewöhnlich. Aber du zielst halt sehr gut.«

Anne sah sich um, die Tauben zuckten zurück. »Tut mir leid.«

»Meinen Kopf hast du nicht unter Beschuss genommen. Bei mir musst du dich also nicht entschuldigen.«

Anne blickte zu den Tauben, die ihre Köpfe ruckend in sicherer Entfernung bewegten. »Kommt nicht wieder vor!«, rief Anne ihnen zu. Was ihr einige irritierte Blicke junger Mütter einbrachte. Sie waren neben spielenden Kindern, Tauben und Spatzen die Hauptbewohner des kleinen städtischen Parks, einer rechteckigen Insel im trubeligen Veedel. Junge Mütter waren zudem die natürlichen Feinde der »Freundinnen der Stadttauben und anderer urbaner Vögel, Ortsgruppe Köln«, denn sie wollten ihren Nachwuchs vor dem gemeingefährlichen Taubenkot schützen. Irgendwann, prophezeite Luise, würden die Mütter den Verein mit gefüllten Windeln bewerfen. Nachhaltig produzierte Stinkbomben. Mit Biosiegel. Luise verfütterte gerade mütternah hochnahrhaftes Futter am östlichen Parkende.

Es würde sicher ein spaßiger Nachmittag werden.

Jemand tippte ihr auf die Schulter. »Hallo, Liebes, ich wollte dich überraschen.«

Anne drehte sich um. Es war ihre Mutter. Die ihren Einsatz für Tauben missbilligte. »Ist dir so was von gelungen.« Sie gab ihrer Mutter einen Kuss auf die Wange. »Woher…?«

»Du hast erwähnt, dass du hier heute Nachmittag etwas vorhast. Aber nicht, dass es…« Sie ließ den Rest unausgesprochen.

Erstaunlich, dass ihre Mutter sich diesen Termin gemerkt hatte, dachte Anne. Sie hatte nur in einem Nebensatz davon berichtet, um nicht bei ihrer Mutter zum Kaffee antanzen zu müssen.

»Wollen wir uns irgendwo hinsetzen? Ich habe uns ein paar Amerikaner mitgebracht, die magst du doch so.«

Die hatte sie als Kind gemocht, heutzutage war ihr das mit Zuckerglasur versiegelte Gebäck viel zu süß. In den Augen ihrer Erzeugerin fuhr sie immer noch mit Zahnspange und Heidi-Zöpfen auf einem rosa Fahrrad durch den Garten. Natürlich mit Stützrädern.

Sie fanden eine mütterfreie Bank. Anne nahm mit dem Gefühl Platz, direkt wieder aufstehen zu müssen, als seien Sprungfedern in die Holzbretter eingelassen. Wenn ihre Mutter unangemeldet auftauchte, mit Amerikanern und einem sorgenvollen Blick, dann ging es nicht darum, mit der Tochter einen netten Nachmittag bei traumhaftem Sommerwetter zu verleben.

Nein, dann war es ernst.

»Sagst du mir, worum es geht?«

»Freust du dich nicht, mich zu sehen?«

»Doch, klar, aber du hast doch was auf dem Herzen, das mich betrifft.«

Ihre Mutter lächelte traurig. »Geht's dir gut?«

Das war es also. Natürlich.

»Du meinst wegen Dirk? Denkst du, ich sei nicht mehr komplett, weil ich jetzt keinen Mann habe? Muss ich direkt wieder…« Anne suchte nach Worten. »Es ist doch erst ein paar Tage … « Sie sah ihre Mutter an, die wegschaute. » Jetzt sag nicht, dass es wegen Nachwuchs ist. Tickt meine biologische Uhr etwa so laut, dass du sie sogar in Lindenthal hören kannst? «

» Ich hab nichts gesagt! «

» Brauchst du auch nicht. Dein Gesicht sagt alles. Wahrscheinlich tickt meine Uhr so dröhnend, dass man sie sogar auf fernen Planeten wahrnimmt! «

» Ich kann nichts dafür, wie mein Gesicht aussieht. « Sie wandte es ab. » Ich wollte nie eine von diesen chronisch besorgten Müttern sein, die ihre Kinder mit ihren Ängsten und Sorgen einengen. Aber ich mache mir Gedanken um dich, du bist mein einziges Kind. Und ich will, dass du glücklich bist. Ist das so schwer zu verstehen? «

Einige Tauben näherten sich. Hungrig. Annes Mutter zog die Beine enger zu sich heran.

» Weißt du, Mutter, mit den Männern ist es bei mir gerade schwierig. Die einen küssen Frauen, die sie nicht küssen sollten, und die anderen küssen Frauen nicht, die sie küssen sollten. Dabei ist das ja eine faire, fünfzigprozentige Chance für die selbst ernannten Herren der Schöpfung. Und trotzdem bekamen sie es in hundert Prozent der Fälle nicht richtig hin. Sogar ein Schimpanse mit Augenbinde, den man hundertmal im Kreis gedreht hat, besitzt statistisch gesehen eine höhere Trefferquote beim Küssen. «

Annes Mutter schüttelte den Kopf. » Ich verstehe dich nicht. «

» Kein Wunder. Ich verstehe es ja auch nicht. « Sie warf den Tauben etwas Futter zu.

Diesmal, ohne eine davon zu verletzen.

» Lass das doch. « Sie legte ihre Hand auf Annes. » Oder ist da Gift drin? «

» Nein, wir sind ja die › Freundinnen der Stadttauben und

anderer urbaner Vögel, Ortsgruppe Köln‹ und nicht das ›Killerkommando Wildgeflügel‹.« Sie warf wieder.

Ihre Mutter seufzte. Ein Seufzen, das Anne durch ihre gesamte Jugend begleitet hatte. Es ließ ihren Magen in Sekundenbruchteilen zusammenkrampfen.

»Männer sind sicher nicht einfach – aber wir Frauen auch nicht. Vielleicht hast du einfach Pech gehabt, was eine neue Liebe betrifft. Aber man muss auch bereit sein für jemand Neuen. Das habe ich auch Marc gesagt.«

»Marc? Wieso redest du mit Marc über so was?«

Ihre Mutter nahm Annes Hand. »Er ist ein sehr netter Junge, also Mann, und ich freue mich sehr darüber, dass er jetzt ab und zu vorbeikommt. Er macht sich Sorgen um dich. Was war damals eigentlich zwischen euch? Als ihr noch Kinder wart? Ich wünschte, du hättest dich mit ihm ... mehr als angefreundet.«

Anne warf aus lauter Wut große Mengen Futter zu den Tauben, die ihr Glück nicht fassen konnten. Sie luden gleich ihre Großfamilien ein.

»Genau deshalb habe ich es nicht getan. Hättest du ihn weniger toll gefunden, wäre es vielleicht anders ausgegangen. Aber immer hieß es, Marcs Noten sind besser, Marc ist ordentlicher gekleidet, Marc gibt keine Widerworte, Marc spielt mit den richtigen Kindern. Es ist ein Wunder, dass ich ihn nicht aus lauter Verzweiflung mit meinem Monchichi erschlagen habe.«

»Du hast das alles ganz falsch verstanden!«

Die nächste Riesenfuhre Futter pladderte auf die Tauben. Sie mussten sich vorkommen wie beim Rosenmontagszug. »Weißt du was, ich lege jetzt mal eine Marc-Pause ein! Er ist zurzeit sowieso in Chile, und danach werde ich auf Distanz gehen. Denn ich tanze nicht nach deiner Pfeife, das habe ich schon immer, immer, immer gehasst. Ich finde es unfassbar, dass du mir immer noch vorschreiben willst, wie ich mein Leben zu führen habe.«

»Ich mache mir Sorgen, da kommt man als Mutter nicht gegen an.«

»Es war ein Fehler, Marc zurück in mein Leben zu lassen. Überhaupt irgendeinen Mann. Die bedeuten für mich im Moment echt nur Ärger. Ob als Freund oder als, na ja, als normaler Freund eben.«

Ihre Mutter schwieg und packte die Tüte mit den unangetasteten Amerikanern wieder ein. Dann richtete sie die perfekt sitzenden Haare und zog den gestärkten Kragen ihrer weißen Bluse gerade. Als sie wieder sprach, blickte sie Anne nicht an.

»Weißt du, verlieben ist wie ...« Annes Mutter sah sich um. In der Nähe nieste ein kleiner Junge einen Foxterrier an – was nur einer der beiden extrem lustig fand. »Liebe ist wie Schnupfen bekommen. Zuerst einmal muss das Immunsystem geschwächt sein, sonst wehrt der Körper alles ab. Manchen Schnupfen bekommt man sofort, ein anderer baut sich über mehrere Tage auf. Aber beide Arten können gleich heftig sein. So ist es auch mit der Liebe.« Sie nickte, zufrieden über diese Analogie.

»Mama, hast du gerade Liebe mit einer viralen Erkrankung verglichen?«

»Liebe ist wie eine Krankheit, hört man ja immer wieder.«

»Ja, aber doch kein Schnupfen. Oder hast du bei Schnupfen Herzrasen und Schweißausbrüche?«

»Die habe ich auch bei der Liebe nicht, aber du kennst ja deinen Vater.«

»Mama!«

»Ich sag zu meinen Freundinnen immer: Ein lauwarmes Glas Milch ist wie ein Vulkan gegen ihn.«

Anne stand auf. »Die Tauben da hinten sehen verdammt

hungrig aus, ich muss dringend zu ihnen. Wir sehen uns am Montag, grüß die lauwar–, grüß Papa von mir.«

Auch ihre Mutter erhob sich und strich ihren Rock glatt. »Hol dir einen Schnupfen, Kind. Es wird dir guttun. Selbst wenn es nicht gleich der richtige Schnupfen ist. Einer, von dem man ganz lange was hat.«

Man konnte Vergleiche eigentlich nur bis zu einem gewissen Punkt ausreizen, aber ihre Mutter störte sich nicht an solchen Kleinigkeiten. Gleich würde sie wahrscheinlich sagen, am besten seien Schnupfen, mit denen man schön im Bett landete. Dann würde Anne schreien. Tauben hin oder her.

Ihre Mutter gab ihr einen sanften Kuss auf die Wange und strich ihr danach eine Strähne aus dem Gesicht. »Du weißt, wie ich es meine, ich will dich doch nur glücklich sehen.«

»Das weiß ich doch. Aber mit dem Glück ist es manchmal eben nicht so einfach. Oder mit einem Schnupfen.« Anne grinste. »Es gibt Dinge, die sind nicht planbar.«

Ihre Mutter lächelte auf eine ungewöhnliche Art. *Wie eine Sphinx,* dachte Anne. Doch ihr war nicht danach, dieses Lächeln zu ergründen. Sie umarmten sich zum Abschied, dann spazierte ihre Mutter davon, mit einer Noblesse, die selbst Queen Elizabeth nicht besser hinbekommen hätte.

Das Gespräch mit ihrer Mutter hatte sie geschafft, und sie war ausgesprochen froh, dass die Tauben sie in keines verwickeln würden.

Ursel trat an ihre Seite und zwinkerte ihr zu. »Reden ist Sport fürs Herz!«

»Du kennst meine Mutter nicht. Wenn sie irgendwas fürs Herz ist, dann eine Packung filterloser Zigaretten.«

Verdammt, dachte Anne. Das mit den schrägen Vergleichen hatte sich vererbt. Es wäre echt nur fair gewesen, wenn die Gene für Mamas schlanke Hüften mit im Paket gewesen wären.

Marcs Beine fühlten sich weich an, und er bekam kaum noch Luft. Sein Körper sollte nicht hier sein. Niemandes Körper sollte hier sein. Wenn es einen göttlichen Plan gab, so sah dieser in der Atacama-Wüste keine Menschen vor. Aber so etwas hatte Menschen noch nie davon abgehalten, bestimmte Orte aufzusuchen. Die Atmosphäre war extrem dünn auf fünftausend Metern über dem Meeresspiegel. Die Atacama schien nur aus Sonnenstrahlen und Staub zu bestehen. Sechsundsechzig flirrend weiße Teleskope richteten sich zeitgleich auf einen Millionen von Lichtjahren entfernten Punkt aus und bildeten das größte Radioteleskop der Erde.

Marcs Schuhspitze fuhr durch den Sand und schrieb einen Buchstaben.

Es war ein langer Flug gewesen, die Fahrt von Santiago hier hoch hatte Stunden gedauert, keine Minute Zeit, um den Jetlag zu verdauen, deshalb fühlte sich Marc gerade, als läge er in einem Bett. Die Senkrechte fühlte sich wie die Waagerechte an.

Er schrieb einen weiteren Buchstaben.

Die ultraviolette Strahlung merkte er nicht, aber sein Körper tat es.

»Und wie viel Kaffee hast du schon intus?«

Marc drehte sich zur großen, breitschultrigen Silhouette von Ingmar Steffensberg um, der aus der Operation Support Facility trat, in der sich das Kontrollzentrum befand. »Zu viele und trotzdem zu wenig.«

»Geht mir auch so. Das war übrigens eine sehr beeindruckende Rede eben.«

»Fandest du? Ich glaube, die Chilenen waren enorm überrascht. Und ein wenig beleidigt, dass ich ihr Festmahl nicht angerührt habe.«

Steffensberg imitierte Marcs Stimme. »Hummer sind fühlende Wesen! Sie haben eine Persönlichkeit und sind verspielt wie Kätzchen. Hört auf, Hummer zu essen, haltet sie euch lieber als Haustiere in der Badewanne. Das bereichert euer Leben enorm.«

»Jedes Wort davon ist wahr«, sagte Marc, der seine Haustiere vermisste. Die mit Pfoten genauso wie die mit Scheren.

»Du kannst nur hoffen, dass die Chilenen es auf den Jetlag schieben.«

Marc wollte nicht mehr darüber reden und blickte in den klaren Himmel. »Sie machen noch weitere Aufnahmen, oder?«

»Es ist ein echtes Schauspiel. Sieht man ja nicht so oft, dass zwei junge Protonensterne mit aller Wucht kollidieren und für ein Feuerwerk sorgen. So was wie ›Kölner Lichter‹ im galaktischen Maßstab.«

Marc bevorzugte es, nicht an die »Kölner Lichter« erinnert zu werden.

Steffensberg trat neben ihn und fingerte eine filterlose Zigarette aus der Packung. »Bei der Hitze der Sonnenstrahlen müsste die eigentlich von allein in Flammen aufgehen.« Er lachte trocken und zündete sie an. »Du auch eine? Auf deine zukünftige Position beim größten Radioteleskop der Welt, mit dem du in das entfernteste Ende des Universums blicken kannst?« Er hielt sie Marc hin, doch der schüttelte den Kopf. Steffensberg beugte sich vertraulich vor. »Weißt du, in der Eifel ist es trotzdem schöner.«

Der Rauch stieg Marc in die Nase, und er ging einige Schritte in Richtung der Operation Support Facility. »Nicht, wenn einen da der Neid auffrisst.«

Steffensberg zog lange an der Zigarette, die dabei leise knisterte. »Neid ist der zentrale Antrieb unserer Gesellschaft. Ohne Neid wäre die Menschheit nicht auf den Mond gelangt, und ohne Neid gäbe es das hier auch nicht. Neid ist essenziell und bringt uns weiter.«

»Und ich dachte immer, es sei Neugierde.«

Steffensberg stieß den Rauch in einem dünnen Strahl aus. »Du bist ein Romantiker.«

»Das höre ich zum ersten Mal.«

Marc richtete sich so aus, dass er in Richtung der beiden zusammenstoßenden Protonensterne blickte. Sterne waren wie Familie, sagte ein Sprichwort. Man musste sie nicht sehen, um zu wissen, dass sie da waren.

»Bist du noch da, oder reist du schon wieder im All?«, fragte Steffensberg mit verächtlichem Unterton.

»Ich wusste, dass ich nichts Wichtiges verpasse.«

»Warte, ich spule gerade zurück.« Steffensberg ging rückwärts und stieß dabei Geräusche aus wie ein zurücklaufendes Tonband. Dann sprach sein Stellvertreter wieder, und Marc fiel auf, dass er tatsächlich etwas verpasst hatte.

»Ich hab auch jeden Grund, neidisch zu sein. Zuerst schnappst du mir die Stelle in Effelsberg weg und jetzt die hier. Du stehst mir immer im Weg. Persönlich habe ich nichts gegen dich, wirklich.«

Marc hatte keine Lust, darauf einzugehen. Ein paar Schritte entfernt stand das Sirius-Schild als Teil des globalen Planetenwegs Effelsberg. Offizielle Aufnahmen gab es schon, aber er brauchte noch eine für die Homepage zu Hause. »Machst du ein Foto von mir davor?«

»Eine weitere Demütigung. Aber irgendwann, Marc, da bin ich da oben, und du kannst nur noch zu mir hochgucken. Meine Bewerbung für die Mars-Mission ist in der letzten Runde.«

»Und die Leitung von Effelsberg? Oder dem hier?« Er wies auf das ALMA-Gebäude.

»Plan A, B und C. Einer wird gelingen. Der Mars wäre der Hauptgewinn.«

»Die Reise ohne Wiederkehr ...«

»Eigentlich sind wir doch wie Mönche oder Nonnen. Die sind mit Jesus verheiratet, Bräute Christi. Wir sind mit den Sternen verheiratet, klingt poetisch, oder? Welch größeres Glück kann es für einen Bräutigam der Sterne geben, als sich mit diesen zu vereinen?« Er lachte. »Ich glaube, die dünne Luft stellt irgendwas mit mir an. Stell dich ein bisschen mehr nach links.«

Marc musste lächeln. »Wenn der Himmel unsere Braut ist, dann könnte sie kein schöneres Kleid tragen.«

»Jetzt ist mir klar, warum du Effelsberg leitest und ich nur dein Stellvertreter bin …«

Durch seine Buddy-Holly-Brille sah Marc den Mann an, mit dem er mehr gemein hatte als mit 99,99 Prozent der Bevölkerung in Deutschland. Trotzdem stand so viel dunkle Materie zwischen ihnen, nicht mit dem bloßen Auge zu sehen, nicht einmal wissenschaftlich beweisbar, und doch undurchdringlich. Er sah Steffensberg in die Augen, was er sehr selten tat. Der Blick des anderen wirkte präzise und hart. Vielleicht musste er erst ans andere Ende der Welt reisen, um Antworten auf Fragen zu finden, die ihn in der Eifel beschäftigten. »Willst du meinen Job um jeden Preis? Mit allen Mitteln?«

Steffensberg hob die Hände, als bedrohte Marc ihn mit einer Waffe. »Ich will nichts geschenkt! Es muss fair zugehen. Aber im Rahmen der Fairness mit allen erlaubten Mitteln.«

»Als die Polizei dich beschuldigte, für den Stromausfall gesorgt zu haben, stand ich an deiner Seite.«

»Weil es dein Job war, als mein Vorgesetzter. Du hingst doch mit drin, da die Sache von einem PC deines Observatoriums aus durchgeführt wurde. Erzähl mir jetzt nicht, dass dein Beistand etwas mit Nettigkeit zu tun hatte. Du hast bloß versucht, deinen eigenen Arsch zu retten.«

»Und als du mich angeschwärzt hast wegen meines Spaziergangs auf dem Teleskop?«

»Gleiche Regeln für alle! Keiner darf da rauf, auch du nicht. Oder bist du besser als wir?«

Die sechsundsechzig Teleskope surrten und bewegten sich wie ein Ballett alter Damen in eine neue Position, von der sie andächtig in den Himmel blickten.

Marc überlegte, ob dies der richtige Moment war, Steffensberg zu fragen, ob er ihn und Anne auf dem Radioteleskop gesehen hatte. Er musste die Frage wie beim Billard über Bande spielen.

»Wenn ich auf dem Boden liege, trittst du dann sofort zu?«, fragte Marc.

»Dann helfe ich dir nicht auf. Sondern mache Fotos und schicke sie umgehend an alle wichtigen Leute. Aber ich werde nicht derjenige gewesen sein, der dich geschubst hat.«

»Also moralisch alles okay auf der U.S.S. Steffensberg?«

»Wenn du einen Moment der Schwäche zeigst, bin ich da. Das bin ich mir schuldig. Einer meiner Pläne wird wahr werden, und dafür tu ich alles. Mein Lebensziel bestand nämlich nicht darin, Stellvertreter eines minderbegabten Astronomen zu werden.«

Marc wollte Steffensberg nicht die Genugtuung gönnen, sich von ihm provozieren zu lassen. Vulkanische Selbstkontrolle galt ihm als hohes Gut. Doch einen kleinen Fakt konnte er durchaus erwähnen, oder?

»Ein Astronom, der im Gegensatz zu dir die Karl-Schwarzschild-Medaille erhalten hat. Erstaunlich, wie sehr sich die Jury der wichtigsten astronomischen Auszeichnung Deutschlands täuschen kann.«

Steffensberg schmiss die Zigarette fort und blickte auf seine digitale Armbanduhr. »Wir müssen langsam wieder rein, deine große Rede zum Sirius. Ich freu mich schon wie Bolle.« Ohne ein weiteres Wort ging er hinein, der Sand hinter ihm trieb in Wolken über den Weg.

Die Rede würde der mit Abstand unangenehmste Teil des Besuchs hier sein. Marc fielen die Augenlider wieder bleischwer nach unten, deshalb holte er tief Luft, bevor er seinem Stellvertreter folgte. Dabei kam er an den Buchstaben vorbei, die er eben mit der Schuhspitze in den Sand gezeichnet hatte. Drei waren es geworden.

A N N

Statt ein E folgen zu lassen, wischte er alle Lettern mit der Sohle fort.

Denn Marcs Gedanken waren mit einem Lidschlag nach Köln gereist. Er wusste, ohne auf seine Uhr blicken zu müssen, dass es gleich so weit wäre. Annes nächstes Zufallsdate. Ein Volltreffer. Er hatte ihn auf einer elitären Partnersuchseite gefunden. Der Mann war die perfekte Reaktion auf ihren Ex. Und diesmal war auch für alles andere gesorgt. Anne würde bester Laune sein, selbst das Wetter wäre perfekt. Marc hatte extra einen Abend mit null Prozent Regenwahrscheinlichkeit gewählt. Alle Fehler des Algorithmus waren ausgemerzt.

Anne würde sich in wenigen Stunden neu verlieben.

Die Tür des Champagne Supernova schloss sich hinter Anne, und sie stand auf der Kyffhäuserstraße, die ihr immer vorkam wie ein kleiner, bunter Fluss, der mit hoher Geschwindigkeit durch Köln rauschte.

Was war gerade passiert?

Hatte Schönberner ihr tatsächlich freigegeben, als Dankeschön für die guten Leistungen in der letzten Zeit? Von so einem Bonus hatte sie noch nie gehört. Außerdem hatte er dabei verschmitzt gelächelt. Wie ein Showmaster der alten Schule – gewissermaßen der Kulenkampff von Köln. Schönberner hatte ihr geraten, den freien Abend für einen Spaziergang am Rhein zu nutzen, der würde ihr guttun. Ja, er hatte ihr sogar das Versprechen abgenommen, auf dem Rheinboulevard zu flanieren, mit Blick auf Groß St. Martin und den Dom. Das hätte er selbst am Vorabend gemacht, und es sei ein kleines bisschen magisch gewesen.

Deshalb schlenderte sie nun auf der falschen Rheinseite, zwischen Deutzer und Hohenzollernbrücke entlang der Stufen der riesigen, lang gezogenen Freilufttreppe, deren Steine hell und warm im späten Licht der Sonne strahlten. Anne genoss den kühlen Wind der vom tief liegenden Rhein herkam, genoss die Rufe der Möwen, die sich nach dem Meer sehnten, und genoss auch die vereinzelt ertönenden Hörner der Transportschiffe.

Schönberner hatte recht, es war ein Kurzurlaub mitten in einer Metropole.

Selektive Wahrnehmung war ein interessantes Phänomen. Wenn Anne dachte, sie habe eine seltene Krankheit, zum Beispiel Tuberkulose, dann entdeckte sie plötzlich überall Artikel darüber. Als würde das Leben ihr mitteilen wollen, dass die Diagnose feststand. Als sie darüber nachgedacht hatte, Kinder zu bekommen, war Köln plötzlich voll gewesen mit Schwangeren, jungen Müttern und Geschäften für Babykleidung. Es gab eine Sache, die Anne immer wahrnahm, egal, ob sie sich krank fühlte oder schwanger: Champagnerflaschen. Selbst wenn sie nur am äußersten Rande ihres Blickwinkels existierten, blickte sie sofort dorthin. Auf dem Rheinboulevard existierten viele Bierflaschen und -dosen, vereinzelt Wein, auch härterer Stoff.

Doch nur eine Champagnerflasche.

Sie war verschlossen.

Das Etikett verriet ihr schon aus der Ferne, dass es eine Flasche des von ihr hochgeschätzten Hauses Jacquesson war, ein Cuveé 736 Degorgement Tardif. Sehr gute Wahl. Respekt! Daneben saß ein blonder Mann, der Richtung Hohenzollernbrücke blickte, weswegen sie sein Gesicht nicht erkennen konnte. Er saß zurückgelehnt, stützte sich auf seine gebräunten Arme und genoss die letzten Sonnenstrahlen.

Anne zögerte.

Ein Mann mit Champagnerflasche wartete sicher auf eine Frau ohne Champagnerflasche, mit der er gemeinsam etwas trinken wollte. Jeden Moment könnte diese Frau eintreffen, dann würde sie stören. Anne blickte sich um.

Keine Frau steuerte den Blonden an.

Einen Mann, der einen so guten Geschmack hatte, musste sie einfach ansprechen. Noch dazu einen, der die Ruhe hatte, Sonnenstrahlen im Trubel des Rheinboulevards zu genießen. Vielleicht war die Flasche Champagner ja ein Zeichen des Schicksals. Wenn es mit ihr sprach, dann sicher mittels Champagner!

Wenn er ein Schütze wäre, würden die Funken fliegen, pure Leidenschaft, die Beziehung nie langweilig werden. Ein Waage-Mann würde sie umgarnen, und wenn sie genug Geld hätten, würden sie auch nicht streiten. Am besten wäre er Löwe, denn Löwen waren Herdentiere und jagten zusammen. Anne setzte sich neben den Mann. Sammelte ihren Mut. Holte tief Luft für den ersten Satz. Der erste Satz war immer der zerbrechlichste jedes Gesprächs.

»Das ist wirklich ein großartiger Champagner.«

Der Mann drehte sich um. Und Anne hätte vor Schreck fast geschrien.

»Dirk?« Sie stand wieder auf.

»Du?« Er lachte. »Das gibt es doch nicht! Du bist...« Er presste die Lippen aufeinander. »Ich hab nichts gesagt.«

Anne schüttelte irritiert den Kopf. »Was machst du denn hier?«

»Ich sitze.«

»Mit einer Flasche Jacquesson? So stilvoll? Was ist mit Whisky-Cola?«

»Setzt du dich zu mir?«

»Wartest du auf deine Freundin?«

»Sie ist nicht meine Freundin. War sie auch nie. Es war nur dieses eine Mal. Und das war schon zu viel.«

»Klang nicht so, als hättest du dich dabei quälen müssen.«

Dirk senkte den Kopf. »Nein, habe ich nicht. Ich wollte es. Unbedingt.«

Anne wollte diese Frage nicht stellen. Sie wollte die Antwort nicht hören. Aber sie hatte das Gefühl, sie müsste es. Eisen wurde nur wirklich hart durch das kalte Wasserbad. Und sie wollte hart werden. »War es geil? Ein geiler Fick?«

Dirk blickte zum Rhein. »Ja, das war es. Ich habe mich wie ein Zuchtbulle gefühlt. So lebendig wie seit Ewigkeiten nicht mehr.«

Anne nickte. Dann setzte sie sich neben ihn. »Bekomme ich einen Schluck?«

»Es tut mir leid. Ich hab mich gehen lassen, meinen Kopf ausgeschaltet. Und mein Herz.«

Anne löste die Staniolfolie vom Flaschenhals. »Man kann ein Herz nicht mal eben aus- und später wieder einschalten wie eine Heizung. Dein Herz war zu dem Zeitpunkt schon nicht mehr mit meinem verbunden.« Sie öffnete das Drahtgeflecht. Anne war dankbar, sich darauf konzentrieren zu können und Dirk nicht anschauen zu müssen.

»Nein! Das ist es immer noch. Aber ich dachte, ich komme mit der Nummer durch. Ich wollte diesen Moment mit Petra, und ich wollte dich nicht verlieren. Ich wollte alles, weißt du?«

Langsam löste Anne den Korken aus dem Hals der Flasche, indem sie diese sachte drehte. »Das kenne ich gar nicht von dir, dass du dich selbst so reflektierst.«

»Ich auch nicht.« Dirk sah sie an und lächelte. »Weißt du, es ist verführerisch bei einer NGO zu arbeiten. Du hältst dich für einen guten Menschen. Ich esse auch kein Fleisch, kaufe immer Bioprodukte, meine Klamotten sind fair produziert. Ich bin moralisch im Plus. Weit im Plus. So fühlte sich das an. Und dann macht man sich was vor.« Er stockte. »Also ich hab mir was vorgemacht. In der Art von ›Ein Seitensprung ist drin, danach bin ich immer noch im Plus‹. Nicht, dass ich das bewusst gedacht hätte, mehr so gefühlt. Ich dachte, ich kann mir das erlauben mit meinem Job bei Amnesty International.«

Anne sah sich um. »Hast du auch Gläser?«

»Nee, vergessen.«

»Aus High Heels kann man ihn wohl trinken, aber ich hab heute nur meine bequemen Sneakers an. Die könnten zu geschmacklichen Beeinträchtigungen führen.« Sie reichte Dirk die Flasche. »Ist deine, dir gebührt der erste Schluck.« Sie presste die Lippen aufeinander. Hoffentlich sah Dirk es nicht.

Er setzte die Flasche an – und der Champagner spritzte ihm ins Gesicht, bis hoch zum Haaransatz. Die Fontäne schoss über sein ganzes Hemd.

Anne lachte, es tat so gut. »Gib her!« Sie zeigte ihm, wie es richtig ging. Immer ein Luftloch lassen, genau wie beim Bier.

Der Champagner schmeckte grandios, mit feinen Aromen von Kirsche, Preiselbeeren und Kirschkernen. Darunter Vanille, die sich nur kurz andeutete und dann in einem herrlich prononcierten Säurespiel dahinschmolz.

Anne blickte ihren pudelnassen Ex an. »Ist noch so warm, dass du fix trocknen wirst.« Sie strich ihm durch die Haare. »Du weißt schon, dass sich eigentlich nur Frauen eine neue Frisur zulegen, wenn eine Beziehung endet?«

»Das ist sehr männerfeindlich, was du da sagst.«

»Muss auch mal sein.«

Dirk trank, diesmal richtig. »Der Champagner ist echt gut.«

»Und teuer. Wieso hast du die Flasche? Und warum hast du sie hierhin mitgenommen?«

»Wollte auf eine Party, jeder sollte eine Flasche teuren Wein mitbringen. Ich hatte die Flasche noch, hab ich mal gekauft, um sie mit dir zu trinken, für einen besonderen Moment.«

Anne blickte auf die im Inneren der Flasche langsam aufsteigenden Perlen. »Dass mit dem gemeinsam Trinken hat zumindest geklappt.« Zu dem besonderen Moment sagte Anne nichts, dabei war es einer. So mit ihm reden zu können, zu lachen, das schloss Wunden. Zumindest einige kleine.

»Hab gelesen, dass du beim Finale der Deutschen Sommeliermeisterschaft dabei bist. Findet demnächst in Köln statt, oder?«

»Ja, im Excelsior Hotel Ernst. Die Konkurrenz wird verdammt hart sein. Obwohl es ein Heimspiel ist, bin ich nur Außenseiterin.«

»Hast du Angst?« Er reichte ihr die Champagnerflasche.

Anne zog einen E-Book-Reader aus der Handtasche und wedelte damit. »Übe in jeder freien Sekunde. Verdammt ja, ich hab Angst.«

Dirk nahm den E-Book-Reader in die Hand und besah ihn sich fasziniert. »Hätte nie gedacht, dass du mal so ein Ding hast, bist ja sonst so traditionell.«

Er kannte sie gut. »Hätte ich auch nicht gedacht. Ist aber praktischer, als wenn du dicke Fachbücher mit dir rumtragen musst. Aber ansonsten gibt es weiter gebundene Bücher. Auch weil ich die gerne um mich habe. Ein Beispiel für den Vorteil des gebundenen Buchs: Niemals käme ich auf die Idee, die Shoppinghistorie meines E-Readers durchzugehen, um mich noch einmal an Bücher zu erinnern, die ich im vergangenen Sommerurlaub gelesen habe. Das Bücherregal mit meinen zerschlissenen Paperbacks, die immer noch ein wenig nach Urlaub und Sonnenmilch riechen, bieten da ganz andere Potenziale.«

Dirk zog sein Handy aus der immer noch leicht nassen Sakkotasche. Nach einigen Tippern auf dessen Oberfläche zeigte er ihr den Bildschirm. »Da liest du dieses eine Buch am Strand.« Er zoomte heran. »*Der Duft deiner Küsse* hieß es, das hast du sehr geliebt.« Er strich einige Fotos weiter. »Und hier beim Frühstück dieses dröge Buch von dem Kulinaristik-Professor aus Hamburg über die Historie der Champagne. Als ich mal aus Versehen reingelesen hab, setzte sofort die Tiefschlafphase ein.«

»Ist gar nicht dröge, ist total spannend.« Sie knuffte ihn. Wie früher. War es Schicksal, ihn hier zu treffen? Köln behauptete zwar gerne, es sei ein Dorf, aber eben ein Millionendorf. Ihn hier und jetzt zu treffen, mit einem ihrer Lieblingschampagner, das war mehr als Zufall. Das war, als hätte ein höheres Wesen all das arrangiert.

»Und die duften ernsthaft noch?«

»In einigen ist sogar Sand drin.« Anne strich weiter über das Display, um zu sehen, welche Fotos von dem Urlaub im belgischen Küstenort De Haan noch darauf zu finden waren. Doch stattdessen erschienen Aufnahmen der Hohenzollernbrücke: Dirk und sie befestigten das Liebesschloss, auf dem ihre Namen eingeritzt waren, und warfen den Schlüssel über die Schulter in den Rhein. Dabei küssten sie sich.

Er war ein guter Küsser.

Das nächste war nur wenige Sekunden später aufgenommen worden. Alles an ihr lächelte, nicht nur ihr Mund, sondern auch ihre Augen, ihre Wangen. Es war eines der wenigen Fotos, auf denen sie sich gefiel. Denn auf diesem war sie glücklich gewesen, und das sah man sofort.

Sie gab ihm das Handy. »Muss zurück. Üben. Mach's gut.«

»Aber die Flasche ist noch halb voll…«

Anne ging davon, dann rannte sie, rannte, bis ihre Lungen leer waren.

Sie stand auf der Deutzer Brücke und blickte hoch zum Himmel. Irgendein Zeichen von den Sternen? Ein kleiner Hinweis? Doch da waren nur Wolken. Allein der perlmuttfarbene Mond schien hindurch und bildete einen großen, warmen Hof. Es würde etwas Zeit brauchen, aber dann wäre er wieder in aller Pracht da.

Sie musste nur die dunklen Wolken vorbeiziehen lassen.

Wie zum Gebet faltete Anne die Hände vor dem Gesicht. »Bitte, ich will heute arbeiten!«

»Aber du hast frei, genieß den Abend.« Herbert Schönberner mixte gerade einen Cocktail hinter der Theke des voll besetzten Champagne Supernova.

»Ich brauche das.«

Schönberner sah sie an, jetzt voll im Guido-Maria-Kretschmer-Modus, wenn dem ein Outfit nicht gefiel. »Wir haben genug Personal, schau dich doch um. Sie stehen sich schon auf den Füßen. Vor allem Olaf allen anderen. Kein Wunder bei Schuhgröße achtundvierzig.«

»Du musst mir auch keinen Lohn zahlen.«

»War es am Rhein denn nicht schön?«

Annes Augen wurden glasig. Schönberner wusste, dass dies nur bei Zwiebeln eine gute Sache war. »Na schön, dann unterstütz die anderen. Aber pass auf, dass Olaf dich nicht mit seinen Schuhen platt tritt. Kannst dir die Stunden auch aufschreiben.«

Ein Teil von Anne wollte ihm um den Hals fallen, aber ein größerer wollte ganz schnell so viel Arbeit, dass das Denken aufhörte, und in der Folge auch das Fühlen. So als wären ihre Gefühle Schmutz und die Arbeit ein dicker Teppich, den sie darüberlegen konnte.

Doch Anne ahnte, dass sie stolpern würde.

Sie legte sich trotzdem ins Zeug, bot jedem Tisch Kostproben spannender Champagner an, erzählte viel, manchmal zu viel, über die ausgeschenkten Weine, half beim Servieren und Abräumen, selbst wenn dafür andere verantwortlich gewesen wären. Mit anderen Worten: Sie ging allen ziemlich auf die Nerven.

Irgendwann stand sie im Personalbereich am Weinkühlschrank und holte eine Flasche heraus. Nina erschien neben ihr und drückte Anne eine prickelnd gefüllte Champagnerflöte in die Hand.

»Trink.«

»Aber …«

»Keine Widerworte. Trink.«

»Ich will aber gerade …«

»Sonst erschlage ich dich. Und ich werde nicht die Einzige sein.«

Anne trank.

»Gut«, sagte Nina. »Jetzt noch ein paarmal durchatmen. Dann darfst du wieder arbeiten.« Sie hob den Zeigefinger. »Aber nur deinen eigenen Job, Liebelein!« Sie zeigte auf Annes Handy, das auf dem kleinen Schreibtisch lag. »Du hast eine Nachricht erhalten. Zumindest blinkt es rot. Oder es ist die Selbstzerstörung. Aktuell wäre das für mich auch okay.«

»Du bist so fies.«

»Notwehr.«

Anne sah aufs Display. Es war nicht bloß eine SMS eingetroffen, seit sie im Champagne Supernova Dienst schob, sondern drei. Alle von ihrer Mutter. Die erste war noch sehr freundlich:

Geht es dir gut, mein Schatz?

Die zweite traf zwölf Minuten später ein. Ihre Mutter klang schon besorgt, da Anne nicht direkt geantwortet hatte:

Du kannst mir sagen, wenn was ist…

Bei der dritten hatte ihre Mutter dann in den Befehlston gewechselt:

Ruf mich doch bitte mal an, deine Mama!

Anne trank die Champagnerflöte in einem Schluck leer und schaltete das Handy aus. Hinter ihr richtete Wahabi Nouri am Küchenpass gerade das Dessert »Heaven on earth« an, das den rheinischen Klassiker mit Blutwurst, Süßkartoffel und Apfelmus als süße Variation nachstellte.

»Wahabi, wo ich dich zufällig sehe…«

Er arbeitete konzentriert weiter und blickte erst auf, als alles perfekt war und zum Gast gebracht werden konnte. »Ein erfreulicher Zufall!« Er wischte sich die Hände an seinem Touchon ab.

»Hättest du heute ein paar Muschelreste für mich? Ich babysitte ja momentan einen hungrigen Hummer.«

Wahabi deutete mit dem Kinn auf die Ablagefläche hinter sich. Dort stand eine kleine, verschlossene Plastikdose. Sie war mit »Annes Seeungeheuer« beschriftet.

»Danke, du bist ein Schatz.« Sie lächelte. Es gelang ihr nicht gut.

Wahabi sah sie an und lächelte auch. Ihm gelang es besser.

Dann stellte er einen leeren Teller vor sich und legte ein paar Tomatenscheiben darauf sowie einige geröstete Pinienkerne und frisch gehacktes Basilikum. »Das wird nicht besonders schmecken, oder?«

»Ich bin ja keine Köchin, aber ich glaube nicht.«

»Es fehlt etwas. Weißt du was?«

»Nein. Soße?«

»Dasselbe, was wir auch in unserem Leben brauchen, damit wir es genießen können. Und Soße ist es nicht.« Er lachte. »Es ist das hier.« Wahabi wandte sich zum Gewürzregal und griff eine kleine Dose, die schwarz lackiert glänzte. Er reichte sie Anne. Sie musste sie ein wenig drehen, bis sie die Aufschrift lesen konnte. Verwirrt blickte sie Wahabi an. »Sterne?«

»Ja, Sterne.«

Als Anne versuchte, den Deckel zu öffnen, nahm er ihr das Döschen sanft wieder ab. »Ein Gericht wird erst groß durch eine Prise Sterne.«

»Was ist da denn drin?«

»Das, was draufsteht.«

Sie ging mit dem Gesicht näher an die Dose in Wahabis Hand. Stand da vielleicht noch etwas anderes drauf? Nein. »Du meinst Sterne?«

»Ja.«

»Meteoritenstaub oder so was?«

Er nahm den Teller in die Hand und drehte ihr den Rücken zu. Anne hörte das leise Geräusch der sich öffnenden Dose. Dann, wie sie wieder geschlossen wurde. Wahabi drehte sich zurück und reichte ihr den Teller.

»Jedes Gericht braucht eine Prise Sterne, um zu leuchten. Es ist der Zauber! Es ist das Geheimnis! Es ist das Unerklärbare! Manchmal ist die Prise kaum zu spüren, aber sie wirkt.«

Anne aß das schlichte Gericht.

Es ließ ein Lächeln auf ihrem Gesicht erscheinen. Ein echtes.

»Ich finde, es ist beim Essen wie im Leben«, sagte Wahabi. »Beides kann unmöglich gelingen ohne eine Prise Sterne.« Er berührte Annes Hand, die den Teller hielt. »Sag, Anne, hast du eine Prise Sterne in deinem Leben?«

Anne hätte den Teller fast fallen lassen.

♌

Löwe (24. Juli – 23. August) Sie sollten zu Hause bleiben und über sich und die Welt nachsinnen, denn heute denken Sie außergewöhnlich bodenständig und vernünftig. Sie wägen sowohl Ihre als auch die Aussagen anderer ab und beurteilen sie. Für Denkarbeit, die einen klaren Kopf, verlangt, eignet sich dieser Tag ausgezeichnet. Blicken Sie in Ihrem Leben zurück! Was sehen Sie?

Kapitel 7

Anne sah hinauf zu den beiden wohlgeformten weißen Pferdeköpfen, die weit über ihr aus dem Fenster lugten. Sie kam sich vor, als sei sie Teil eines Märchens.

Neben ihr auf dem Neumarkt, dem größten der Kölner Plätze, stand Dirk.

Die Begegnung mit ihm am Rheinboulevard lag schon einige Tage zurück. Anne hatte sich zu einem erneuten Treffen mit ihm durchgerungen. Sie redete sich ein, dass es nicht bedeutete, ihm eine Chance zu geben. Einfach nur reden, sagte sie sich, Missverständnisse ausräumen, das Leben wieder ordnen.

Dirk räusperte sich und bezog Position vor dem Richmodis-Turm.

»Liebe Stadtführungsgruppe, machen Sie jetzt mit mir eine Zeitreise zurück ins Jahr 1357. Damals wütete die Pest in Köln. Auch die Frau des reichen Patrizier Mengis von Aducht fiel ihr zum Opfer. Ihr Name: Richmodis von Lyskirchen. Man beerdigte sie mit ihrem kostbaren Schmuck. Als der Totengräber diesen Nachts stehlen wollte, erwachte Richmodis, richtete sich auf und ging zurück nach Hause. Aber als sie im Totenhemd an die Tür klopfte, wollte niemand sie einlassen.« Er klopfte gegen den Stein des Turmes. Dirk war bemerkenswert locker, oder zumindest gab er alles, um so zu erscheinen. »Jeder dachte, sie wäre ein Geist. Nach längerem Klopfen öffnete schließlich das Gesinde – ließ sie aber nicht herein. Stattdessen wurde Mengis berichtet, seine Frau stünde vor der Tür. Er antwortete: ›Das ist unmöglich. Eher würden meine Schimmel oben auf dem Heuboden stehen.‹ Schon trampelten sechs Schimmel die Treppe hinauf und schauten hinaus aus dem Dach. Richmodis wurde eingelassen, gesundete und brachte noch drei Kinder zur Welt. Zur Erinnerung an dieses Wunder schauen noch heute zwei Pferdeköpfe aus dem Richmodis-Turm in Köln. Danke für Ihre geschätzte Aufmerksamkeit!«

Bei ihrem ersten Date hatte er genau dasselbe erzählt, an genau derselben Stelle.

»Du Spinner.«

Dirk breitete die Arme aus. »Hier hat alles mit uns angefangen, und Abends haben wir uns dann das erste Mal geküsst.«

Sie wich seinem Blick aus. »Das weiß ich noch. Nach dem Essen war das, du hast mich zur Bahn gebracht. Mitten auf dem Neumarkt bist du stehen geblieben, hast deine Hand an meine Wange gelegt und mich geküsst.«

»Du hast mitgeküsst«, sagte Dirk, und die Erinnerung ließ seine Augen glänzen.

»Ein wenig«, erwiderte Anne. »Aber du hast beim ersten Kuss das meiste gemacht. Ich dafür beim zweiten. Und danach abwechselnd. Irgendwann war dann meine Bahn weg.«

»Das war es wert. Aber so was von.«

Anne sagte nichts, denn das ging ihr jetzt zu schnell. Sie benahmen sich, als wären sie weiterhin ein Paar. Dabei war etwas Entscheidendes zwischen ihnen passiert.

»Danke, dass du mir den Abend schenkst«, sagte Dirk.

»Ich dir? Ich dachte, du schenkst mir einen Abend. Aber wenn das nicht so ist, dann gehe ich lieber gleich wieder …«

Warum spiele ich jetzt mit, fragte sich Anne. *Reagiere ich automatisch, weil das die Art ist, wie wir jahrelang mit-*

einander umgegangen sind? Uns necken und durch das gemeinsame Lachen das Band zwischen uns ganz spielerisch immer enger flechtend? Oder hatte sie Restgefühle für ihn, so wie sich Kaffeesatz am Boden einer Tasse fand, die längst leer getrunken war.

»Du hast natürlich richtig gedacht«, sagte Dirk. »Wie immer! Ich schenke dir einen Abend. Aber du mir auch. Wir schenken *uns* einen Abend. Darf ich bitten?« Er bot ihr den Arm an.

Anne lehnte ab und steckte ihre Hände in die Jackentaschen. »Das war eine lustige Idee mit dem Richmodis-Turm. Ist ja schon was her, dass wir hier waren.«

»Das war ein schöner Abend, oder?« Dirk ging los, Richtung St. Aposteln.

»Wo wollen wir jetzt hin? Du hast am Telefon so geheimnisvoll getan.«

Es war kaum möglich, auf dem schmalen Bürgersteig nebeneinander zu gehen, da ihnen ständig jemand entgegenkam. Dirk antwortete erst, als er wieder in Sprechweite war. »Sind gleich da!«

Als sie in die Wolfsstraße einbogen, wusste Anne, wohin es ging. Nach wenigen Metern standen sie vor dem Poisson, das für seine Fischküche bekannt war.

Genau wie bei ihrem ersten Date.

Dirk hielt ihr die Tür auf und verbeugte sich leicht. »Darf ich bitten, verehrte Dame?«

Sogar der Witz war derselbe wie damals. Als habe er eine VHS-Kassette zurückgespult. Nur wusste Anne diesmal genau, was passieren würde – bis zu dem Moment, an dem sich ihre Lippen das erste Mal berührten.

Auch der Tisch am Fenster war derselbe, genau wie die flackernde Kerze, nur die Bedienung war eine andere. Ihr verschmitztes Lächeln verriet, dass sie eingeweiht war. Sie sah

Anne an, als habe diese den Hauptgewinn gezogen. In Form des romantischen Dirk.

»Wieder Austern?«, fragte Anne.

»Die No.2's Perle Blanche.« Dirk hielt den noch leeren Teller empor, als wolle er ihn anpreisen.

»Alles genau wie beim ersten Mal…« Sie atmete durch.

»Damals haben die Aphrodisiaka schon mal super funktioniert.«

»Männer, denken immer nur an das –« Anne stoppte. Und sah in Zeitlupe den Moment vor sich, als sie die Klotür öffnete und Dirk beim Vögeln mit einer ekstatischen Petra Uschgarten erblickte.

Dirk selbst schien das Fettnäpfchen nicht zu bemerken, er redete munter weiter. »Ich habe sogar dafür gesorgt, dass es wieder Steinbutt mit Champagnersauce gibt. Hab nichts dem Zufall überlassen!«

Warum einen Abend wiederholen, fragte sich Anne, *der zu einem Beziehungsende auf einer Bürotoilette geführt hatte?* Wenn man wieder genau so begann, würden dann nicht dieselben Fehler folgen? Das Horoskop hatte ihr gesagt, heute wäre ein ausgezeichneter Tag, um zurückzublicken und über vergangene Zeiten nachzudenken. Was sah sie?

Dass die Vergangenheit ein fernes Land war.

»Man kann die Zeit nicht zurückdrehen.«

»Das versuche ich doch auch gar nicht. Es ist eine… Reminiszenz.«

Anne stellte die flackernde Kerze auf den Nachbartisch. »Es fühlt sich an, als würdest du sagen, lass uns alles vergessen, wir fangen noch einmal von vorne an.«

»So ist das nicht gemeint!«

»Aber genau so fühlt es sich an.«

Eine junge Kellnerin brachte die Austern, drei für jeden, dazu eine halbe Zitrone im Netz, Mignonette Sauce und

Chesterbrot. Genau wie damals. Und dazu Prosecco, da Dirk an irgendeiner Stelle vor Jahren hatte sparen müssen. Anne nahm schnell einen Schluck.

»Der schmeckt mir nicht.«

»Damals mochtest du ihn.«

»Ja, damals«, sagte sie, schärfer im Ton als geplant. »Aber ich bin nicht mehr die Frau von damals. Und du nicht der Mann. Wir haben uns verändert, zwischen uns hat sich was verändert.«

»Können wir nicht für dieses Essen so tun, als wären wir in der Zeit zurückgereist?«

»Nein.«

»Doch, guck, wie es geht.« Er schlürfte die erste Auster leer. »Die ist immer noch köstlich.«

Anne schob die Austern wütend von sich, eine fiel dabei herunter und ergoss ihr Wasser auf der weißen Leinentischdecke. »Das hier ist doch kein Spiel! Eine Beziehung ist kein Spiel, bei dem man sich die Augen verbindet.«

»Blinde Kuh.«

»Genau, blinde Kuh. Ich will keine Kuh sein, und ich will nicht blind sein, und erst recht keine blinde Kuh.«

Dirk grinste. »Du bist echt lustig.«

Anne schlug mit den Fäusten auf den Tisch. »Das war aber verdammt noch mal nicht lustig gemeint!«

Er aß die nächste Auster mit sichtlichem Vergnügen.

»Wie kannst du so seelenruhig Austern schlürfen?«, fragte Anne.

»Weil es jetzt nichts bringt zu diskutieren. Erst recht nicht hier im Restaurant vor den anderen Gästen. Selbst wenn das Essen hier eine schlechte Idee von mir war, dann lass uns das Beste draus machen. Die Austern sollen nicht umsonst gestorben sein, oder?«

»Aber unsere Liebe, die soll umsonst gestorben sein?«

»Nun benimm dich doch nicht so melodramatisch.« Er versuchte, seine Hand auf ihre zu legen, doch als er es tat, hatte Anne ihre bereits fortgezogen.

»Sag mir nicht, wie ich mich benehmen soll!«

Dirk legte die Auster ganz langsam hin, als wäre sie eine geladene Waffe, und hob die Hände. »Okay, ich habe die Auster hingelegt. Vergessen wir die Austern. Lass uns reden. Wir müssen hier gar nichts essen. Das Essen ist überhaupt nicht wichtig.«

»Dir anscheinend schon.«

»Nein, nur du bist mir wichtig. Das alles hier habe ich nur für dich arrangiert. Dreh mir bitte nicht das Wort im Mund herum, das ist unfair.«

»Sag mir nicht, ich würde ... ach, vergiss es.«

»Was soll ich vergessen?«

Diese Frage hätte Dirk besser nicht gestellt.

»Alles! Vergiss alles. Es war eine dumme Idee von mir herzukommen. Vergangenheit ist Vergangenheit. Die kann man ebenso wenig aufwärmen wie Pilzgerichte.«

»Anne, bitte! Gib mir noch eine Chance.«

»Das hab ich schon, obwohl alle mir abgeraten haben. Aber ich wollte ja nicht hören. Ich dachte, das Schicksal hätte mir ein Zeichen gegeben und du seist meine Prise Sterne.«

»Wieso Prise Sterne?«

»Du bist sie auf jeden Fall nicht.« Sie holte ihr Portemonnaie aus der Handtasche und friemelte einen Hundert-Euro-Schein hervor, den sie auf den Tisch warf. »Das müsste deine Kosten decken.« Dann stand sie auf.

»Ich will dein Geld nicht. Anne. Bitte, bleib hier. Du reagierst gerade völlig über.« Dirk erhob sich ebenfalls, wobei ihm die Serviette auf den Boden fiel. Er wirkte wie ein Kind, das seinen Schlabberlatz verloren hat.

»Bitte *was*? Ich reagiere gerade über?«

»Wenn du etwas isst und trinkst, kommst du sicher wieder runter.«

Anne spürte, dass sie ihm am liebsten den Teller mit Austern über den Kopf geschüttet hätte – in der Hoffnung, dass die Austern noch lebendig und hungrig wären. »Hör besser auf zu reden, du machst es nur schlimmer.«

»Ich versteh das gerade alles nicht.«

»Genau das ist das Problem. Das ist das grundlegende Problem der ganzen Sache. Die zeigt nämlich, dass du nichts verstanden hast.«

Sie ging schnellen Schrittes zur Tür. Dann fiel ihr noch ein Satz ein, und der machte sie trotz all ihrer Wut ein wenig glücklich. Denn wenigstens einmal im Leben fiel ihr der richtige Abschiedssatz für eine große Szene ein.

»Schaff dir für deine nächste Zeitreise einen DeLorean an.« Sie riss die Tür weit auf. »Denn drunter geht so ein Scheiß nicht!« Sie schmiss die Tür hinter sich krachend ins Schloss.

Anne musste über sich selbst lachen, es klang, als stecke etwas in ihrem Hals fest. Und so fühlte es sich auch an. Schmerzhaft. Wie dumm war sie gewesen! Sie hatte wirklich gedacht, das Schicksal habe Dirk am Rheinufer wieder zu ihr geführt. Wenn wirklich das Schicksal dafür verantwortlich war, dann hatte es keine Ahnung von Männern und Frauen. Aber so gar nicht. Wahrscheinlich baute das Schicksal deshalb so oft Mist. Es würde einiges erklären.

Dirk war nicht die Prise Sterne in ihrem Leben. Er war die Prise Würg. Die alles verdarb. Sogar im Nachhinein. Die ganze Beziehung mit ihm, die auch ihre guten Seiten gehabt hatte, schmeckte nun von Anfang an verdorben.

Anne war nicht danach, in eine Bahn zu steigen, sie wollte einfach nur einen Fuß vor den anderen setzen, egal, in welche Richtung, und sich so richtig schön in ihre Wut hineinsteigern.

Nach einiger Zeit stand sie in der Kyffhäuserstraße vor dem Champagne Supernova.

Blöde Füße!

Sie linste durch die Fenster hinein. Es war Dienstag und wenig los. Wahabi nahm sich an solchen Abenden gerne mal frei und ließ seinen Sous-Chef ran. Ob der auch die Dose mit Sternen benutzen durfte? Die Dose, die ihr diesen Abend eingebrockt hatte? Die Dose, deren Inhalt sie nicht kannte? Was unfair war!

Sie sollte wenigstens wissen, was sich darin befand.

Anne beschloss, den Hintereingang zu benutzen. Sie holte ihren Schlüsselbund mit dem kleinen Bernsteinanhänger heraus. Der Edelstein schenkt Löwenfrauen Wohlergehen bei all ihren Vorhaben und unterstützt sie bei der Durchsetzung ihrer Pläne ebenso wie bei der Verwirklichung ihrer Persönlichkeit.

Der Stein musste kaputt sein.

Vielleicht sollte sie sich einen neuen holen. Einer, der ein Kilo wog.

Langsam schloss sie auf, dann wurde die Tür von innen aufgerissen.

Dahinter stand Herbert Schönberner mit einer Packung Zigaretten in der Hand, gerade auf dem Weg in den Hinterhof, um ein Rauchopfer darzubringen.

»Du hast doch heute frei!«, sagte er statt einer Begrüßung.

»Weiß ich.«

»Und diesmal überredest du mich nicht.« Er öffnete die Zigarettenpackung.

»Weiß ich doch auch.«

»Was willst du dann?«

»Hab was in der Küche vergessen. Bin sofort wieder weg.«

»Was hast du denn in der Küche vergessen? Da hast du doch gar nix zu suchen.« Die Zigarette fand den Weg in seinen Mundwinkel.

»Ach, du weißt schon, ist so ein Frauending. Ich wusste nicht, wohin mit meinen Tampons. Liegen neben den Blutwürsten.« Sie grinste. Grinsen tat gut. Schönberner deutete einen Schlag hinter ihre Ohren an, wobei er ein Prusten unterdrücken musste. Je derber der Humor, desto mehr liebte der Maître ihn.

»Aber beeil dich, du freches Luder!« Er entzündete das roségoldene Feuerzeug und nahm vergnügt den ersten Zug.

Anne blickte durch die hell beleuchtete Passage in die Küche, wo zwei Köche auf kleinstem Raum die Speisen zubereiteten. Wie ein Ballett in einer Telefonzelle. Und kein Wahabi Nouri zu sehen! Schnell huschte sie um die Ecke und drückte sich zwischen den beiden schwitzenden Männern in der bulligheißen Küche hindurch. »Bin gar nicht da. Bin gleich wieder weg. Stört euch nicht an mir.«

Der junge Sous-Chef, er war gerade einmal Mitte zwanzig, und seine Unterarme waren bis zu den Ellbogen tätowiert, drückte sich mit dem Rücken gegen sie. »Mensch, Anne, du weißt doch, dass du nicht …«

»… hier reindarfst. Deshalb bin ich auch wie ein Windhauch gleich wieder draußen.« Sie hatte es bis vor das kleine Gewürzregal geschafft und schaute sich die Döschen an. Fast alle davon waren grün. Die Sterne würden dahinter stehen, gut versteckt. Anne stellte sich auf die Zehenspitzen und hob eine Dose nach der anderen hoch.

»Die hat er mitgenommen«, sagte der Sous-Chef.

»Was?«

»Die Sternendose. Nimmt er immer mit. Die darf keiner

anrühren, geschweige denn öffnen. Er macht da ein tierisches Geheimnis drum.«

Anne ließ das Döschen in ihrer Hand enttäuscht sinken. »Und was ist da drin?«

»Weiß keiner. Aber falls du Interesse an Gewürzen hast, kann ich dir gern tüchtig Pfeffer in den Hintern blasen.«

»Ich glaub, da habe ich schon mehr, als du Grundschulkind vertragen kannst.«

»Raus aus meiner Küche, Dirne!« Er schlug ihr mit dem Touchon auf den Hintern. »Grünschnäbliger Dreikäsehoch!«

Anne drückte sich raus und hatte den Eindruck, die beiden Köche machten es so eng wie möglich für sie, besonders im Bereich ihrer Brüste.

Das würde sie ihnen heimzahlen. Mit Tabascosauce in der Wechselwäsche – nach der schweißtreibenden Arbeit in der Küche zogen sie sich nämlich immer komplett um.

Die Spinte waren unverschlossen.

Danach nahm Anne sich vom Tisch mit den offenen Weinen eine Flasche Rieslingsekt vom Wilhelmshof, der machte den Kopf immer so schön frei, und verließ wortlos das Champagne Supernova. Dieser Abend wurde einfach nicht mehr gut, da konnte sie versuchen, was sie wollte. Es war ein Abend, der keine Antworten für sie bereithielt, keine Sterne, zumindest keine in ihrem Herzen, nur auf ihrer Zunge. Sie setzte die Flasche, ohne nachzudenken, an die Lippen und verschloss die Öffnung. Kurze Zeit später schäumte ihr der Riesling-Sekt aus der Nase.

Okay, selbst das mit den Sternen im Mund klappte nicht mehr unfallfrei.

Nicht mehr bewegen wäre eindeutig die beste Lösung für den Rest des Tages.

Der Himmel über Köln öffnete die Schleusen und

ertränkte die Stadt in Regen. Mit schweren, kalten Tropfen, die Anne den Nacken hinab über den Rücken flossen. Sie rannte, stets nahe an Häuserwänden oder von einer Bauminsel zur nächsten, doch als sie zu Hause ankam, war sie klatschnass. Der Regen hatte ihre Wut nicht abgekühlt, ganz im Gegenteil.

Jetzt schnell in die Wohnung, raus aus den Klamotten, Schlafi anziehen und ins sichere Bett kuscheln. Sie zog den Schlüsselbund aus der Hosentasche – nein, da war er nicht. Vielleicht in der anderen? Auch nicht. Sie tastete alle Taschen an sich ab. Mehrmals. Kein Schlüssel. Dann fiel es ihr ein.

Er musste noch in der Hintertür des Champagne Supernova stecken!

Sie hatte ihn dort ins Schloss eingeführt, doch dann hatte Schönberner die Tür von innen bereits aufgestoßen, sodass sie vergessen hatte, ihn abzuziehen.

Ihr Horoskop hatte so recht gehabt. Sie hätte zu Hause bleiben sollen. Ab jetzt würde sie immer darauf hören. Und zwar wortwörtlich!

Anne hatte überhaupt keine Lust im strömenden Regen zurück zum Restaurant zu laufen. Am Boden des Keramikschirmständers vor ihrer Wohnungstür lag ein Reserveschlüssel. Sie musste also nur ins Haus kommen, deswegen klingelte sie bei dem Nachbarn unter sich. Wieder einmal brannte nur bei ihm noch Licht, scheinbar wohnte sie in einem Geisterhaus mit nur einem weiteren, lebenden Menschen – der ihre nächtlichen Störungen mittlerweile ja gewöhnt sein musste.

Es knackste in der Gegensprechanlage. Die Stimme klang müde. »Hallo?«

»Ja, ich bin's, Ihre Nachbarin von direkt drüber. Könnten Sie bitte die Tür aufdrücken? Schnell, wenn es geht.«

»Sie klingen sehr aufgeregt. Ich habe einen tollen Beruhigungstee, der wirklich hilft.«

»Ich will mich aber gerade nicht beruhigen, ich will nur raus aus den klitschnassen Klamotten. Trotzdem danke.«

»Dafür nicht.« Er drückte auf. »Ihr Freund war auch hier.«

Doch Anne ging nicht in den Hausflur hinein, sondern blieb bei der Gegensprechanlage, aus der gerade Unfassbares zu hören gewesen war. »Wie bitte?«

»Er hat bei mir geklingelt.«

Anne blickte auf die Gegensprechanlage, als wolle diese sie veralbern. »Wieso das?«

»Er wollte etwas vor Ihre Wohnungstür legen.«

»Was denn?«

»Ich habe nicht gefragt. Er klang sehr nett und vertrauenswürdig.«

»Um Gottes willen! Lassen Sie mich rein.«

Die Tür summte wieder. »Hätte ich das nicht tun sollen?«

Anne drückte die Tür auf und schaltete das Licht im Treppenhaus ein. »Ist jetzt auch egal.«

»Wenn Sie danach einen Beruhigungstee brauchen ...«

»Wohl eher eine geladene Schusswaffe.«

»Die gibt leider deutlich weniger Geschmack als Teeblätter an heißes Wasser ab.«

Anne brachte nur noch ein »Gute Nacht« zustande, dann ging sie schnell die Stufen zu ihrer Wohnung im vierten Stock empor. Die Unklarheit, was Dirk ihr hinterlassen hatte, machte sie extrem nervös. Etwa das Essen aus dem Poisson in Alufolie? Einen Strauß roter und weißer Rosen wie am ersten Jahrestag? Oder ein Fotobuch ihrer Urlaube, das er seit Jahren fertigstellen wollte, aber für das er dann doch nie die Zeit und Muße gefunden hatte.

Anne war völlig außer Atem, als sie endlich vor ihrer Wohnungstür ankam.

Das Paket lag auf der Fußmatte, die sie von Nina zum Einzug geschenkt bekommen hatte. Sie verkündete: »Jeder Zweite, der kommt, wird erschossen. Einer war schon da!« Anne hatte schon beim ersten Mal nicht darüber lachen können, aber keine Lust verspürt, sich eine neue zu kaufen. Das darauf liegende Paket war viel zu groß für Essen oder ein Fotobuch. Und ein Strauß Rosen wurde nicht so länglich eingepackt.

Es war eine Rolle von einem knappen Meter Länge und zwanzig bis dreißig Zentimetern Durchmesser. Als sie diese hochhob, stellte sie sich als sehr leicht und weich heraus.

Anne wartete keine Sekunde und riss sie auf.

In diesem Moment erlosch das zeitlich begrenzte Treppenhauslicht.

Sie fluchte, stolperte zum Lichtschalter, erwischte ihre Klingel, die nachts merkwürdigerweise viel lauter und nervtötender klang, dann erst den Lichtschalter.

In der Hand hielt sie eine orangefarbene Isomatte.

Auf der Rückseite klebte ein Post-it.

Liebe Anne,
ich bin schon einen Tag eher zurück aus Chile. Danke für das Katzen- und Hummersitting! Die kleine Göttin und Edward sind richtig schön fett geworden – er passt kaum noch in seinen Keramiktopf! Als Dankeschön würde ich dich sehr gern zum campen einladen! Ich organisiere alles. Hast du Lust? Das würde mich wirklich sehr freuen!
Liebe Grüße, der Sternengucker

Anne strich das Post-it glatt und lächelte. Jetzt hatte Marc ihr den Tag gerettet. Vielleicht fand sich ihre Prise Sterne nicht in einem kleinen Döschen des Champagne Supernova, sondern im Herzen eines Astronomen aus der Eifel.

Sie hasste campen.

Aber das würde sie für ein Wochenende einfach vergessen.

Es war Punkt neun Uhr morgens, als Marc vor Annes Wohnung in der Blumenthalstraße 21 hielt. Er hatte sieben Uhr vorgeschlagen, aber da hatte Anne nur gelacht. Dabei würde er jede Stunde brauchen. Alles war generalstabsmäßig vorbereitet. Zur Sicherheit blickte er sich nochmals um, ob alles im Wagen gut versteckt war.

Kein Tier schien ausgebrochen.

Marc war bei seiner wissenschaftlichen Recherche zum Thema Liebe in der *Psychologie heute* auf einen Artikel gestoßen, der belegte, dass Menschen in Extremsituationen ihr wahres Ich präsentierten. Also musste er für eine Extremsituation sorgen, damit Anne sich ihm öffnete, ohne Schutzschirme.

Und alles dank ein wenig nackter Angst.

Wenn er ihr Innerstes kannte, würde er endlich den passenden Mann finden. Denn auch das letzte von ihm für Anne akribisch organisierte Date war schrecklich schiefgegangen – und er wusste immer noch nicht, wieso. Der potenzielle Partner, im Internet nannte er sich »FreeSpirit4711«, hatte auf keine seiner Nachfragen als Anne, beziehungsweise »Lioncake«, reagiert. Sehr merkwürdig.

Marc drückte auf die Hupe seines Fiat Multipla. Die Hupe passte wunderbar zum Wagen. Sie klang unfassbar hässlich. Erst zehn Minuten später erschien Anne mit einem rosa Hartschalenkoffer in der Haustür. Doch statt ihn in den Kofferraum zu verfrachten, winkte sie Marc zu und ging schnell zurück ins Haus, aus dem sie weitere zehn Minuten später mit einem prall gefüllten Bergsteigerrucksack sowie einer schweren Supermarkttüte zurückkehrte.

»Musste noch zu Ende packen«, sagte Anne und gab ihm zur Begrüßung einen Kuss auf die Wange. »Außerdem musste ich meinen Kaffee noch austrinken. Sonst bin ich nicht gesellschaftsfähig.«

Marc zeigte auf ihr Gepäck. »Was nimmst du denn alles für eine Übernachtung mit?«

»Ich will auf alle Eventualitäten vorbereitet sein.«

»Es sieht aus, als würden dazu auch Erdbeben und Vulkanausbrüche gehören.«

Sie lachte. »Oder eine spontane Einladung zu einem königlichen Ball. Mir kann nichts passieren. Ich habe zwei Tage lang Sachen rausgelegt.«

Marc nickte, gute Planung wusste er natürlich zu schätzen. »Bereit für ein echtes Abenteuer?«

»Bereiter geht's nicht. Du musst mich heute Abend nur mit ausreichend Alkohol abfüllen, sonst mache ich sicher kein Auge zu.«

Marc verfasste ein inneres Memo, sämtlichen Alkohol von ihr fernzuhalten, der würde es Anne sonst zu leicht machen. Er verstaute das Gepäck und öffnete die Beifahrertür; er hatte den Wagen gestern noch komplett außen und innen gesäubert.

»Ist der neu?«, fragte Anne und stieg ein.

»Nein, sieben Jahre alt.«

Sie sah Marc an, als stamme er von einem fernen Planeten. »Du darfst dir meinen alten Golf jederzeit gerne leihen.«

»Das ist sehr nett von dir, danke.« Marc schnallte sich an.

»Keine Ursache. Purer Eigennutz.«

»Wieso?«

»Wahrscheinlich bringst du ihn sauberer zurück, als du ihn abgeholt hast.«

»Ich würde ihn auf jeden Fall vor Rückgabe komplett reinigen.«

»Ich erhöhe mein Angebot: Du kannst ihn gerne einmal die Woche haben!« Sie reichte ihm die Hand, Marc schüttelte sie ganz automatisch. »Gebongt!«

Er wies auf ihren Gurt. »Du musst dich noch anschnallen.«

»Selbstverständlich. Wenn du mir verrätst, wohin es geht.«

Marc überlegte. Er wollte, dass es eine Überraschung war. »Zu einem schönen Platz, wo man zelten darf.«

»Du bist gemein!« Anne schnallte sich an.

Mit dem Starten des Motors legte auch der CD-Player los. Marc hatte extra das Album *Apocalypse Nightmare* der Death-Metal-Band Destroyer of Galaxies besorgt, das nun brutal aus den kleinen Boxen dröhnte.

»So was hörst du?«, fragte Anne ungläubig.

»Heute ja.« Marc stellte lauter. Die Musik tat ihm körperlich weh. Aber wenn er Anne in Extremsituationen bringen wollte, dann musste er diese selbst auch erleiden.

Nach ein paar Minuten stellte Anne die Musik sogar noch lauter. »Wenn man sich einmal reingehört hat, kann man sogar den Ansatz von Melodien erkennen!«

Marc schaltete aus. Die Destroyer of Galaxies hatten versagt. Sie mochten Planeten, Sonnensystem und Universen zerstören, nicht aber Annes Laune.

Er war nur froh, dass seine Lautsprecher keine bleibenden Schäden genommen hatten.

»Ich glaube, dem Algorithmus der wichtigsten Musik-Streamingplattformen zufolge ist dies die für Frauen deines Alters und deiner sozialen Schicht unattraktivste Musik.«

Anne legte die Hand in Denkerpose an ihr Kinn. »Warum hast du sie dann angestellt?«

Verdammt, was für eine gute Frage!

»Sie war halt im CD-Player drin.« Dass er sie extra reingetan hatte, musste Anne ja nicht wissen.

»Ich glaube nicht an Algorithmen.«

»Das ist nichts, woran man glauben muss, sie existieren und funktionieren.«

Anne schaltete die Destroyer of Galaxies wieder an. »Diese Algorithmen mögen viel über uns wissen, aber ich glaube nicht daran, dass die höchste Wahrscheinlichkeit immer der beste Weg ist. Stattdessen denke ich, dass man sich auch mal verfahren muss, um zu lernen, welchen Straßen man trauen kann. Ich denke, man muss sich auch mal in den total falschen Menschen verlieben, damit das Herz begreift, wo es sich verschwendet. Ich will von meiner Internet-Suchmaschine nicht nur die Zeitungsartikel vorgeschlagen bekommen, die mich interessieren. Ich will auch mal die für mich öden anschauen, um neue Blickwinkel zu gewinnen. Algorithmen halten meine Welt klein und dadurch mich.«

»Sie sparen dir viel Zeit und ersparen dir Ärger. Sehr wahrscheinlich.«

»Ich will nicht wahrscheinlich leben, ich will unwahrscheinlich leben!« Sie stellte die Musik noch lauter und fing an, heftig mit dem Kopf zu wippen.

Marc war sprachlos. Er kam sich vor wie ein Katholik, den ein Atheist zum Frühstück verspeist hatte.

Nach einer Dreiviertelstunde erreichten sie das Radioteleskop Effelsberg.

»Zelten wir auf der Schüssel?«, fragte Anne. »Wahnsinn!«

»Nein«, sagte Marc und lenkte seinen Wagen hinunter zum Fundament des Teleskops, in dessen Nähe sich ein kleiner See, eher ein Tümpel befand. Dort hielt er.

»Wir campen hier am Feuerwehrteich!« Er war nahezu

kreisrund, mit einem Inselchen darin, auf dem ein kleiner Baum stand. »Unsere Miniaturversion eines schottischen Sees. Deswegen nennen wir ihn auch Loch Eff. Allerdings ohne Seemonster«, sagte Marc.

Und dachte: Aber nicht mehr lange.

»Willst du schon schwimmen gehen, während ich das Zelt aufbaue?«

»Als ob ich dir die Freude alleine überlassen würde. Zeltaufbau ist doch der erste Höhepunkt!«

Tatsächlich lachten die beiden viel beim Aufbau, der fünfmal so lange dauerte, als es die Anleitung versprach. Was nicht an Marc lag, der das Zelt am Vortag bereits einmal zur Probe aufgebaut hatte. Allerdings hatte er beim Aufbau nicht halb so viel Spaß gehabt wie mit Anne.

Als sie fertig waren, brachte Anne ihr Gepäck ins Zelt und verschwand darin zum Umziehen. Marc hatte die Badehose schon drunter und nutzte die Zeit, während Anne ihn nicht sah, um eine große, durchsichtige Plastikdose aus dem Fiat zu holen, in der sich der neue Bewohner des Feuerwehrteichs befand.

»Fertig!«, rief Anne und kroch aus dem Zelt. Sie trug einen roten Bikini, der perfekt zu ihrer blassen Haut und den blonden Haaren passte.

Marcs Puls gewann schwer an Tempo.

Er schob es auf das bevorstehende Extremszenario.

»Darf ich Ihnen die neue Bademodenkollektion vorstellen?«, fragte Anne. »Schmiegt sich an den Körper wie eine zweite Haut, verträgt nur leider kein Wasser.« Sie lachte, nahm Anlauf und sprang ins Wasser, mit angezogenen Beinen als menschliche Bombe. Als sie wieder auftauchte, schlang sie die Arme um den Oberkörper. »Boah, ist das kalt!«

»Ja«, sagte Marc und verstaute noch schnell seine Buddy-Holly-Brille an einem sicheren Ort im Zelt. »Extrem kalt.«

Auch er sprang hinein, jedoch im perfekten Kopfsprung, genau wie er ihn einst in der Carl-Orff-Grundschule gelernt hatte.

Als er auftauchte, spritzte Anne ihn nass und warf ihm einen kecken Blick zu. »Kriegst mich nicht!« Sie schwamm davon, mit den Füßen weiteres Wasser auf Marc spritzend. Doch er folgte ihr nicht, sondern sah sich um, wobei seine Sehschärfte ohne Brille recht eingeschränkt war. Eigentlich müsste das Tier längst auftauchen.

»Hast du was im Wasser gesehen?«, fragte Anne und hielt inne. »Habt ihr hier Schildkröten? Ich hab total Angst vor Schildkröten!«

»Irgendwas Großes«, antwortete Marc, der sich ärgerte, nicht die Dickkopf-Schildkröte genommen zu haben.

Doch seine Wahl war auch nicht schlecht.

Endlich sah er den Mund des großen, alten Koikarpfens namens Hubert aus dem Wasser auftauchen und sich auf Anne zubewegen. Marc hatte ihn aus der Zoohandlung von Hennys Vater ausgeliehen. Das alte Tier war der größte Schmuser unter allen Koikarpfen. Hubert ließ sich nicht nur streicheln, er stupste auch mit seinem Mund die Kunden an und strich mit seinem beschuppten Körper an ihren Händen entlang.

»Was ist das?« Angst ließ Annes Stimme zittern. Sie bewegte sich hektisch auf den Rand des Teichs zu, doch der alte Koi war schneller. Wie ein kleiner Höllenschlund näherte sich sein Maul Anne, die nun in Schreckstarre überging. »Mach das weg!«, rief sie Marc zu. »Sofort!«

»Ich hol einen Stock«, sagte Marc, um dem alten Koi genug Zeit zu lassen, Anne abzuknutschen.

Es würde sicher verdammt lange dauern, bis er einen langen Stock fand.

Marc schwamm zum Inselchen – und hörte nichts mehr

von Anne. Hoffentlich war sie nicht ohnmächtig geworden! Doch als er sich umdrehte, sah er, dass sie leicht gebückt stand.

Und Hubert streichelte.

»Ja, du bist aber ein süßer Schmuser. Bist du dir sicher, dass unter deinen Vorfahren keine Katze ist?«

Marc stellte die Suche nach einem Stock ein.

Stattdessen durfte er beobachten, wie Anne ihr Handy holte und Selfies von sich und dem Koi schoss. Unter anderem, wie beide einen Kussmund machten. Was Hubert sehr leichtfiel.

»Ich nenne ihn Effi. Als Pendant zu Nessi. Euer Loch hat also doch ein richtiges Monster!«

Extremsituation vorbei.

Und er hatte nur eine einzige Sache über Anne erfahren: Sie mochte Fisch, nicht nur auf dem Teller.

Nach dem Baden bereitete Marc den Grill für den Abend vor, den von Anne mitgebrachten Champagner stellte sie im Teich kalt. So viel zum Plan, ihr Alkohol zu verweigern. Es gab Würstchen und dazu Kartoffeln im Aluminiummantel mit Kräuterquark.

»Ich komm mir vor wie ein Teenager auf Jugendfreizeit«, sagte Anne.

»Eine Zeitreise.«

»Hör mir bloß auf mit Zeitreisen!«

»Wieso?«

»Ich hatte gerade eine, die kein bisschen so toll war wie die von Marty McFly in *Zurück in die Zukunft*.«

Marc schaute zum Teleskop, das über ihnen thronte, nach Süden ausgerichtet. »Damit blicken wir die ganze Zeit in die Vergangenheit.«

»Mancher Blick lohnt nicht, glaub's mir.«

»Wenn du wählen könntest, bis wohin würdest du die Zeit zurückdrehen?«

Anne ließ sich rücklings ins Gras fallen und verschränkte die Hände hinter dem Kopf. Ab und an huschte ein Lächeln wie eine Sternschnuppe über ihr sommersprossiges Gesicht. »Meine Abiturfeier!«, sagte sie schließlich. »Was war ich stolz und glücklich. Und dann dieses Gefühl, dass mir die Welt offensteht. Ich hab direkt danach Interrail gemacht. Am selben Tag noch. Das größte Abenteuer meines Lebens. Ohne Angst und Sorgen hinaus in die Welt. Mit so viel Zeit, wie ich wollte.«

»Damals hast du geplant, Juristin zu werden.«

Anne schüttelte entschieden den Kopf. »Nein, nie.«

»Aber du hattest einen Studienplatz in Köln.«

»Ja, ich hab Jura auch studiert, genau wie mein Vater, die ganze Karriere war schon für mich geplant. Mein Sitz in der Kanzlei bereits gepolstert. Aber ich bin nach dem ersten Staatsexamen ausgestiegen und hab in einem Restaurant als Kellnerin gejobbt.«

»Das wird deinem Vater nicht gefallen haben.«

»Er hat versucht, mich umzustimmen. Ich kam mir vor wie im Kreuzverhör. Aber ich bin bei meiner Entscheidung geblieben – und er hat danach ein halbes Jahr nicht mehr mit mir geredet. Heute lässt er sich von mir in Sachen Wein beraten und ist ganz stolz auf sein Töchterchen, die Sommelière...« Anne füllte die Champagnerflöten nach und stieß mit Marc an. »Echt schön hier.« Sie zeigte zum See. »Guck mal, Effi will auch Champagner!«

Die Nacht legte sich sanft wie ein Seidentuch über die Eifel, und immer mehr Sterne erschienen am Himmel. Marc blickte zum Zelt, wo die zweite Extremsituation stattfinden sollte.

Und zwar genau jetzt.

»Lass uns die Schlafplätze herrichten, gleich sind wir sicher zu müde dafür.«

»Du bist echt ein guter Planer, weißt du das?«

»Ich hoffe sehr, dass du recht hast.«

Anne legte den Kopf zur Seite und sah ihn fragend an. »Manchmal bist du echt komisch, da weiß ich gar nicht, was du meinst.«

»Du wirst es bald sehen.«

»Oh, gut, ich liebe Überraschungen!«

Diese hoffentlich nicht, dachte Marc.

Als sie im Zelt die Isomatten ausrollten und Schlafsäcke darauf drapierten, öffnete er den Deckel der Dose mit Spinnen. Marc hatte sie ebenfalls in der Zoohandlung erstanden.

Hauptmerkmale: groß und haarig.

Es ekelte ihn selbst, als er die Achtbeiner aus der Dose ließ. Schon nach kurzer Zeit hatte sich die Erste an die Decke des niedrigen Zeltes emporgearbeitet. Von Anne unbeobachtet, denn diese sah fast nur noch auf ihr Handy.

»Effi bekommt total viele Likes. Die wollen alle euer Monster kennenlernen, das könnte ein Mördergeschäft für euch werden!«

Marc bewegte sich Richtung Ausgang. Er hasste Spinnen sogar noch mehr als mathematische Gleichungen, die nicht aufgingen. Denn Gleichungen konnten nicht in jede Richtung springen.

Ein Riesenvieh seilte sich genau vor Anne ab.

Gleich würde sie schreien.

Marc fühlte sich schlecht dabei, sie solchen Qualen aussetzen zu müssen, aber der Zweck heiligte die Mittel.

Anne blickte vom Handydisplay auf. Ihre Augen weiteten sich.

»Boah, guck mal was für eine riesige Spinne!« Sie deutete auf das prachtvolle Exemplar. »Bist du dir sicher, dass ihr keine radioaktiven Abfälle in die Natur schüttet?«

»Hast du keine Angst?«, fragte Marc mit zittriger Stimme.

»Vor Spinnen? Nee, die tun doch keiner Seele was. Außer Fliegen und Mücken. Ich hab nur Angst vor Schildkröten und Kaninchen. Ich weiß, das klingt komisch, aber mich hat mal eins bei einer Freundin gebissen, als ich es mit Löwenzahn gefüttert habe. Paula hieß es, ein bösartiges Riesenteil. Musste dann zum Arzt wegen einer Tetanusspritze. Hast du ein Glas?«

Marc holte eins aus seinem Rucksack, mit dem Anne eine Spinne nach der anderen vorsichtig aus dem Zelt auf die Insel brachte – weil sie dort ungestört leben konnten.

Eine letzte Patrone hatte er noch.

Die größte und gefährlichste.

Sie würde treffen. Sie musste treffen.

Als es völlig dunkel war, sie sich schon in ihre Schlafsäcke gekuschelt hatten und Marc auffiel, wie unglaublich schön Anne war, wenn sie glücklich und leicht beschwipst schlief, erklang das Wolfsgeheul. Erst weit entfernt, doch es kam schnell näher.

Immer näher.

Anne öffnete die Augen und setzte sich auf. »Ist das ein Hund? Wölfe gibt es doch nicht in der Eifel, oder?«

Marc flüsterte. »Es gibt einen Wolfspark in Kasselburg, vielleicht ist da einer ausgebrochen. Hast du Angst vor Wölfen?«

»Wer nicht?«

Hervorragend! Endlich! Das Wolfsgeheul kam noch näher – und Anne kam Marc immer näher.

»Wir müssen die Polizei rufen«, flüsterte sie.

»Wenn wir ganz leise sind, tut er uns sicher nichts. Wölfe sind scheu und haben große Angst vor Menschen.«

Der Wolf schien vor dem Eingang zu stehen. Ein tiefes Knurren war zu hören.

»Der hier aber gar nicht.«

Schließlich kratzte das Tier an der Außenseite des Zelts.

Marc spürte Annes Herzschlag, da sie sich hinter ihm verschanzt hatte und gegen seinen Rücken drückte. Er spürte auch ihre Wärme, ihre weiche Haut, ihren Atem in seinem Nacken, der leicht kitzelte.

Er spürte nicht, dass sie sich eines der gegrillten Würstchen griff, die er für das Frühstück in Frischhaltefolie gewickelt hatte. Dann drückte sie sich leise an ihm vorbei und riss den Reißverschluss des Eingangs hinunter.

Die Wurst voraus im Anschlag trat sie hinaus.

»Das gibt es doch nicht!«, rief sie.

Marc wusste, dass es das doch gab.

»Was bist du denn für ein krankes Arschloch?«, fragte sie. Und zu Marc gewandt: »Jetzt müssen wir aber echt die Polizei rufen, es gibt bestimmt eine Strafe für Idioten, die so tun, als hätten sie einen Wolf.«

»Hallo, Chef«, erklang Prians Stimme. »Wollte nur ein kleines Späßchen machen.«

Jetzt war wieder Anne zu hören. »Du Geisteskranker hättest fast dafür gesorgt, dass ich einen Herzinfarkt bekomme.«

Marc trat aus dem Zelt. Prian stand mit gesenktem Kopf davor. Neben ihm Darth Vader, der zur Begrüßung freudig mit dem Schwanz wedelte. Der Labrador hatte einen kleinen Lautsprecher umgeschnallt bekommen, den er mit trägen Bewegungen seiner Hinterläufe versuchte wegzukratzen.

»Dr. Reman? Was soll denn dieser Unfug? Das wird Konsequenzen haben! Das ist Ihnen wohl hoffentlich klar!«

»Es tut mir wirklich sehr leid, Dr. Heller. Es war eine blöde Idee, das hab ich direkt gesagt.«

Darth Vader hob das Bein am Zelt. Wie immer wirkte er dabei ausgesprochen glücklich.

»Mach dich schleunigst vom Acker, du Honk«, sagte Anne zu Prian, um sich dann kopfschüttelnd an Marc zu wenden. »Was für Leute arbeiten hier bitte?«

Leute, die er bitten konnte, für ihn einen Wolf zu geben, dachte Marc. Aber eben auch Leute, die es dann übertrieben. Es war nicht geplant gewesen, dass Prian bis zum Zelt kam.

Nachdem Prian fort war, zog Anne den restlichen Champagner an einer am Flaschenhals befestigten Kordel aus dem See. »Ich brauch jetzt was. Du auch?«

Marc nickte. Er brauchte sogar viel davon. Als Trost. Seine sämtlichen Pläne waren gescheitert.

»Es ist draußen eigentlich viel schöner als im Zelt«, meinte Anne, als sie die Flasche wieder absetzte und Marc reichte. »Lass uns unter freiem Himmel schlafen, ja? Dann sehen wir die falschen Wölfe auch schon von Weitem.« Sie musste grinsen.

»Ich glaube, er ist das einzige Exemplar in der Eifel.«

Sie holten Isomatten und Schlafsäcke aus dem Zelt und breiteten sie nebeneinander aus. Plötzlich piepte Marcs Astronauten-Digitaluhr. »Jetzt ist Sonntag.«

»Sag das nicht.«

»Wieso?«

»Weil dann morgen die Deutsche Sommeliermeisterschaft ist. Ich hab totales Muffensausen. Eigentlich müsste ich üben, aber mit dir hier zu sein, ist mir wichtiger.« Sie sah ihn an, ganz tief in die Augen. Und presste die Lippen aufeinander.

Marc vermutete, sie vermisste ihren Labello.

»Wie stehen deine Chancen?«

Anne verdrehte die Augen und ließ sich auf den Boden sinken. »Ach, Gott, da will ich gar nicht drüber nachdenken.

Die Konkurrenz ist stark. Melanie vom Wein am Rhein ist dabei, Marco vom Vendôme – und das sind nur die aus der Nähe. Wenn ich unter die letzten drei komme, wäre das für alle eine große Überraschung. Ich will mich und das Champagne Supernova einfach nicht blamieren.«

Er nahm ihre Hand, wollte sie beruhigen. »Das wirst du sicher nicht! Du bist eine ganz tolle Frau, enorm hübsch, lachst schön, wobei man auch deine Zähne sieht, nicht so wie andere, die sich nicht trauen, den Mund richtig aufzumachen, nein, du lachst richtig offen, außerdem bist du intelligent und witzig, kannst zuhören, und soweit ich das sagen kann, weißt du einfach alles über Wein.«

Anne stutzte. »Bekomme ich das schriftlich?«

»Gerne«, er stand auf, um Zettel und Stift aus dem Rucksack zu holen.

»War nur Spaß! Setz dich wieder zu mir und lass uns in den Himmel gucken. Der ist heute nämlich ganz toll, wenn ich das als Laie sagen darf.«

»Da spricht nichts gegen. Astronomen sind sehr verständnisvoll gegenüber Unwissenden, was ihr Fachgebiet betrifft.«

Marc blickte in den Himmel. Doch er schaffte es nicht, sich auf die Sterne zu konzentrieren. Der Ausflug war ein totaler Reinfall. Er hatte nichts darüber erfahren, welchen Mann er Anne zuführen musste. Alle Extremsituationen waren verreckt wie nasse Feuerwerksraketen.

»Guck mal da«, sagte Anne. »Glühwürmchen!« Es schien, als würde im nahen Wald eine Lichterkette Lämpchen für Lämpchen angeschaltet, die sich im leichten Nachtwind bewegten. »Hab ich seit Ewigkeiten nicht mehr gesehen.«

Anne und Marc verharrten ganz still, als könnten sie die kleinen Tiere mit einem lauten Atemzug oder einer hastigen Bewegung verschrecken. Einige flogen tatsächlich näher.

»Als würden die Sterne zu uns beiden herabkommen«, sagte Anne.

Marc fand, das Farbspektrum wäre dann ein deutlich anderes, aber er behielt diese Information für sich. Eine andere dagegen teilte er mit Anne. »Je lieber Glühwürmchen sich haben, desto heller strahlen sie.«

Anne lächelte. »Nicht nur Glühwürmchen, oder?«

Marc überlegte kurz. »Bei anderen bioluminiszenten Lebewesen ist dieses Verhalten bisher nicht beobachtet worden.«

»Du bist echt lustig.« Sie schmiegte sich an ihn. »Nur wenn ich mich richtig wohlfühle, bin ich wirklich ich. Dann fallen all die Schleier und Masken des Alltags ganz automatisch von mir ab. Wenn ich mich wohlfühle, ist es so, als wäre die ganze Welt wie eine warme Decke, in die ich mich einkuschel und in der mir nichts passieren kann. Danke dafür!«

Marc genoss, wie Anne sich an ihn lehnte. Genoss, dass er ihr Halt und Schutz gab. Er kam sich vor, als sei er die Decke, von der sie gesprochen hatte. Zu seiner Überraschung war er ausgesprochen gern Decke. »Bist du gerade glücklich? So richtig?«

Anne atmete mehrmals tief. »Schwere Frage. Du meinst wegen Dirk, oder?«

»Unter anderem.«

»Es ist komisch, aber seit wir auseinander sind, scheine ich ständig Männer zu treffen. Vor Kurzem war er sogar selbst einer davon, saß einfach am Rhein mit einer Flasche Champagner. Wie bestellt und nicht abgeholt. Warum bist du plötzlich so blass?«

»Geht schon, erzähl weiter.«

»Na ja, ich glaube durch diese ganzen Typen habe ich überhaupt erst gemerkt, was ich wirklich in einem Mann suche. Es ist verdammt schwierig zu wissen, was man will und was nicht. Klingt einfach, ist kompliziert. Ich weiß jetzt: Ich brauche keinen Vater und keinen Sohn, keinen Lehrer und keinen Schüler, ich brauche Augenhöhe, ich brauche Vertrauen, ich brauche einen Mann, der mich wirklich sieht. Mit all meinen Fehlern – und natürlich den ungleich zahlreicheren guten Seiten. Vor allem aber brauche ich jetzt …«, sie sah Marc lange an, »… eine Prise Sterne.«

Er deutete auf den Himmel über ihnen. »Da ist sogar mehr als eine Prise, das ist eine ganze Kelle voll.«

»Ach, Marc. Echt!«

»Was denn?«

Sie schubste ihn so sehr, dass er zur Seite fiel. »Männer können manchmal wirklich saudumm sein!«

»Ja, das können sie«, erwiderte Marc und erntete dafür ein Lächeln von Anne, die ihm sanft über die Wange strich.

Mit jeder Berührung von ihr stieg mehr Traurigkeit in ihm auf, wie kleine Perlen in einem Champagnerglas. Das Observatorium in Chile wirkte plötzlich weiter entfernt als der Mars, und sein Wunsch, den perfekten Mann für Anne zu finden, auch. Ein ganz anderer Wunsch war in ihm herangewachsen und mittlerweile so groß, dass er ihn nicht mehr ignorieren konnte.

Er wollte Anne küssen.

Er würde Anne küssen.

Es war lange Jahre her, dass er das letzte Mal eine Frau geküsst hatte. Er hoffte, es verhielte sich wie mit dem Fahrradfahren, das man nie verlernte.

Das letzte Mal hatte er vor drei Jahren geküsst. Es war im Kölner UFA-Palast gewesen, ein *Star-Trek*-Film, er hatte ganz gebannt auf die Leinwand geschaut, als seine damalige Assistentin Nadine sich in der Dunkelheit zu ihm gebeugt und ihn geküsst hatte.

Mitten in einer Weltraumschlacht, bei der es nicht gut für die Crew der Enterprise aussah!

Er hatte die ganze Szene verpasst.

Und ihr klarmachen müssen, dass Küssen während eines Science-Fiction-Films inakzeptabel war.

Es war dann bei diesem einen Kuss zwischen ihnen geblieben.

Marc hatte deshalb ein eingehendes Trainingsprogramm mit Nadine absolviert.

Trotzdem war der erste Kuss mit einer Frau stets wie der Sprung von einer Klippe, bei dem der Ort der Landung im Dunkeln lag. Man wusste nicht, ob man weich und sanft aufkommen oder lange haltlos fallen würde, um dann zu zerschellen.

Marc nahm sich ein Herz.

Er schloss die Augen, das ließ alles wie einen Traum erscheinen. Er musste nur ihre Lippen treffen, dann würde alles gut.

Gleich würden sie seine berühren.

Doch da war kein Mund, der seinen erwartete.

Als er die Augen öffnete, sah er, dass Anne sich bereits in ihren Schlafsack eingemummelt und die Augen geschlossen hatte. Ihr Atem ging tief und lang. Marc konnte seinen Blick nicht von ihr losreißen, bis ihm schließlich die Augen zu schwer wurden.

Doch Schlaf fand er keinen.

So blieb der alte Koi das einzige männliche Wesen, das Anne an diesem Tag hatte küssen können.

Im Restaurant Hanse-Stube des Excelsior Hotel Ernst, im Schatten des Kölner Doms, herrschte die angespannte Stimmung einer Geigen-Saite Sekunden, bevor sie reißt.

Ein Sommelier-Kollege aus Berlin verschwand jetzt schon

zum dritten Mal auf die Toilette. Danach war seine Nasenspitze immer schneebedeckt gewesen.

Dabei schneite es im September nie in Köln.

Anne rieb sich über die müden Augen. Sie hatte letzte Nacht keine Minute Schlaf bekommen, obwohl der Plan gewesen war, dank des Wein-Brockhaus unter dem Kopfkissen nachts noch etwas Wissen aufzunehmen. Doch sie hatte sich nur hin und her gewälzt und war in ihren Gedanken Kreise gelaufen.

Nicht nur die Augen, auch der Rest ihres Körpers machte Mucken. Anne schluckte, doch das Sodbrennen ging nicht fort. Es schien sich sogar noch auszubreiten. Anne ließ die Schultern kreisen, die sich steinhart anfühlten, hob den Brustkorb, der sich seltsam eng anfühlte, zog den Hintern ein, der sich zu groß anfühlte. Sie fühlte sich wie von Dr. Frankenstein aus unpassenden Körperteilen zusammengesetzt.

Die Dame von der Sommelier-Union trat in den separierten Spiegelsalon, wo die Kandidatinnen und Kandidaten des Finales darauf warteten, aufgerufen zu werden. Sie blickte zu Anne und nickte.

Es war so weit.

»Rock das Haus!«, sagte Melanie vom Wein am Rhein zu ihr. Und Marco vom Vendôme hielt beide Daumen hoch. Die zwei hatten gut reden, denn sie waren bereits durch.

Anne ließ die rechte Hand von oben über ihr Gesicht gleiten, wie ein Zauberer der etwas verschwinden lassen wollte. Ihr Trick ließ ein Lächeln in ihrem Gesicht auftauchen. Ein selbstbewusstes, gelassenes Lächeln.

Das war zumindest der Plan.

Sie trat ins mahagonigetäfelte Restaurant, altehrwürdig war die Atmosphäre, der Fußboden verschluckte jeden Laut.

Am Ende des großen Speisesaals saß die Jury am gedeckten

Tisch. Zwei Juroren stammten von der Deutschen Sommelier Union, dazu gesellte sich ein Gast-Juror. Einige wenige Zuschauer saßen und standen im hinteren Bereich des Restaurants auf den edel gepolsterten Bänken oder den teuren Holzstühlen des distinguierten Hauses. Aus den Augenwinkeln hatte Anne Maître Schönberner, Nina und Luise entdeckt. Der hatte sie aufgetragen, alle Glücksbringer mitzubringen, die es nur gab. Egal, in welcher Religion oder auf welchem Kontinent. Pfennig, Marienkäfer, Fliegenpilz, Hasenpfote (aber keine echte!), Hufeisen, Mistel, Fatimas Hand, die Porzellankatze Maneki Deko und der Pappmaché-Mönch Daruma aus Japan, das nepalesische Horn oder ein Skarabäus. Am liebsten einen leibhaftigen Schornsteinfeger, den sie immer mal wieder anfassen konnte. Gerne einen attraktiven. »Der nach erfolgreichem Wettbewerb alle Hüllen fallen lässt!«, hatte Luise dazu gesagt und war ein wenig rot geworden.

Anne selbst hatte eben im Kölner Dom eine Kerze aufgestellt und ein Stoßgebet gen Himmel gesandt. Jesus war dem Wein ja durchaus verbunden, da musste für eine Sommelière doch was drin sein! In der hinteren rechten Hosentasche trug sie säuberlich zusammengefaltet ihr heutiges Horoskop. Es sagte voraus, ihr würde einfach alles gelingen, was sie anpacke, sie müsse nur an sich glauben.

Das Horoskop vom *Stadt-Anzeiger* hatte immer recht!

Nur mit dem An-Sich-Glauben haperte es gerade noch etwas.

Es war so lange her, dass sie sich in einer Prüfungssituation befunden hatte. Schon der erste Eindruck beim Eintreten war wichtig. Zügig, aber nicht schnell, selbstbewusst, aber nicht arrogant, freundlich, aber nicht aufgesetzt. Sie spürte die auf sich gerichteten Augen wie tastende Hände. Anne trat an den Tisch und begrüßte die Jury.

»Einen wunderschönen Tag wünsche ich Ihnen. Mein

Name ist Anne Päffgen, und ich freue mich, heute Ihre Sommelière sein zu dürfen.«

Dann fiel ihr etwas auf.

Oh.

Mein.

Gott.

Einer der Vollbarthipster, denen sie vor Kurzem im Champagne Supernova großflächig Wein auf den Klamotten verteilt hatte, saß vor ihr. Er stellte sich als Richard Hollander vom Deutschen Wein-Institut vor und war der heutige Gast-Juror. Die Sache mit dem Nassspritzen war aber nur ein Teil des Desasters gewesen. Anne hatte ihm damals zu den Speisen Champagner empfohlen, die perfekt darauf abgestimmt waren. Hollander hatte jedoch auf deutschem Sekt bestanden, was sie recht barsch abgetan hatte. Eine Zeit lang mäanderte das Gespräch zwischen ihnen, bis es Anne zu viel wurde und sie Hollander eine Flasche Sekt auf den Tisch knallte, die er doch bitte selbst öffnen solle, schließlich wisse er alles über deutschen Schaumwein.

Dass es nicht ihr allerbester Tag gewesen war, würde als Ausrede heute wohl nicht gelten.

Hollander saß in der Mitte der dreiköpfigen Jury und lächelte Anne breit an.

»Frau Päffgen, wie schön, Sie zu sehen. Auf Sie hab ich mich schon den ganzen Tag gefreut.«

Anne blickte schnell zu dem Weinklimaschrank mit den ihr heute zur Verfügung stehenden Flaschen. Eine davon zierte das Etikett vom Weingut Dr. Kauer aus Bacharach – ein Riesling-Sekt, der sagenhafte vierundvierzig Monate auf der Hefe gelegen hatte.

»Da ich dort hinten einen deutschen Schaumwein erspähen kann, wird die Freude hoffentlich noch lange anhalten.«

Hollander machte sich eine Notiz. »Sie haben dazugelernt.«

»Als gute Sommelière lernt man niemals aus!«

Eine weitere Notiz. »Wir beginnen mit dem theoretischen Teil. Nur ein paar Fragen.«

Genauer gesagt vierzig.

Nicht nur über Weinwissen, sondern auch darüber, wie man eine Weinkarte zusammenstellte, sie kalkulierte, welche Weine im offenen Ausschank sinnvoll waren und wie alles gelagert werden musste. Anne stellte sich vor, sie sei bei *Wer wird Millionär?* und Günther Jauch säße ihr gegenüber. Den mochte sie schon immer, und da er selbst Winzer in Kanzem an der Saar war, würde er es gut mit ihr meinen. Anne stellte sich sogar vor, es gäbe jeweils vier Wahlmöglichkeiten, dabei wurden die Fragen offen gestellt. Bei der letzten antwortete sie auf die Frage der Jury deshalb »B«.

Die Jury goutierte es jedoch als klugen Scherz.

Nur Hollander nicht.

Der praktische Teil sah vor, dass Anne zu einem kompletten Menü Weine auswählen musste, und zwar aus den vorher von der Jury festgelegten Weinen im Klimaschrank hinter sich. Sie musste auch servieren, die Gerichte erklären, ihre Weinauswahl darlegen und auf Rückfragen reagieren.

Die Gänge waren verdammt schwierig. Die krossen Gyoza-Teigtaschen mit Livar-Schweinefleisch wurden von einer extrem scharfen Reduktion begleitet, zum Wolfsbarsch gab es eine helle Sushi-Sauce mit viel Säure, und das Dessert schließlich bestand aus einem heißen Schokoladentörtchen, einem eiskalten Basilikumsorbet sowie einem Himbeer-Espuma.

Anne wusste, dass sie nicht lange überlegen durfte. Als drittes wählte sie einen Sekt aus, der etwas mehr Restsüße aufwies. Die Jury sah genau hin, wie souverän Anne die Flasche öffnete. Alle Details mussten stimmen. Vom Zeigen des Etiketts vor dem Gast über das Lösen des Drahtgeflechts am Halsende, das sanfte Herausgleitenlassen des Korkens bis zum Einschenken in die Gläser. Und dabei immer freundlich lächeln. Wie eine Eiskunstläuferin bei der Kür.

Die den dreifachen Rittberger nun stand.

Alles war gelungen, und nun schenkte sie genau die richtige Menge in die Flöten ein. Übermäßig generös zu sein, würde dazu führen, dass man vom Duft des Sekts nichts mitbekam.

»Ein ganz wunderbarer Sekt, der einen den Devon-Schiefer, auf dem er wuchs, schmecken lässt. Deutsche Sekte stehen Champagnern in nichts nach.«

»Nur nicht übertreiben«, sagte Hollander. »Sonst werden Sie unglaubwürdig.« Der Gast-Juror lehnte sich vor. »Sie als Champagner-Expertin können mir doch sicher die drei Rebsorten der Region nennen.«

Ein Kinderspiel!

»Die drei bekanntesten und wichtigsten sind Chardonnay, Pinot Noir und Meunier, der früher fälschlicherweise Pinot Meunier genannt wurde, obwohl er nicht zur Burgunderfamilie gehört. Meunier bedeutet Müller, weswegen die Rebe früher in Deutschland auch als Müllerrebe bekannt war, heute jedoch als Schwarzriesling.«

»Können Sie uns noch eine weitere Burgundertraube nennen?«

»Den Frühburgunder, der vor allem an der Ahr angebaut wird. Aber auch im fränkischen Bürgstadt gilt er als lokale Spezialität.«

Hollander nickte – und lächelte erstmals. Sichtlich erfreut über dieses Wissen zu deutschen Weinbaugebieten. »Kennen Sie vielleicht noch eine Rebe der Burgunderfamilie?«

Sie wusste die Antwort.

Hatte sie immer gewusst.

Seit ihrem ersten Tag im Champagne Supernova, als Herbert Schönberner ihr einen Wein der Rebsorte eingeschenkt hatte, von einem badischen Weingut.

Es war …

Ihr Kopf war leer gefegt.

Sie konnte das Vakuum als Druck an der Innenseite ihres Schädels spüren. Ihr Mund lächelte weiter, doch das Herz schlug in Panik. Anne hustete, wofür sie sich von der Jury abwenden musste. Dadurch konnte sie hilfesuchend zu den Besuchern blicken.

Wo plötzlich Marc stand. Am Sonntagmorgen ihres Campingausflugs hatte sie sich volle drei Stunden von ihm abfragen lassen. Kein einziges Mal hatte er gemurrt, sondern die ganze Zeit glücklich gewirkt, ihr helfen zu können.

Als sie ihm in die Augen blickte, hielt er drei Finger hoch, dann einen und formte mit dem Mund ein großes, erstauntes »Oh!«.

Was sollte das? Es war nicht der Moment für Quatsch! Sie verkackte gerade die Deutsche Meisterschaft!

Um Zeit zu gewinnen, hustete Anne weiter. Sie ließ es leicht bronchial werden. Wenn sie noch mehr Zeit bräuchte, würde sie einen Klumpen Lunge ausspeien müssen.

Marc hielt zwei Finger hoch und kreuzte die Arme schräg über der Brust. Nachdem er drei Finger gezückt hatte, holte er ein Blatt Papier aus seiner Goretex-Jacke, riss schnell einige Stücke heraus und setzte sich das so Gebastelte auf den Kopf. Eine Krone? Doch Marc deutete auf sich. Es ging um ihn. Wer trug Kronen? Könige.

Was sollte das alles? Marc war nicht der Typ, der einfach Blödsinn machte. Er würde in solch einer Situation …

Anne jauchzte innerlich vor Freude, als ihr klar wurde, was Marc tat. Es war ein Bilderrätsel!

Das erste Wort war »O«, das zweite »X«, das dritte »König«. Aber O-X-König war kein Name einer Rebsorte. Allerdings waren die Burgunder eine französische Rebfamilie, also würde der Name auch französisch sein. O-X-Le Roi?

Gab es nicht.

Aber etwas anderes!

Anne konnte endlich aufhören zu husten und sich wieder umdrehen.

»Auxerrois natürlich, eine Spezialität, die man fast nur in Deutschland, dem Elsass und Luxemburg findet. Weltweit stehen weniger als dreitausend Hektar im Ertrag. Zu diesem Essen würde ich ihn jedoch nicht empfehlen.«

Hollander nickte. »Danke, Frau Päffgen. Das wäre dann alles. Nur eine Sache noch.«

»Ja?« Was kam denn jetzt noch? Womit würde es ihr der blöde Ochse von Hollander nun so richtig geben?

»Sie müssen wirklich etwas gegen diesen Husten unternehmen. Ich hatte das auch mal und weiß, wie unangenehm es sein kann.«

Anne war baff, fing sich aber schnell wieder. »Danke, das ist sehr freundlich von Ihnen. Dann bleibt mir nur noch, Ihnen weiterhin einen schönen Nachmittag hier in der Hanse-Stube zu wünschen. Es war mir eine wirkliche Freude.«

Damit verließ sie Richard Hollander, Günther Jauch und die schlimmste Prüfung ihres Lebens. Sie war durch. Sie war wirklich durch! Und dank Marc ohne einen einzigen Fehler. Anne wäre am liebsten wie Hans Rosenthal steil in die Luft gesprungen, doch sie musste ihre Freude unterdrücken. Aber ihr Grinsen hatte die Energie von zehn Rosenthal-Sprüngen.

Sie blickte zu den Zuschauern, um Marc ein dankbares Lächeln zu schenken.

Und einen Kuss zuzuwerfen.

Doch so sehr ihre Augen ihn auch suchten, er war bereits fort.

Am Abend regnete es so sehr in der Eifel, dass man das Radioteleskop trotz seines Hundert-Meter-Umfangs kaum erkennen konnte. Der Regen bildete durchgängige Striche, und die Striche bildeten eine Wand aus Wasser. Anne musste nur wenige Schritte zu Fuß zum Verwaltungsgebäude gehen, doch in den paar Sekunden wurde sie bis auf die Unterwäsche durchnässt. Es war lauwarmer Sommerregen, aber eingeweicht war sie trotzdem.

Es wäre keine gute Idee, sich vor den Astronomen die klitschnassen Klamotten vom Leib zu reißen. Doch sie hatte Glück, am Eingang ging gerade Marc vorbei, sie sah ihn noch von hinten. Schnell trat sie durch die Glastür ein.

»Hey, Marc!« Er reagierte nicht. »Auxerrois-Retter!«

Er drehte sich um.

Doch es war nicht Marc.

Es war eine Frau Mitte dreißig, die von hinten genauso aussah wie Marc.

»Du musst Anne sein«, sagte sie.

»Ja, und du bist ... ?«

»Meine Herren, siehst du nass aus!«

Anne tropfte den Boden voll. »Bin in einen klitzekleinen Schauer geraten.«

Die Frau winkte sie zu sich. »Komm schnell mit in mein Büro, da hab ich immer einen Satz Reserveklamotten. Werden dir nur etwas zu groß sein.« Als Anne sie erreichte, streckte die Frau ihr die Hand entgegen. »Ich bin Henriette Range. Marcs Hinterkopfzwilling. Nenn mich Henny, tun alle.«

Anne schüttelte die Hand. »Anne. Und Klamotten, die zu groß ausfallen, sind mir lieber als solche, die zu eng sind.«

Auf dem Weg zu Hennys Büro konnte Anne durch eine

Glasfront erkennen, dass im Kontrollraum ausgelassen gefeiert wurde. Zumindest für Astronomen ausgelassen. Es gab Salzstangen und Sekt. »Was gibt es zu feiern?«

»Marc hat es als Projektleiter geschafft mittels des EHT, also des ›Event Horizon Telescope‹, eines Zusammenschlusses von Radioteleskopen rund um den Globus, die erste Aufnahme eines Schwarzen Lochs zu machen, die jemals erstellt wurde. Er ist nun ein internationaler Astronomie-Star. Also noch mehr, als er es vorher schon war.«

»Dürfte ich die Fotos mal sehen?«

Henny lachte. »In einem Vierteljahr vielleicht. Die Daten müssen erst ausgewertet werden. Als Astronom braucht man viel Geduld. Davon haben die Sterne schließlich auch reichlich.«

Anne stand nicht auf Slips mit Monden und Sternen drauf, aber hier im Observatorium fühlte sich das sehr angemessen an. Wahrscheinlich leuchteten die Himmelskörper im Dunkeln. Reizwäsche für Astronomen. Die übrige Reservekleidung bestand aus einer alten Jeans und einem schlabbrigen Ringelpullover in Schwarz-Gelb. Anne fühlte sich, als wäre sie kopfüber in den Altkleidersack gefallen.

»Steht dir gut«, sagte Henny.

Anne wusste nicht, ob es ein Scherz sein sollte. »Ähm, danke?«

»Komm, wir gehen in den Kontrollraum, kannst mitfeiern.«

Marc stand in einer Ecke umringt von Bewunderern, die ihn mit Fragen bombardierten. Sein Blick fand Anne, fand ihre Augen. Er zuckte entschuldigend mit den Schultern. Anne schenkte ihm ein verständnisvolles Lächeln – und wandte sich an Henny.

»Darf ich auch ein Glas Sekt?«

Henny schaute sie verwundert an, dann reichte sie ihr eines. »Zum Wohl!«

Anne trank und hätte den Inhalt fast ausgeprustet. Nicht, weil er widerlich schmeckte, sondern ganz anders als erwartet. Es war kein Sekt, sondern Apfelschorle.

»Ihr lasst es aber wirklich krachen!«

»Na ja, die meisten müssen heute noch arbeiten. Wir können aber auch richtig feiern.«

»Dann mit Kindercola?« Anne grinste.

»Nein, dann gibt es schon richtige Cola. Und auch mal ein Bier.«

»Ihr verrückten Hunde!« Sie stupste Henny mit dem Ellbogen in die Seite.

»Wir übertreiben es aber nie!«

Marc schaffte es endlich, sich loszureißen und zu ihr zu kommen. Anne schlang sofort die Arme um ihn und herzte ihn so sehr, dass Marc die Luft wegblieb.

»Wievielte bist du geworden?«, fragte er stockend.

Anne ließ ihn los. »Dritte, und damit fahre ich zur Europa-Meisterschaft!« Sie nahm ihr Glas Apfelschorle und stieß mit Marc an. »Das hab ich dir zu verdanken.«

»Nur dir selbst. Du wusstest alles über Auxerrois, da hatte sich nur was verhakt in deinem Kopf, und ich habe ein wenig gestupst. Freu mich so sehr für dich!«

Anne spürte, dass die Blicke vieler Anwesender auf ihr und Marc ruhten. »Können wir irgendwo ungestört miteinander reden?«

Marc schaute durch die große Fensterfront hinaus, der Regen hatte nachgelassen. »Magst du alte James-Bond-Filme?«

»Ja, wieso? Habt ihr hier einen Kinosaal?«

»Besser.«

Aus seinem Büro holte Marc einen Mantel für Anne, dazu einen gelben Schutzhelm, der das farbliche Desaster ihres Outfits komplettierte.

»Du siehst jetzt ein wenig aus wie Biene Maja.«

»Danke, die Aussage habe ich dringend gebraucht.«

»Es war als Kompliment gemeint!«

»Wenn du in Zukunft meinst, einer Frau ein Kompliment machen zu müssen …«

»Ja?«

»… lass es einfach.«

Marc beugte sich zu ihrem Ohr: »In einem unbekannten Land / Vor gar nicht allzu langer Zeit …«

Dann machte er sich schnell aus dem Staub.

Der Weg führte aus dem Gebäude zum Radioteleskop und auf dieses hinauf. Marcs Vorstellung eines Ortes, in dem man seine Ruhe hatte, bestand aus einem fensterlosen Raum mit metallenen Wänden, in dem brummende, pumpende Apparaturen wie auf einer Intensivstation standen. Und zwar so eng beieinander, dass man kaum Platz hatte, sich zu bewegen. Wie im Inneren eines U-Boots – oder in einem Szenenbild aus einem alten James-Bond-Film. Aber immerhin waren sie tatsächlich ungestört von anderen Menschen.

»Diesmal gehen wir lieber nicht raus«, erklärte Marc. »Ingmar würde mich sonst wieder verpetzen.«

»Wer ist Ingmar?«

»Jemand, über den sich nicht zu reden lohnt. Ganz herzlichen Glückwunsch!« Er holte aus seiner Jackentasche das Stück Papier heraus, das er als Krone benutzt hatte, und reichte es ihr »als Andenken«.

Anne strich sanft darüber. Es war wertvoller als ein Tausend-Euro-Schein. »Danke, das bedeutet mir echt viel. Verrätst du mir was?«

»Wenn ich kann.«

Anne setzte ihm die Krone auf. »Wo hattest du das Papier eigentlich so schnell her?«

»Es war ein Brief, den ich heute erhalten habe. Die Urkunde der Karl-Schwarzschild-Medaille.«

»Klingt total wichtig! Und das hast du für mich zerrissen?«

»Ist bloß Papier.«

Anne spürte, dass sie ihn küssen wollte, doch in diesem Moment wandte Marc sich ab und öffnete eine der beiden Türen, durch die man hinaus in das Weiß der Teleskopschüssel schauen konnte und darüber in den aufklarenden Nachthimmel.

»Schön, oder?«

»Ja, wirklich. Obwohl ich lieber …«

Marc ließ sie nicht zu Wort kommen. »Ich war echt froh, dass sie mich zur Sommeliermeisterschaft vorgelassen haben. Wollte unbedingt dabei sein und dich anfeuern.«

Anne stellte sich neben ihn und blickte nicht zum nachtschwarzen Himmel, sie blickte nur zu Marc. »Wie hast du das überhaupt geschafft? Eigentlich dürfen nur Mitglieder der Restaurants anwesend sein, in denen die Finalisten arbeiten.«

»Und Presse!«, sagte Marc und prüfte den Sitz seiner Brille. »Ich habe behauptet, ich käme von der SUW Heidelberg. Außerdem käme ich wegen des Wettbewerbs. Das war beides nicht gelogen, auch wenn es nichts miteinander zu tun hat. «

»Was bitte ist die SUW?«

»Die *Sterne und Weltraum* von *Spektrum der Wissenschaft*. Manchmal verfasse ich Artikel für die. Allerdings kürzt niemand sie SUW ab.«

»Das heißt, du hast nicht gelogen!« Anne grinste. Er war echt ein kluger Kopf. Sie hatte immer kluge Männer gemocht, das hatte sie attraktiver gefunden als den Bizeps-Umfang.

»Nein, tu ich nie.«

Sie schmiegte sich an ihn. Marc zuckte zusammen, doch Anne wich nicht zurück, sondern legte ihre Hand auf Marcs Schulter. »Warum bist du nicht geblieben?«

»Ich musste zurück ein Schwarzes Loch fotografieren.«

»Saublöde Ausrede. Schwarze Löcher kann man ja jeden Tag fotografieren.«

»Eigentlich …«

»Nur Spaß! Zeigst du mir, wo es ungefähr liegt?«

Marc streckte den Arm aus und wies mit dem Zeigefinger auf ein Sternbild, das vier Sterne in einer fast geraden Linie aufwies. »Zwischen dem zweiten und dritten Stern liegt es.«

Anne erinnerte sich an die Konstellation. »Das Sternbild hast du mir doch damals gezeigt, als wir Kinder waren. Warte, es ist der … Ritter.«

»Der Ritter mit dem Morgenstern«, korrigierte Marc sie.

»Und das da ist die Tante irgendwas.«

»Tante Änne.« Marc zeigte auf ein Sternbild daneben. »Kennst du das noch?«

»Ähm …«

»Musst den Kopf etwas schief legen.«

»Der Hund?«

»Der dicke Mops vor dem Ofen.«

»Marc, darf ich dich was fragen?«

»Und das da ist die ausgedrückte Zahnbürste. Direkt daneben der Vanillepudding.« Er grinste. »Für den Sternhaufen fiel mir einfach nichts Besseres ein. Außerdem hatte ich bei der Benennung echt Hunger.«

»Du hast dir die ganzen Namen ausgedacht?«

»Ich hab sie mir für dich ausgedacht. Wollte damals vor dir ein bisschen angeben.«

Anne wollte keine Sekunde mehr warten, keine Frage mehr stellen, sie packte sich Marc und küsste ihn so lange, bis sie Luftholen musste. Und dann küsste sie ihn gleich noch mal, so stürmisch, dass er gegen die Wand gedrückt wurde.

Nur dass es nicht die Wand war.

Es war der Not-Aus-Schalter.

Die Sirene schrillte, und das rote Deckenlicht blinkte.

»War das die Selbstzerstörung?«, fragte Anne, die unbedingt weiterküssen wollte.

»Nein, wir haben nur den ganzen Betrieb zum Erliegen gebracht. Gleich kommt jemand von der Technik und entsperrt den Alarm.«

»Peinlich.«

»Total«, sagte Marc und zog Anne näher zu sich.

Irgendwann hörten sie den Alarm nicht mehr, aber keiner von beiden hatte mitbekommen, wie ihn jemand direkt neben ihnen ausgeschaltet hatte.

Löwe (24. Juli – 23. August) Heute sind Sie besonders gefühlsbetont. Lassen Sie es zu! Vertrauen Sie Ihren Emotionen, Sie müssen nicht alles hinterfragen. Und lassen Sie sich Zeit. Sie werden überrascht sein – wenn Sie Glück haben, von sich selbst.

Kapitel 8

Ab ging die wilde Fahrt.

Wobei sie so überhaupt absolut ganz und gar nicht wild war.

Schon eine moderat schnelle Schnecke hätte sich auf dem Riesenrad der Deutzer Kirmes am Rhein gelangweilt. Die bunten Lichter spiegelten sich im Wasser des Stromes, während Marc eine rosa Zuckerwatte in der Hand hielt, die ihm Prian und Henny aufgedrängt hatten. Er kam sich etwas bescheuert vor, aber sie schmeckte wirklich gut.

»Das ist total nett von euch, mich wegen des Schwarzen Lochs hierher einzuladen.«

»Gern geschehen«, sagte Prian, eine Tüte gebrannte Mandeln essend.

»Es ging uns zentral um das Riesenrad«, ergänzte Henny, die sich an der Bude »Süße Träume – Zuckerwaren« für einen Paradiesapfel entschieden hatte.

»Mögt ihr das Riesenrad so gerne? Ich hatte bisher nur von Achterbahn-Fans gehört, die in alle möglichen Parks reisen, um auf denen zu fahren.«

Henny legte ihre Hand beruhigend auf Marcs Bein. »Du kannst hier nicht weg.«

»Wir haben drei Runden, in denen du uns zuhören musst«, ergänzte Prian.

»Finger in die Ohren stecken geht nicht, weil du Zuckerwatte in der Hand hältst. Und du würdest nie ein Lebensmittel wegwerfen.« Henny biss in den Paradiesapfel und nickte Prian zu, damit dieser ihren Plan weiter ausführte.

»Laut singen geht nicht, weil dir das in der Nähe fremder Menschen unangenehm ist.«

»Du wirst uns also zuhören müssen«, konstatierte Henny.

»Und antworten, wenn wir nicht schaukeln sollen.«

»Das würdet ihr nicht wa–«

Prian und Henny schaukelten.

»Ihr seid echte Charakterschweine!«

»Nein, wir sind die Judäische Volksfront!«, sagte Prian.

Für das Filmzitat wurde er von Henny über Marc hinweg geschubst. »In erster Linie sind wir deine besten Freunde. Deswegen müssen wir auch mit dir reden.«

Sie näherten sich dem höchsten Punkt des Riesenrades. »Es geht um Anne«, sagte Henny.

»Eine sehr nette Frau, wir mögen sie«, ergänzte Prian.

»Na, da habe ich ja Glück gehabt. War's das jetzt?« Marc bekam in Gondeln Höhenangst. Flugzeuge waren kein Problem, aber Gondeln hatten etwas sehr Schwerkraftiges.

»Du wolltest für sie einen Freund finden, den perfekten«, sagte Henny.

»Und hast dich selbst gefunden. Bist du der perfekte?«, fragte Prian.

Henny drehte ihren Paradiesapfel. »Sei ehrlich!«

»Nein, bin ich nicht. Aber vielleicht bin ich der Richtige.«

»Das ist sicher nicht das Ergebnis deines Algorithmus.« In Prians Stimme klang Ärger mit.

»Ach, vergesst doch mal für einen Augenblick die Algorithmen.«

»Und das von dir...« In Prians Stimme klang jetzt noch mehr Ärger mit.

»Hörst du dir eigentlich selbst zu, Herr Wissenschaftler?«, fragte Henny.

»Was stört es euch, wenn Anne und ich zusammen sind? Ihr solltet euch für mich freuen, das tun Freunde nämlich.«

»Würden wir normalerweise. Auch über dich und Anne. Gerade über dich und Anne. Aber es gibt da ja etwas Besonderes. Einen großen Elefanten im Raum, über den wir bisher nicht gesprochen haben. Prian, du wolltest die Frage stellen.«

»Weiß sie, dass du nach Chile gehst?«

Marc schwieg.

»Ich wusste es!« Henny schlug sich so fest aufs Knie, dass die Gondel schaukelte. »Du musst es ihr sagen! Du musst ihr eine Chance geben, sich zu schützen.«

Marc schaffte es erst wieder zu sprechen, als die Gondel nicht mehr schaukelte. »Als Sommelière kann man auch in Chile arbeiten. Die Hälfte der Zeit bin ich eh in Santiago, da wird sich sicher ein Restaurant finden. Viele Paare ziehen woanders hin!«

»Marc...« Henny sah ihn an, doch Marc blickte fort.

»Lass das mit Anne und mir doch erst mal wachsen! Dürfen wir es nicht genießen? Muss direkt irgendwo ein Riesenproblem sein? Chile ist kein anderer Planet, verdammt noch mal!«

»Nur die andere Seite von diesem hier«, sagte Prian.

Marc sprach nicht gern über seine Gefühle. Es kam ihm vor, als würde er sich vor anderen ausziehen und tanzen müssen. »Okay, hört mir zu. Wir reden immer von Sternen da draußen. Vom Glitzern. Von der Schönheit...«

»Er ist total verliebt«, sagte Prian. »Das hab ich schon gemerkt, als Darth Vader und ich den Wolf gegeben haben. Da hat er sie total verliebt angeguckt. Obwohl er wütend auf mich war.«

»Red nicht weiter, Marc, bevor du Dinge sagst, die du irgendwann bereust.« Henny legte wieder die Hand auf sein Bein.

»Sie ist die Liebe meines Lebens.«

»Da, und schon ist es passiert!« Henny nahm die Hand wieder fort und biss großflächig in den Apfel.

»Ist aber so, war sie immer, schon seit unserer Kindheit. Und hört auf zu schaukeln, ich antworte doch!«

»Wir bewegen uns eben beim Reden, wir sind Rheinländer«, sagte Henny und schaukelte zu Demonstrationszwecken extra doll.

Marc versuchte, den Horizont zu fixieren, damit ihm nicht schlecht wurde. Alter Seemannstrick. Funktionierte hoffentlich auch auf Riesenrädern. »Ich hab schon als Kind die Sterne geliebt, und ich hab Anne geliebt.«

»In der Reihenfolge?«, hakte Prian nach.

»Was? Wieso Reihenfolge?«

»Weil es genau darum geht. Ganz genau darum.«

»Schwachsinn!«

»Es geht nicht beides!«, sagte Prian.

»Wer sagt das?« Marc sah sie an. »Ich verstehe, dass ihr euch Sorgen macht, um Anne, und auch um mich. Obwohl ihr das nicht gesagt habt.«

»Das ist ja sowieso klar«, erwiderte Prian.

»Du bist unser Freund und uns sehr wichtig.« Henny strich ihm über die Wange.

»Ist wirklich lieb von euch. Und natürlich kann das mit Anne und mir schiefgehen. Ich wollte das ja auch nicht. Obwohl …« Marc hielt inne und vergaß für einen Moment das Schaukeln, vergaß seine Angst. »Vielleicht wollte ich es die ganze Zeit? Vielleicht habe ich den Algorithmus unterbewusst falsch programmiert? Vielleicht habe ich unterbewusst Dinge übersehen, weil ich nicht nur der Liebesbote sein wollte, sondern der, den der Pfeil trifft? Und der Pfeil war sehr groß und ist mitten durchs Herz gegangen.«

»Was für eine voll eklige Beschreibung«, sagte Prian. »Klingt wie ein Splatter-Movie.«

»Sei vorsichtig mit ihr, ja? Und mit dir selbst auch«, sagte Henny.

»Ich will bei meinen Gefühlen nicht die Handbremse angezogen lassen«, antwortete Marc. »Denn das wäre etwas, das Anne nicht verdient hat.«

Die dritte Runde war zu Ende. Die Stimme des Riesenrad-DJs vermeldete: »Alles aussteigen!«

»Und jetzt zeigst du uns endlich deinen Edward mit den Scherenhänden«, sagte Henny.

»Außerdem wollen wir die kleine Göttin wiedersehen. Seit sie seltener in Effelsberg ist, haben wir nämlich alle zugenommen!«

Fünf Tage später stellte sich Marc abends in Annes Wohnung mit einem Seidenschal hinter sie.

»Ist die Augenbinde wirklich nötig?«

»Wahlweise kann ich dich auch mit Chloroform ausknocken. Hab alles dabei.«

»Ich finde, die Augenbinde ist eine super Idee!« Anne drehte sich zu Marc, denn sie hatte die schwierige Frage für sich beantwortet, wann man sich beim zweiten Date küsste, wenn man es beim letzten erstmals getan hatte. Zur Begrüßung? Erst zum Abschied? Wenn einem danach war? Jetzt? Anne hatte sich für Letzteres entschieden.

Vom Moment an, da die Wohnungstür aufging.

»Aber erst küssen, sonst gehe ich keinen Schritt!«

Marcs Lippen legten sich wie warmer Samt auf ihre. Mit verbundenen Augen fühlte es sich ein wenig wie Fifty Shades of Marc an.

»Jetzt bin ich bereit«, sagte Anne danach. »Aber wir müssen das heute noch ein paar Mal machen, okay?«

»Habe ich in meinen Zeitplan schon einkalkuliert.«

Anne lachte, obwohl sie sich sicher war, dass Marc es vollkommen ernst meinte.

Mit verbundenen Augen zu gehen, war, wie auf einem Drahtseil zu balancieren. Annes Füße wollten sich nicht bewegen, so als drohe mit dem nächsten Schritt der Sturz. Die Treppe war das Schlimmste, und das Einsteigen in den Wagen das Komplizierteste. Plötzlich umfasste Marc ihr Handgelenk, und sie spürte dort etwas Kühles. Handschellen?

»Was machst du da?«

»Du bekommst eine neue Uhr.«

»Dir ist schon klar, dass die Sache immer merkwürdiger wird?«

»Ja.«

»Versprichst du mir, dass du kein psychotischer Serienkiller bist?«

Marc atmete schwer. »Versprochen.«

»Du hast einen Augenblick gezögert!«

»Weil ich noch mal schauen musste, wie der Wagen gezündet wird.«

»Gehe ich recht in der Annahme, dass es nicht dein Wagen ist?«

»Stellst du jetzt die ganze Fahrt über Fragen?«

»Kommt darauf an, was noch so passiert.«

Als Nächstes röhrte erst mal der Motor auf – so wie Marcs Fiat Multipla es nie tat. Es klang, als säßen sie in einem Formel-1-Wagen.

»Marc?«

»Hm?«

»Mag ich das, was heute passiert?«

»Henny meinte, es wäre zwar eine total spinnerte Idee, aber du wärst genau der Typ Frau, der so etwas zu schätzen weiß.«

»Welcher Typ Frau bin ich denn bitte?«

»Lehn dich zurück und genieß die Fahrt.« Marc stellte die Musik an. Ein Mixtape mit Titeln aus ihrer Jugend. Sie gaben Anne das Gefühl, alles sei in Ordnung. Sogar wenn sie von Rage Against The Machine stammten und das Schlagzeug wie Maschinengewehrsalven ratterte.

Sie fuhren gute zwanzig Minuten, in denen Anne immer wieder fragte, was gleich passiere, und Marc immer wieder darauf beharrte, dass er dies nicht sagen würde. Dann hielt er plötzlich.

»Ampel?«, fragte Anne.

»Nein, wir sind da.«

»Darf ich jetzt aussteigen?«

»Erst mal die Augenbinde abnehmen. Warte...«

Obwohl es schon Nacht war und nur wenig Licht in ihre Augen fiel, tränten sie davon, und es dauerte etwas, bis sie Farben und Konturen klar erkennen konnte.

Sie befand sich in einem Wagen, dessen Inneres wie das Cockpit einer Rakete aussah.

Einer lederbezogenen Rakete.

Obwohl sie noch nie in einem solchen Gefährt gesessen hatte, kam es ihr merkwürdig bekannt vor. »Das sieht aus, wie ein... ist das ein?« Anne war so aufgeregt, dass ihr ganzer Körper kribbelte. »Ich muss ihn von außen sehen!« Wo war nur der Türgriff?

»Du musst da rechts drücken.«

Die Flügeltür glitt sanft nach oben, Anne schnallte sich ab und schälte sich aus dem Sportsitz. Als sie draußen stand und die Edelstahlkarosse sah, dieses extrem flache und keilförmige Geschoss, da musste sie spontan lachen und hielt sich dann ungläubig die Hand vor den Mund.

»Ich hab noch nie einen in echt gesehen. Ist das wirklich ein DeLorean?«

»Ja, ein DMC-12.«

»Wie im Film?«

»Der nordirische Autobauer hat nur ein einziges Modell auf den Markt gebracht.«

Die metallene Oberfläche glänzte im Licht der Straßenlaternen. Er sah aus, als käme er direkt aus der Zukunft.

»Ich hatte vor Kurzem noch …« Anne brach ab, bevor sie Marc und sich selbst an die schiefgegangene Zeitreise mit Dirk erinnerte, bei der sie ihm zu einem DeLorean geraten hatte. Sie drückte die Erinnerung in eine dunkle Ecke ihres Kopfes. »Wo hast du den nur her?«

»In Holland ausgeliehen, da gibt es einen Vermieter dafür.«

»In Holland? Bist du verrückt? Das muss doch ein Heidengeld gekostet haben?«

»Gefällt es dir?«

»Ja, natürlich!« Sie fiel ihm um den Hals. »Danke, danke, danke! Und jetzt machen wir eine Spritztour ins Jahr 1955!«

»Schau auf deine neue Casio!« Marc wies auf die Digitaluhr an Annes Handgelenk. Laut Anzeige war sie zurück in den Neunzigern. Dies war der Tag ihres Abiturballs. Wenn die Uhrzeit stimmte, würde sie gleich dorthin fahren. »Du hast gesagt, wenn du die Zeit zurückdrehen könntest, dann an den Tag deines Abiturballs. Herzlich willkommen zurück!«

Anne sah sich um, als sei sie tatsächlich in der Zeit zurückgereist. Erst jetzt wurde ihr bewusst, dass sie vor ihrem Elternhaus stand.

»Deine Mutter wartet drinnen mit deinem Ballkleid. Sie meint, es müsste dir noch passen.«

Anne grinste. »Wenn sie was anderes gesagt hätte, wären ihre Weihnachtsgeschenke dieses Jahr auch gestrichen worden.«

Hinter dem Küchenfenster linste ihre Mutter durch den Vorhang. Als Anne zu ihr blickte, winkte sie freudig.

»Mach schnell«, sagte Marc. »Der Abiball fängt gleich an!«

Nach einer kurzen, herzlichen Umarmung reichte ihre Mutter Anne das Kleid. »Zieh dich am besten in deinem Kinderzimmer um, so wie damals. Ich bin ja so aufgeregt!«

Die Sachen passten tatsächlich noch, auch wenn sie an anderen Stellen als früher zwickten. Anne hatte sich damals für ein schwarzes Cocktailkleid entschieden, das erste kleine Schwarze ihres Lebens, zu dem sie, ganz rebellischer Teenager, Converse Sneakers mit selbst aufgesprühtem Glitzer getragen hatte. Das Kleid roch sogar noch so wie damals, da ihre Mutter seit Jahrzehnten das gleiche Waschmittel benutzte.

Als sie wieder in den DeLorean einstieg, fühlte sie sich ein bisschen wie achtzehn.

»Los geht's«, sagte Marc und startete den Motor.

»Spielst du die Musik aus *Zurück in die Zukunft*? Bitte!«

»Das wollte ich mir eigentlich für die Rückfahrt aufsparen, aber der DJ nimmt heute Wünsche entgegen.«

Kurze Zeit später erklang Huey Lewis' *The Power of Love*.

Die Fahrt zu ihrem alten Gymnasium dauerte nicht lang, doch lange genug, um viele Erinnerungen wieder hochkommen zu lassen. Damals war sie mit Torsten Hähnel zum Abiball gegangen, der sich als echter Reinfall erwiesen hatte. Während die anderen miteinander knutschten, hatte er sich mit seinen Kumpels volllaufen lassen und war neben seiner Kotze im Lehrerklo eingepennt.

Hoffentlich würde Marc diesen Punkt bei der Zeitreise überspringen.

Sie war damals so von dem Gefühl durchdrungen gewesen, dass nun endlich das richtige Leben starten würde, befreit von den Fesseln der Schule und denen des Elternhauses. Es war eine Schwerelosigkeit wie nie zuvor. Und nie danach. Als hätte sie von einem Trampolin abgehoben, und es ging immer nur nach oben. Das Jurastudium würde sie schmeißen, sobald sich eine gute Gelegenheit bot, und dann das Leben genießen. In großen Schlucken, genau wie Champagner. Weil es erst dann richtig schmeckte! Die Zukunft war damals etwas, über das man nicht nachdachte, nur das hier und jetzt hatte gezählt. Nun kam es ihr vor, als sei die Zukunft vorbei. Viele Türen, die damals offen gestanden hatten, waren nun verschlossen.

»Warum seufzt du so?«, fragte Marc.

»Ach, nichts. Ich freu mich nur so, hier mit dir zu sein.«

»Dann ist gut«, sagte Marc und fuhr auf den Parkplatz des Albert-Schweitzer-Gymnasiums, wo sie der Hausmeister erwartete. Marc hatte sogar Kölsch und eine Erdbeerbowle bereitgestellt, die damals beim Abiball wild durcheinandergetrunken worden waren. Stilecht in Plastikbechern; mit Glas zu hantieren, hatte die Direktorin der verrufenen Stufe nicht zugetraut.

Die Aula kam Anne viel kleiner vor als zu ihrer Schulzeit, die grüne Farbe an den Wänden war leicht verblichen, dafür hingen neue Scheinwerfer über der Bühne. Dort hatte sie bei der Schulaufführung des *Zauberers von Oz* einen Pilz gespielt. Wenig Text, aber ein großartiges Kostüm und eine Tanzeinlage, die fast nur aus Drehen bestand. Pilze waren schließlich nicht als Bewegungswunder bekannt.

Marc hatte einen Beamer in der Mitte der Aula aufbauen lassen, der nun einen Film auf die neue Leinwand projizierte, die aus der Decke heruntergelassen worden war. Er war zusammengestellt aus diversen Videos, die während des Balls gedreht worden waren. Die Jungs ihrer Stufe sangen a cappella *Mein kleiner grüner Kaktus,* der männliche Teil des Lehrerkollegs tanzte in Kleidchen *Schwanensee,* das Stufensprecherteam führte einen Sketch auf, der eine Unterrichtsstunde im Jahr 2050 darstellte. Natürlich spielte Johanna Wilms die Hauptrolle, blendend frisiert, in den angesagtesten Klamotten.

Und natürlich tat sie dies total schlecht!

Weswegen sie heute auch Soap-Star bei RTL war.

Anne lachte auf, als sie sich selbst auf der Leinwand erblickte, wie sie linkisch versuchte, mit dem Rhythmus-Legastheniker Torsten Hähnel einen Walzer hinzubekommen. Als kurz danach ihr saublöder Mathelehrer Triefenbruck auf der Leinwand erschien, durch den sie in die Nachprüfung musste, pfiff sie ihn aus. Triefenbruck hatte sie auf dem Kieker gehabt, seit er sie beim Pfuschen während einer Klausur erwischt hatte. Dabei waren die auf die Handinnenfläche geschriebenen Spickereien wegen Angstschweiß total verschwommen und nutzlos gewesen.

Ein Videoclip zeigte einen Rundgang, den die beiden Halbstarken der Stufe, Sebastian und Hagen, während des Balls kichernd unternommen hatten. Sie trauten sich mutig ins Mädchenklo, wo sie saublöde Witze rissen, beschmierten das offizielle Schulemblem mit Lippenstift und rannten wie die Irren über den leeren Pausenhof, auf dem Anne ihr Pausenbrot immer mit Elke Hollensteiner gegen Gummibärchen getauscht hatte. Die Filmer erwischten Annes Tanzpartner Torsten beim Kiffen in den Büschen – und beim Petting mit Gummibärchen-Elke.

Das hatte sie gar nicht gewusst.

Erklärte einiges.

Der Film war zu Ende. Marc drückte auf sein Handy, und die Musik der damaligen Schulband Bake That Cake ertönte. Klang damals viel besser. Und der Sänger mit dem Hut hatte in ihrer Erinnerung die meisten Töne sogar getroffen. Als das Lied endete, klatschte Anne trotzdem Applaus.

»Und was kommt jetzt?«, fragte sie und trank etwas von der Bowle, die unglaublich süß schmeckte. Damals hatte sie gedacht, es könne auf der Welt nichts Leckereres geben.

»Nach dem Abiball folgte die Übernachtung mit Schlafsäcken in der Turnhalle.«

»Au ja, stimmt, da hab ich kein Auge zubekommen.«

»Später hieß es, du hättest deine Jungfräulichkeit im Mattenlager verloren.«

Anne prustete die Bowle aus. »Echt?«

Marc nickte.

»Für die Entjungferung war es da schon längst zu spät. Aber ich hab mich nachts davongestohlen, um mit meinen Freundinnen in der Mädchenumkleide selbst gebackene Haschkekse zu essen. Hab natürlich nichts gespürt. Wahrscheinlich war viel zu wenig drin. Oder es war zu alt.«

»Hasch habe ich keins dabei, aber zwei Schlafsäcke in der Turnhalle.«

Anne nahm Marcs Hand. »Die sind mir gerade auch viel lieber als Hasch!«

Sie kannte den Weg noch, natürlich, und selbst wenn sie ihn vergessen hätte, der Geruch jahrzehntelangen Teenager-Schweißes hätte sie hingeführt. Die Umkleiden rochen wie Pumakäfige.

In der kleineren der beiden Turnhallen lagen die Schlafsäcke auf blauen Turnmatten, daneben zwei Taschenlampen und eine Flasche stilles Wasser. Marc hatte an alles gedacht, es war fast wie im Hotel.

Anne hielt unter dem Basketballkorb inne und wandte sich an ihn.

»Warum hast du das alles gemacht? Es ist wundervoll, versteh mich nicht falsch! Aber ich frag mich das halt. Du hast es sicher nicht gemacht, um mich rumzukriegen. Der Typ bist du nicht, und ehrlich gesagt müsstest du dich dafür kein bisschen anstrengen. « Sie knuffte ihn. »Wären wir verheiratet, würde ich denken: Entweder habe ich einen runden Geburtstag, oder er hat mich mit meiner besten Freundin betrogen.«

»Ich muss dir was sagen.« Marc nahm ihre Hände.

»Du bist verheiratet, hast drei Kinder und heißt eigentlich Heinz-Hubert Bratwurst?«

»Nein.«

»Mit allem anderen komme ich klar.«

»Ich werde Effelsberg bald für einen besseren Job verlassen.« Er sagte es mit Grabesstimme.

»Klingt doch toll. Stimmt was nicht mit der neuen Stelle?«

»Der Arbeitsplatz.«

»Wieso der Arbeitsplatz?«

»Er liegt in Chile. In der Atacama-Wüste. Wo ich vor Kurzem war. Und es sind nur noch wenige Monate, bis ich hinziehen muss. Dann werde ich Jahre dortbleiben, vielleicht Jahrzehnte. Ein neues Leben.«

Anne ließ Marcs Hände los und begann, auf ihrer Unterlippe zu kauen.

»Es tut mir echt leid.«

»Dir muss nichts leidtun.«

»Du könntest dort als Sommelière –«

Sie unterbrach ihn. »Fährst du mich nach Hause? Ich muss nachdenken, ja?«

»Jetzt sofort?«

»Ja, bitte.« Anne berührte sanft seinen Arm.

»Darf ich noch etwas erklä–?«

»Nein, ist nicht nötig. Gib mir einfach etwas Zeit.« Sie kramte alles Lächeln, was sie noch in sich trug, hervor und leitete es in ihre Lippen. Doch zu viel Traurigkeit hing daran wie Blei.

»Fahr mich zurück in die Zukunft. Denn da gehöre ich hin.«

Marc blickte an die Wände, wo die Ausdrucke mit den Informationen über Anne und die Anforderungen an ihren perfekten Partner gehangen hatten. All die Zeitlinien, Hobby-Listen, psychologischen Kategorien und algorithmischen Bewertungen hatte er abgerissen. Sie lagen zerknüllt auf dem Boden. Nichts erinnerte in der nächtlichen Wohnung mehr an seine wochenlangen Versuche, Anne glücklich zu machen.

Anne, die sich seit vier Tagen nicht gemeldet hatte und auf seine Anfragen nur mit einem »Gib mir noch mehr Zeit« reagierte. Henny hatte ihm geraten, nicht mehr nachzufragen, Anne nicht unter Druck zu setzen, sondern ihr Luft zu lassen. Doch es fiel ihm unfassbar schwer. Einstein hatte recht: Die Zeit war relativ. Und gerade dehnte sie sich ins Unendliche.

Doch die Wände des Wohnzimmers waren nicht leer. Zwölf DIN-A4-Seiten hingen nun dort. Marcs Lebenshoroskop, Annes Lebenshoroskop und dazwischen ihr Partnerhoroskop. Sie waren exakt berechnet, mit den genauen Uhrzeiten der Geburt, bei einer Internet-Koryphäe, die viel dafür verlangt hatte.

Außerdem waren sie völliger Schwachsinn.

Seine Algorithmen behaupteten, dass er und Anne nur zu zwölf Prozent zueinander passten. Das Partnerhoroskop dagegen war der Meinung, sie seien ein absolutes Traumpaar, das eine harmonische Beziehung führen könnte, die niemals langweilig würde und darüber hinaus mit einem fantastischen Sexualleben gesegnet wäre. Selbst ihre Sternzeichenfarben stimmten überein.

Wobei er sich nie besonders zu Türkis hingezogen gefühlt hatte.

Marc setzte sich an seinen Rechner, öffnete den Ordner »Anne – perfekter Partner« mit allen Unterlagen und Programmen, an denen er Hunderte Stunden gearbeitet hatte, und löschte ihn. Komplett. Dann wechselte er zum Papierkorb und löschte auch diesen. Dann ging er in seinen lokalen Backup und löschte die Daten auch dort. Nur auf seinem PC in Effelsberg existierten nun noch Daten, die er vernichten musste.

Am oberen rechten Rand des Monitors hing der von ihm nachdesignte Interrail-Pass aus dem Jahr von Annes Abitur. Er hatte ihn ihr in der Turnhalle schenken wollen – Anne hätte ihn gegen eine gemeinsame Reise durch Europa eintauschen können.

Als die kleine Göttin auf seinen Schoß sprang, sah er sie verwundert an.

»Ich hab doch gar keinen Hunger.«

Ihre dunklen Augen sahen noch klüger und geheimnisvoller aus als ohnehin schon. Die zierliche, orientalische Katze hatte die Eigenschaft, ihn mit ihrem Blick intensiv zu fixieren. So brachte sie Menschen dazu, sich ihr anzuvertrauen.

»Meinst du, ich hätte es Anne nicht sagen sollen?«, fragte Marc. »Ich weiß, diese Diskussion hatten wir jetzt schon ein paarmal, aber wir sind nie zu einem richtigen Ergebnis gekommen.«

Ihr Blick haftete wie Pattex an seinen Augen.

»Henny und Prian waren sich einig, dass es das Richtige ist, das Ehrlichste, das Fairste. Und all das will ich sein, immer, aber ganz besonders zu ihr. Aber vielleicht wäre es klüger gewesen, die Beziehung erst wachsen zu lassen und es ihr dann zu sagen, wenn sie überhaupt erst absehen, abfühlen kann, was sie für mich empfindet? Allerdings wäre eine Trennung dann schmerzhafter gewesen als jetzt.«

Ihr Blick haftete immer noch wie Pattex an seinen Augen.

»Ja, du hast recht, es ist jetzt schon verdammt schmerzhaft. Und dass Anne nicht antwortet, zeigt, dass es sie auch beschäftigt, dass es nicht leicht für sie ist. Was ja zeigt, dass sie etwas für mich empfindet, oder?«

Sie leckte sich die Füße.

Vielleicht sollte er lieber mit dem Hummer reden.

»Das mit Chile ist eine Chance, wie sie nur einmal im Leben kommt. Ein wissenschaftlicher Hauptgewinn, ein Jackpot. Nur eine Reise zum Mars wäre noch großartiger, aber dafür sind die Chancen astronomisch gering.« Er musste über seinen Scherz lächeln. »Natürlich habe ich mich dafür auch beworben, jeder Astronom, der etwas auf sich hält, hat sich beworben. In Effelsberg haben wir die Bewerbungen sogar gemeinsam ausgefüllt. Bis auf Ingmar, der hat es für sich allein gemacht. Er ist schlecht für die Stimmung. Du kennst ihn.«

Die kleine Göttin leckte sich ausgiebig den Po.

»Genau, er ist der Arsch, der dir immer nur Stückchen von dem Käse auf seinem Brötchen abgibt.«

Marc nahm das Interrail-Ticket zur Hand. »Was ist, wenn sich so eine Chance wie mit Anne auch nur einmal im Leben bietet? Natürlich gibt es auch andere Frauen, die mich intelligent und attraktiv finden, aber …«

Die kleine Göttin stoppte die Körperpflege und sah ihn fragend an, das Köpfchen zur Seite geneigt.

»Du musst gar nicht so gucken! Was weißt du schon über die Attraktivität der Spezies Mensch, du hageres Ding?«

Die kleine Göttin leckte sich an ihrem rechten Vorderfuß und spreizte dabei die Zehen. Marc strich ihr sanft über den Rücken.

»Entschuldige, ich wollte nicht beleidigend sein. Du bist genau richtig so! Ich wollte nur sagen, dass ich keine schlechte Partie bin. Aber Anne ist etwas ganz Besonderes! Ich bin schon so lange in sie verliebt.« Marc merkte, wie seine Augen feucht wurden. Das musste wieder diese merkwürdige allergische Reaktion sein. Es galt, zeitnah herauszufinden, auf welches Erblühen er so reagierte.

»Ja, da gab es Brigitte Szymanski«, fuhr er fort. »Und ich habe ganz sicher viel für sie gefühlt, aber das mit Anne geht viel tiefer und länger. Und es ist immer weiter gewachsen, wobei ich nie dachte, dass es einmal sprießen würde, um im Bild zu bleiben.«

Die kleine Göttin rollte sich ein und benutzte ihren Schwanz als Decke.

»Stimmt, auch das mit Anne ist eine Chance, wie man sie nur einmal im Leben bekommt. Es sind also zwei Chancen, die man nur einmal im Leben bekommt, und ich muss mich entscheiden. Der Job in Chile ist etwas Sicheres. Ob Anne und ich für längere Zeit ein Paar bleiben, weiß ich nicht, es ist ein Risiko. Aber gibt es nicht Risiken, die man wagen sollte? Sogar wagen muss? Selbst wenn keine mathematisch fundierten Wahrscheinlichkeiten dazu vorliegen? Sind es nicht die wirklichen Risiken, die Mut verlangen?« Marcs Stimme wurde leiser. »Weißt du, ich liebe sie nämlich sehr.«

Die kleine Göttin schnaufte leise und rollte sich noch enger zusammen.

Marc nickte und öffnete ein Worddokument.

Sehr geehrter Dr. Pizzi,
hiermit trete ich von meiner Berufung zum Leiter des ALMA-Teleskops zurück.

Er musste einen Grund nennen, oder? Das gebot die Höflichkeit. Und da er auch schriftlich nicht imstande war zu lügen, blieb ihm nur die Wahrheit. Pizzi war jemand, dem nichts

Weltliches fremd schien. Er würde damit am meisten anfangen können.

Der Grund ist persönlicher Natur. Ich habe die Liebe meines Lebens gefunden, und sie will nicht mit mir nach Chile ziehen, obwohl ich ihr auf der Heimfahrt von ihrer Abiturfeier (nachgestellt) ungefragt die Vorzüge Ihres wundervollen, auch qualitativ hochwertigen Weinbau betreibenden Landes dargestellt habe.

Marc sah auf die Zeilen, besonders den Hinweis zum Weinbau fand er wichtig. Er hoffte, das würde den Schock abfedern. Aus diesem Grund schrieb er auch die nächsten Zeilen.

Für die nun wieder freie Position möchte ich Ihnen wärmstens meinen Stellvertreter am Observatorium, Herrn Dr. Ingmar Steffensberg empfehlen, der alle nötigen Qualifikationen besitzt und nicht durch eine wundervolle Frau an Deutschland gebunden ist. Auch nicht durch Freunde oder andere Menschen, die ihn mögen.

Es war die klassische Zwei-Fliegen-mit-einer-Klatsche-Lösung. Steffensberg wäre glücklich – und weit weg von ihm.

Mit hochachtungsvollen Grüßen aus der nördlichen Hemisphäre,
Dr. Marc Heller

Marc las sich alles noch einmal durch, dann schwebte sein Finger über dem Absenden-Button. Dies wäre endgültig. Ein Zurückrudern würde es nach solch einer Absage nicht geben. Sein Finger schwebte weiter über der dunklen Taste, deren leichter Druck das Ende eines Traumes bedeuten würde.

Jetzt zogen sie die Krönchen auf. Anne wartete nur darauf, dass die Braut mit einem Bauchladen zum lustigen Kondom- und Gleitcreme-Verkauf im Champagne Supernova ansetzte. Dann würde sie die Dame vor die Tür setzen. Mitsamt ihrem Kleinstunternehmen.

»Noch eine Flasche von dem chilenischen Wein!«, sagte die Trauzeugin nun, die ihrer Schieflage zufolge die erste Flasche komplett allein geleert hatte. Anne hatte alles versucht, sie von dem chilenischen Wein abzubringen. Sie wollte heute keinen chilenischen Wein ausschenken. Sie wollte nie wieder chilenischen Wein ausschenken. Chile durfte seinen ganzen Wein selbst trinken – und Marc im Gegenzug in Deutschland lassen.

Der Junggesellinnenabschiedstisch hatte aber auf diesem »superleckeren Wein aus Chile« bestanden.

Der gleichzeitig der günstigste auf der Karte war.

Die Damen hatten auch nur das kleine Menü gewählt.

Es musste ja noch genug Geld für den überraschenden Männerstrip in der Ring-Disco Klapsmühle bleiben.

»Hallo, Weinschubse, wo bleibt denn der Chilene? Wir liegen auf dem Trockenen!« Die Trauzeugin wurde mit steigendem Alkoholpegel immer unverschämter.

Ein anderes Mädel mit Papierkrönchen meldete sich. »Ach, Petra, du bleibst doch nie lange trocken!«

Dreckiges Gelächter erklang am Tisch.

Anne biss die Zähne zusammen. Denn Petra war niemand anderes als Petra Uschgarten, Dirks Toilettennummer. Schon so zugelötet, dass sie Anne nicht erkannte.

Und das Laxativum im Chilenen nicht bemerkte.

Anne war nicht knauserig gewesen, Petra Uschgarten

würde auch an diesem Abend eine erkleckliche Zeit auf der Toilette zubringen.

Und sie diesmal sogar funktionsgerecht benutzen.

Anne lächelte und schenkte ihr großzügig ein.

Vom Chilenen samt Laxativum.

Wie gut, dass es wenigstens eine erfreuliche Überraschung an diesem Abend gab. An Tisch vier saß Luises Mutter Ursel und aß ein Gericht, das komplett aus Zutaten bestand, die sie weder aussprechen konnte, noch jemals zuvor verspeist hatte. Ursel war Vegetarierin, die älteste, die Anne je kennengelernt hatte. Sie hatte sich zum Essen Kräutertee gewünscht – und erhalten.

Nie zuvor waren Brombeerblätter, Zitronenverbene, Pfefferminze, Kamille und Fenchel im Champagne Supernova aufgegossen worden.

Anne trat an ihren Tisch. »Alles gut bisher?«

»Also dieses Quinoa-Zeug. Wunderbar! Und füllt den Bauch.«

»Ich werd's dem Koch ausrichten. Das Kompliment hat er, glaub ich, noch nie gehört.«

»Die Leute sagen immer, in teuren Restaurants gäbe es nur kleine Portionen. Da hatte ich schon ein bisschen Angst, nicht satt zu werden.« Ursel zog den Stuhl neben sich zurück. »Setzt du dich ein paar Minütchen zu mir?«

Anne blickte sich um, alle Tische hatten gerade Speisen und Getränke erhalten, ein bisschen Zeit, um sich zu Ursel zu setzen. Luise lag mit einer leichten Erkältung im Bett und hatte ihre Mutter genötigt, ohne sie essen zu gehen, sowie Anne per SMS gebeten, ein Auge auf sie zu haben.

Sie nahm am Tisch Platz.

»Ich glaub, ich bin nicht schick genug angezogen für so ein feines Restaurant«, sagte Ursel. »Aber wenn man zweiundneunzig Jahre alt ist, dann darf man das.« Sie ergriff

Annes Hand. »Ich kann dich gut leiden, und das nicht nur, weil du sehr großzügig fütterst!«

»Das geht mir genauso. Und du fütterst auch super.«

Ursel schaute sich um, niemand stand in der Nähe. »Darf ich dir vielleicht was sagen?«

»Ja, klar.«

Die alte Frau lehnte sich vor. »Auch was Unangenehmes?«

»Ich hab nicht den Eindruck, dass du eine Frau bist, der man den Mund verbieten kann.«

Ursel zwinkerte ihr zu. »Weißt du, es brennt mir auf der Zunge, seit wir zusammen auf dem Rathenauplatz waren.«

»Hab ich was falsch gemacht?«

Ursel drückte ihre Hand. »Ach, was! Aber ich habe auf dem Rathenauplatz deine Mutter gesehen, die dich, glaub ich, sehr lieb hat. So was sieht man, wenn man selbst Mutter ist! Und dann tut es einem auch weh, wenn man sieht, dass etwas nicht stimmt zwischen Mutter und Tochter. Geht mich natürlich nichts an.«

Anne sah in Ursels Augen, aus denen Güte und Wärme wie wertvolle Perlen schimmerten. »Es ist schwierig zwischen ihr und mir.«

Die alte Frau atmete tief durch. »Ist es das nicht immer zwischen Mutter und Tochter?«

»Sie will immer, dass wir uns verhalten wie zwei Freundinnen und ich ihr mein Herz ausschütte über meinen Beziehungsstatus. Aber wir sind Mutter und Tochter. Sie schüttet mir nie ihr Herz aus. Andere Mütter erzählen ihren Töchtern von ihren früheren Freunden, sie hat da immer ein Riesengeheimnis draus gemacht, so als wäre Papa der Erste und Einzige gewesen. Wenn sie Freundinnen-Status haben will, muss sie sich auch wie eine benehmen.«

Ursel nickte. »Wie war das denn, als du ein Kind warst? Sag ehrlich.«

»Na ja, ich war ein kleiner Trotzkopf und hab immer das Gegenteil von dem gemacht, was meine Eltern mir geraten haben. Das war bei meiner Wahl von Französisch statt Latein in der Schule so, bei meiner Entscheidung, kein Hockey zu spielen, sondern stattdessen Federball, und erst recht bei meinem Jurastudium. Vielleicht hätte ich andere Entscheidungen getroffen, wenn meine Eltern mir keine Vorschläge gemacht hätten.«

Ursel schlürfte etwas von ihrem Tee. »Wir Mütter denken immer, unsere Töchter wüssten nicht, wie schwer es ist, eine Mutter zu sein. Aber wir vergessen manchmal, wie schwer es ist, eine Tochter zu sein.«

»Den Satz würde ich gern mal von meiner Mutter hören!«

»Sie denkt ihn. Und fühlt ihn auch. Ganz bestimmt.«

»Ich weiß ja, dass sie mich nur glücklich sehen will. Aber sie tut immer so, als müsse jeder Mann gleich der fürs Leben sein. Das ist eine Riesenbürde. Wir sind doch nicht bei *Downton Abbey*, und ich bin nicht auf dem Debütantinnen-Ball in London. Wir leben im 21. Jahrhundert! Man bindet sich nicht ein Mal, und das war es dann.«

»Wenn du dich da mal nicht täuschst. Auch heutzutage gibt es für viele die eine, große Beziehung. Manchmal weiß man aber erst, dass sie es war, wenn sie schon zu Ende ist.«

Anne legte ihre freie Hand auf Ursels und drückte sie sanft. »Luise hat großes Glück mit dir.«

»Ach was. Es ist viel leichter, mit der Tochter einer anderen Mutter zu reden als mit der eigenen.«

»Dann sollte Luise vielleicht mal mit meiner quatschen.« Anne lachte. »Sonst redest du nie so viel.«

»Meist ist es die Mühe nicht wert.«

»Danke, dass es das heute war.« Anne beugte sich vor und

gab ihr einen Kuss auf die Wange. »Ich muss leider wieder arbeiten. Für dich kommt jetzt das Dessert! Es heißt ›Die Hitze des Drachens‹ und stellt das Siebengebirge als sieben kleine Schokoladenbröselberge nach, in denen sich Kirschcreme mit Chili befindet.«

»Oh, ich mag Süßes so gern! Ab dem Moment der Heirat muss man nicht mehr ganz so auf die Linie achten. Das ist ein großer Vorteil, glaub es mir.«

Anne säuberte das Tischtuch von Krümeln. »Dann kann ich dir jetzt ja einen grandiosen Süßwein zum Dessert aufs Haus spendieren. Und der wird ganz bestimmt nicht aus Chile stammen!«

Ursel wusste zwar nicht, was sie meinte, lächelte aber trotzdem freundlich.

Auf dem Weg in die Küche wurde Anne aufgehalten. Der einzeln sitzende Mann an dem kleinen Tisch hielt sie am Ärmel fest, was sie überhaupt nicht leiden konnte.

»Entschuldigen Sie, wenn ich Sie so direkt anspreche, aber wir kennen uns.«

Bekäme sie jedes Mal einen Euro für diese Bemerkung, würde sie mittlerweile nicht mehr im Champagne Supernova arbeiten, es würde ihr gehören. Der große, sehnige Mann sah aus wie Ende vierzig, sein blondes Haar hatte schon vor Jahren die Ausreise beantragt, und sein Anzug sah aus, als stamme er noch von der Kinderkommunion. Die steife Haltung und dass er den ersten Gang mit dem innen statt außen liegenden Besteck gegessen hatte, verriet: Dies war sein erster Besuch in einem Spitzenrestaurant.

»Helfen Sie mir auf die Sprünge«, sagte Anne routiniert lächelnd.

»Ich kenne Sie vom Radioteleskop Effelsberg. Sie waren bei der kleinen Feier zu Marcs Fotografie des Schwarzen Lochs da. Ich bin Ingmar, Marc hat sicher schon von mir erzählt.«

»Wir haben uns einige Tage nicht mehr gesehen.«

Das schien Ingmar gar nicht zu stören, ganz im Gegenteil, seine Laune wurde besser.

»Ihr seid das Gespräch des ganzen Observatoriums. Ich darf doch du sagen, oder?«

»Ich bin Anne«, sie streckte ihm die Hand entgegen. Ingmar nahm sie und erhob sich, um ihr einen Kuss auf die Lippen zu geben. Sie waren groß und feucht, sein Kuss, als würde man ihr einen nassen Schwamm auf den Mund drücken. Anne wischte sich seinen Speichel mit dem Ärmel ab.

»Marc hat mir von eurer Nacht auf dem Teleskop erzählt.«

»Ach ja? Ich dachte, davon dürfe keiner wissen.«

»Ich bin sein Stellvertreter, wir haben ein ganz enges Vertrauensverhältnis. Können uns alles sagen.«

Anne konnte nicht fassen, dass Marc vor seinen Kollegen mit ihrer Knutscherei prahlte. Enttäuschend.

»Wie schön für dich und Marc.«

»Er schwärmt total von dir, so hab ich ihn noch nie erlebt. Ich freu mich riesig für euch. Er hat mir sogar erzählt, dass ihr auf dem Teleskop miteinander ...«, er beugte sich vor und sprach nun leiser, »... geschlafen habt. War das nicht komisch für dich da oben? Oder eher aufregend und prickelnd?«

Anne spürte in sich das Verlangen, Marc zur Rede zur stellen. Dieser erbärmliche Aufschneider! Und sie hatte ernsthaft darüber nachgedacht, mit ihm nach Chile zu gehen.

»Es war ganz wunderbar. Aber frag lieber Marc nach den Details, er scheint sich daran viel besser zu erinnern als ich.«

»Oh, ich werde ihn fragen, ganz bestimmt.«

Ich werde ihn auch fragen, dachte Anne. *Und zwar jetzt. Sofort.* Und mit »fragen« meinte sie »anbrüllen«.

Die Tür des Mietshauses stand offen. Durchzug für die schwüle Nacht, die Köln für ein paar Stunden in die Tropen versetzte. Auch Marcs Wohnung konnte Anne betreten, ohne eine Klinke herunterdrücken zu müssen. Was für ein Gottvertrauen die Menschen in diesem Haus haben mussten.

Vermutlich war es ein Priesterseminar.

In der komplett dunklen Wohnung war Marc nirgends zu sehen.

Doch ein merkwürdiges, klackendes Geräusch ertönte nahezu pausenlos.

Anne folgte ihm und fand die kleine Göttin geduckt vor der gläsernen Balkontür.

Edward musste ausgebrochen sein und mit seinen Scherenhänden den Balkon unsicher machen. Doch als Anne durch die Scheibe hinausschaute, sah sie stattdessen rund zwanzig Tauben dicht an dicht, Körner pickend.

Die Marc ihnen zuwarf.

Es waren nicht irgendwelche Körner, Marc hatte extra einen Sack teures Taubenfutter gekauft.

Leise, um die Tauben nicht zu erschrecken, öffnete sie die Tür einen Spalt. »Was machst du da?«

Marc blickte auf. »Schön dich zu sehen«, flüsterte er. Sein Mund schien trocken zu sein. »Sehr schön sogar.«

»Warum fütterst du Tauben?«

»Ich wollte es auch mal probieren. Du machst das ja so gerne. Aber bei dem ganzen Gegurre muss ich ständig an Hitchcocks *Die Vögel* denken. Die gucken mich so an, als würden sie auch mit mir vorliebnehmen, wenn irgendwann das Futter alle ist.«

»Tauben gelten gemeinhin nicht als Raubtiere.«

»Die Geringelte hier vorne habe ich Elisabeth getauft, sie scheint die Königin zu sein. Frisst auf jeden Fall allen anderen das Futter weg. Und die ganz Schwarze dahinten, die immer redet, heißt Lieutenant Uhura. Weil die ja Kommunikationsoffizierin auf der USS Enterprise ist.«

»Das wird die Tauben sicher irre freuen.«

»Ich habe übrigens etwas Interessantes beobachtet.«

»Was denn?«

»Sie scheißen auch während des Fressens.«

Anne prustete los, und sämtliche Tauben hoben mit einem Mal ab, ein grauweißer Sturm aus Flügeln. Marcs Haare sahen danach schwer zerzaust aus. Anne merkte, wie ihre Wut schwand, deshalb musste sie ihn schnell wegen seiner Angeberei zur Rede stellen. Sonst wäre nicht mehr genug übrig, um Marc anzubrüllen. Sie trat zu ihm auf den Balkon und verschränkte die Arme – das fühlte sich angemessen an.

»Hast du irgendjemandem erzählt, dass wir zusammen auf dem Teleskop geknutscht haben?«

»Nein, nicht mal Henny und Prian. Das sind unsere Momente. Die teile ich nur mit dir.« Er verschloss den Futtersack ordentlich mit einem Clip.

»Hast du wem gesagt, wir hätten miteinander geschlafen?«

»Wieso sollte ich sowas tun? Das haben wir doch gar nicht.«

»Irgendwelche Andeutungen? Schweinische Witze? Männliche Angebereien?« Während sie die Fragen stellte, wurde Anne klar, wie unsinnig sie waren. Marc war nicht so eine Art Mann. Der Typ im Restaurant musste sich einen Spaß erlaubt haben. Einen blöden, pennälerhaften Scherz. Sie löste die verschränkten Arme.

»Warum fragst du mich das?« Marc verstaute die Tüte in einer Ecke neben der Grillkohle und einem vollen Kölschkasten, der den schimmelnden Etiketten zufolge schon lange unangetastet dort stand.

»Ist egal, vergiss es einfach.«

Marc stand auf und gab ihr vorsichtig einen Kuss auf die Wange zu. »Ich hab es zwar schon gesagt, aber schön, dass du da bist. Ich hatte schon Angst, ich sehe dich nicht wieder.« Er stellte einen Klappstuhl für sie auf. »Magst du?«

Anne mochte nicht.

»Ich weiß nicht, wie ich mich entscheiden soll.«

»Verstehe ich gut.«

»Dass du es mir gesagt hast, so früh, finde ich gut. Aber vielleicht wäre es mir später lieber gewesen, wenn ich mich schon hätte fallen lassen. Ich weiß, das ist widersprüchlich, aber ich bin eine Frau, ich darf das.«

Marc bot ihr ein Kölsch an. »Willst du eins?«

»Nee, ich mag kein Bier.« Sie nahm es. »Siehste, widersprüchlich!«

Marc stützte sich mit den Armen auf das Metallgeländer. »So etwas wie Sicherheit in wichtigen Entscheidungen gibt es nicht, das ist eine Illusion. Die Zukunft ist nicht glasklar, da ist immer etwas drin, das uns nicht vollends hindurchsehen lässt. Vor allem in der Liebe, da gibt es immer so viele Fragen, so viele Unsicherheiten. Liebe lässt sich nicht planen, Liebe lässt sich nur fühlen.«

Anne fuhr versonnen mit der Spitze ihres Zeigefingers über den Rand der Flasche. »Das hast du schön gesagt.«

»Du bist nicht die Einzige, der unklar ist, wie sie sich entscheiden soll.«

Annes Finger verharrte. »Wie meinst du das?«

»Ich bin echt nicht gut darin, über meine Gefühle zu reden.« Er lächelte. »Mir fehlt die Übung, weißt du.«

»Stell dir vor, ich sei die kleine Göttin, oder Edward.«

»Mit dem rede ich kaum. Ich habe aber eine Hummerhandpuppe aus Plastik gekauft und kämpfe mit ihm. Das mag er sehr. Aber er zwickt dabei wie Sau.«

»Du kommst vom Thema ab …«

»Ja, was du leider gemerkt hast.«

Anne lächelte, dann blickte sie in den Hinterhof und ließ Marc Zeit, die richtigen Worte zu finden und sie in die richtige Reihenfolge zu bringen.

»Chile ist eine unfassbare Chance, es ist der Olymp der Radioteleskopie. Wenn die Stelle jetzt besetzt wird, dann ist sie für die nächsten Jahre, wenn nicht Jahrzehnte, besetzt. Ich wollte immer da hin, man ist dem Himmel dort so nah, das kannst du dir gar nicht vorstellen.« Marc griff sich auch ein Kölsch, doch öffnete es nicht, hielt die Flasche nur fest in Händen. Er brauchte etwas Zeit, bis er endlich weitersprach. »Ich bin schon sehr lange in dich verliebt. Vor Kurzem hab ich gelesen, dass Männer sagen, sie wären nie wieder so intensiv verliebt gewesen wie in ihrer Jugend, bei ihrer ersten großen Liebe.«

Er machte wieder eine Pause, doch Anne füllte sie nicht. Sie hatte Angst vor dem, was er nun sagen würde, und wünschte sich gleichzeitig nichts mehr. Es würde alles viel schwieriger machen, und auch viel schöner.

»Du bist meine große Liebe, und es fühlt sich immer noch genauso intensiv an wie in unserer Jugend. Ich hab dir damals Zettelchen geschrieben, mit ganz vielen Herzchen drauf, eingesprüht mit dem Parfüm meiner Mutter.

Liebe Anne, bitte ankreuzen:
Willst du mich …
a) *küssen*
b) *mit mir gehen*
c) *mich mal treffen?*
(Mehrfachnennungen sind erlaubt)
Dein Nachbar Marc.

»Hab ich nie bekommen.«

»Wurden ja auch nie abgeschickt. Ich hab die alle noch.« Er stand auf und ging an seinen Schreibtisch. Aus der untersten Schublade holte er eine Matchbox-Metallbox mit Zahlenschloss hervor. Als er sie geöffnet hatte, reichte er sie Anne.

Die Kombination war ihr Geburtstag.

Die Box quoll über vor Zetteln, auf denen ihr Name stand, auch gefaltete Briefe fanden sich dort, deren Handschrift darauf deutete, dass Marc sie geschrieben hatte, als er schon älter war. »Darf ich die lesen?«

»Sie sind alle für dich geschrieben. Wobei ich irgendwann nicht mehr daran geglaubt habe, dass du sie zu lesen bekommen würdest.«

»Kann ich auf den Balkon?«

Er blickte hinaus, dort gurrte es wieder. »Klar, wenn dich Tauben nicht stören.«

Sie lachte. Das Lachen trug Tränen mit sich, deshalb verschwand sie ganz schnell ins Freie. Anne spürte, dass eine große Welle aus Gefühl auf sie zuraste, eine Megawelle, die wie ein Tsunami alles wegfegen würde und etwas Neues schaffen.

Nachdem sie drei Zettel gelesen hatte, kam die Welle.

Und verebbte nicht mehr.

Anne rannte in die Wohnung, wobei sie fast über die vor ihr flüchtende kleine Göttin fiel, und zog den überraschten Marc an der Hand ins dunkle Schlafzimmer, wo sie ihn aufs Bett warf.

»Ich wollte dir noch –«

»Kein Wort!«

»Aber –«

Sie legte den Finger auf ihre Lippen »Psst!«

»Bist du dir sicher?«

»Hörst du jetzt endlich auf!«

Marc öffnete den Mund, schloss ihn aber wieder, ohne ein Wort gesagt zu haben.

Sie stellte den Projektor mit den Sternen an, legte sich zu ihm ins Bett und bedeckte sein Gesicht mit Küssen.

Sie begannen, in allen Farben zu funkeln.

Löwe (24. Juli – 23. August) Heute müssen Sie stark sein, das Leben stellt Sie vor eine große Herausforderung, die Ihr Leben ins Wanken bringen kann. Aber denken Sie immer daran: Auch ein gutes Boot gerät einmal in Schieflage! Halten Sie den Wind im Auge und halten Sie Kurs! Und seien Sie ehrlich zu sich selbst. Gerade jetzt ist es für Sie wichtig zu wissen, was Sie wollen.

Kapitel 9

Es bedeutete nie etwas Gutes, wenn das Telefon in der Nacht klingelte. Gute Dinge konnten bis zum Morgen warten, aber schlechte mussten, egal, zu welcher Stunde, gesagt werden.

Die Digitaluhr zeigte in roten Balken 4:57 Uhr.

Schon beim ersten Läuten saß Anne aufrecht im Bett, langte hektisch nach dem Lichtschalter und lief danach stolpernd ins Wohnzimmer, um den Anruf anzunehmen, bevor der Anrufer es sich anders überlegte.

»Ja, hallo?«

»Ich bin's, Luise.« Sie stockte. Anne konnte hören, dass Tränen sich in ihre Stimme mischten.

»Was ist passiert?«

Luise konnte nichts mehr sagen, sie weinte nur noch.

»Ist was mit deiner Mutter?«

Luises Weinen wurde zu einem Heulen. Es schnürte Anne den Hals zu.

»Ich komm sofort vorbei!«

Sie machte sich nicht die Haare, zog einfach die Klamotten von gestern noch mal an und lief auf die nachtschwarze Straße. Erst da fiel ihr ein, dass sie ihren Golf mehrere Straßenzüge entfernt geparkt hatte, wo es einen der seltenen, mythenumrankten kostenlosen Parkplätze Kölns gab. Sie rannte dorthin und stieg schweißnass ein.

Luises perfektes Haus mit den gepflegten Beeten, den blühenden Blumen und dem malerischen Landlust-Charme kam Anne wie Hohn vor, als sie nun davorstand. Noch bevor sie klingeln konnte, öffnete Luise schon die schwere, hölzerne Haustür und fiel ihr um den Hals. Fast eine Viertelstunde standen sie so im Durchzug.

Dann ging Luise schweigend vor ins Wohnzimmer, wo die Worte wie ein Sturzbach aus ihr herausrannen. Luise war am Abend zuvor bei ihrer Mutter gewesen, ihr wöchentliches gemeinsames Kochen, mit Inspirationen aus neuen Kochbüchern, diesmal *Thailand: Rezepte gegen das Fernweh*. Beim Essen hatte Ursel plötzlich kein Wort mehr gesagt. Ihr rechter Mundwinkel hing herunter. Als Ursel versuchte zu reden war es unzusammenhängend, ohne Sinn.

Luise hatte sofort zum Telefon gegriffen.

Es war viel Verkehr in Köln gewesen, die Nord-Süd-Fahrt wegen eines Unfalls gesperrt, weswegen der Rettungswagen dreiundzwanzig Minuten gebraucht hatte, um einzutreffen. In die Uniklinik schaffte Ursel es noch, doch dann ging es schnell mit ihr zu Ende.

Luise erzählte es in allen Details, wieder und wieder, über zwei Stunden lang. Zeit war das Wichtigste – gemeinsame Zeit. Luises Mann weilte gerade auf Geschäftsreise in Spanien, er würde den ersten Flieger zurück nehmen, doch erst am nächsten Morgen eintreffen.

Anne blieb.

Sie redeten und schwiegen, Anne hielt fast die ganze Zeit die Hand der Freundin. Um kurz nach sieben morgens war Luise dann so erschöpft, dass sie auf dem Sofa einschlief. Eine halbe Stunde saß Anne noch neben ihr, dann schrieb sie einen Zettel und verließ leise das Haus.

Sie musste etwas tun.

Den gesamten Weg zum Rathenauplatz ging Anne zu Fuß. Ursel hatte die Tauben des mit Platanen gesäumten und vielem Flieder geschmückten Platzes geliebt, sie hatte gesagt, die Tauben vom Rathenauplatz seien die Adeligen unter den Kölner Tauben. Sie trügen ihre Köpfe höher, und ihr Gurren sei vornehmer. Unter einem Klettergerüst des größeren Spielplatzes hatten die »Freundinnen der Stadttauben und anderer urbaner Vögel, Ortsgruppe Köln« ein Futterreservoir angelegt.

Als sie den Beutel öffnete, landeten die Tauben aus allen Himmelsrichtungen, und es kam ihr tatsächlich vor, als seien sie von ausgesprochen gutem Benimm und deutlich leiser als die Schwärme auf der Domplatte.

Jetzt erst ließ Anne die eigenen Tränen fließen und dachte zurück an die warmherzige, alte Frau, die sie viel zu kurz gekannt hatte. Bis auf den einen Abend im Champagne Supernova hatte Ursel nie viel geredet, aber wenn, dann hatte es immer Hand und Fuß gehabt. Auch ihr Schweigen hatte diese Qualität besessen. »Nichts gesagt ist auch geredet«, hatte sie Anne einmal zugemurmelt. Mit einem schelmischen Blitzen in den trüben Augen. Als jemand sie anschrie wegen des Taubenfütterns. Ursels Schweigen war eine stille Ohrfeige für den Brüller gewesen. Ihr warmes Lächeln eine weitere.

Als ein Jogger mit neongelben Laufschuhen Anne jetzt als »Irre Taubentussi« beschimpfte, da schwieg sie ihn nur vielsagend an. Und lächelte freundlich.

Doch irgendwann war der Beutel leer.

Und wie ein Vogel mit bedrohlichen, schwarzen Schwingen warf sich das Gefühl der Einsamkeit auf sie.

Anne wollte in den Arm genommen werden, ganz fest, das Gesicht an eine Brust betten und sich fühlen, als gäbe es keine Welt und keinen Tod um sie herum.

Der Himmel des beginnenden Tages war matschig-grau. Pfützenwetter. Selbst die Schüssel des Radioteleskops erstrahlte nicht in Weiß, sondern sah so dreckig aus, als gehöre sie in die Spülmaschine.

Anne betrat das funktionale Gebäude. Niemand war zu sehen, auch der Kontrollraum war völlig leer. Doch durch die Gänge wehte Kaffeeduft wie warmes Erwachen.

»Hallo?«

»Stellen Sie es einfach schon mal neben die Tür«, kam die Antwort. »Ich quittiere es gleich.«

Die Stimme kannte sie. »Henny?«

Ein wuscheliger Kopf erschien in einem der Türrahmen. »Ach, du bist es. Marc ist aber gerade in der APEX-Kabine, da gibt es ein Problem. Kann dauern.«

»Ich warte.«

»Leider bin ich auch beschäftigt.« Zum Kopf gesellte sich nun ein Oberkörper.

»Kein Problem.«

»Willst du vielleicht in seinem Büro warten?« Jetzt stand die ganze Henny im Flur. »Ich bring dir auch einen Kaffee. Und selbst gebackene Mohn-Plätzchen.« Sie kam näher und umarmte Anne zur Begrüßung. »Sag mal, hast du geweint? Deine Augen sind total rot.«

Anne nickte, brachte aber kein Wort der Erklärung über die Lippen.

»Alles klar, Henny hört jetzt mal schön auf, zu fragen. Außerdem bekommst du einen doppelten Kaffee und meine Quarktasche.«

»Das ist echt nicht –«

»Das lass mal schön meine Entscheidung sein.«

»Danke.«

»Bedank dich lieber nicht, bevor du meinen Kaffee gekostet hast! Hier wird gelästert, sogar Teer hätte mehr Viskosität.«

Anne lächelte, musste kurz darauf jedoch feststellen, dass Hennys Kollegen nicht ganz unrecht hatten. Dafür schmeckte die Quarktasche köstlich. Um Marc sofort im Blick zu haben, wenn er eintrat, setzte Anne sich auf Marcs Drehstuhl.

Plötzlich kam jedoch jemand anderes herein.

Durch das geöffnete Fenster des Büros sprang vorwurfsvoll maunzend die kleine Göttin.

»Na, du kleine Maus«, sagte Anne und wunderte sich, dass man den samtpfotigen Raubtieren einen Kosenamen verpasste, der ihrer Lieblingsspeise entsprach. Für einen Kölner wäre das Äquivalent: »Na, du Blutwurst.«

Die Adressatin schien die Anrede nicht zu stören. Sie streckte sich genüsslich und stolzierte dann über den Schreibtisch, keinen Unterschied zwischen Holzplatte und Computertastatur machend. Der Monitor sprang ins Leben, zeigte einen bunten Sternenhaufen und fragte nach dem Passwort.

Der Cursor blinkte ungeduldig. Er wartete auf ein Zeichen.

Anne streichelte die kleine Göttin vom Kopf bis zum Schwanzansatz, was zu weiterem genüsslichen Strecken führte.

Der Cursor blinkte unentwegt. Scheinbar schneller.

Die kleine Göttin sah Anne interessiert an.

»Meinst du, ich darf mal probieren?«

Nach einem längeren Blick ließ sich die Katze neben der Tastatur elegant nieder und drehte sich auf den Rücken, bereit zum Kraulen des Bäuchleins.

Anne tat ihr den Gefallen, doch sie konnte den Blick nicht von dem hypnotisch blinkenden Cursor wenden.

Es war wie ein Kreuzworträtsel mit nur einem Begriff.

Mindestens acht Buchstaben waagerecht.

Anne lauschte in den Gang, keine sich nähernden Schritte. Und es war wirklich öde zu warten.

Falls sie Erfolg hatte, würde sie den Rechner sofort wieder ausschalten!

Sich schnell vorlehnend gab Anne das Geburtsdatum von Marc ein.

Falsch.

Mit einer Hand weiter die Katze kraulend mit der anderen tippend versuchte sie es mit »almateleskop«, dann mit »kleinegöttin«, »edward« und »schwarzesloch«. Alles falsch.

Die kleine Göttin schnurrte wohlig, und Anne überlegte. Der nächste Einfall ließ ihr Herz schneller schlagen.

Sie gab »annepaeffgen« ein.

Falsch.

Sie versuchte es mit anderen Schreibweisen, mit Unter- und Bindestrich. Alles falsch. Sie versuchte es mit ihrem Geburtsdatum.

Treffer.

Die Windows-Oberfläche öffnete sich. Es gab nur sehr wenige App-Symbole, alles war sehr aufgeräumt. Als Hintergrundbild hatte Marc das Foto irgendeines Teleskops in irgendeiner Wüste gewählt. Ein Astronomen-Porno.

Anne sah einen Unterordner mit dem Namen »Anne – Perfekter Partner«.

Starrte darauf.

Sie durfte ihn nicht öffnen.

Das war privat.

So wie ein Tagebuch.

Vielleicht Marcs Ideensammlung, wie er ihr perfekter Partner sein konnte?

Sie hatte sich geschworen, sofort wieder auszuschalten.

Mit klopfendem Herzen nahm Anne die Maus, bewegte den Zeiger auf den Ordner und klickte doppelt.

Der Inhalt erschien.

Eine Datei hieß »Algorithmus Liebe/Anne«, eine andere »Charakterstudie Anne«. In dieser fanden sich all ihre Vorlieben prozentual aufgelistet. Noch erschreckender waren die Fotos von Männern, die sie in den letzten Wochen getroffen hatte. Darunter Harald, dem sie vermeintlich zufällig am Rhein begegnet war, und André, der Mr. Right von den »Kölner Lichtern«. Auch ein Foto von Dirk existierte, als Dateinamen die Zeile »Beim nächsten Mal unbedingt vorher ein Foto anfordern und mit Exfreunden abgleichen!«. Marc hatte alles von den Männern aufgelistet. Sogar ihre sexuellen Vorlieben, die er mittels ihrer Porno-Video-Historie rekonstruiert hatte.

Unterschrieben mit: »Testreihe – Versuch 1, 2 und 3«.

Die Treffen waren allesamt von Marc organisiert.

Auch mit ihrem Ex.

Anne konnte nicht aufhören zu lesen.

Liebe bestand für Marc nur aus Zahlen. Keine Prise Sterne, nirgends.

Sie war seine Laborratte gewesen.

Was für ein krankes Arschloch.

Als Marc den linken Fuß ausstreckte, stieß er gegen einen Teller mit verkrusteten Miracoli-Resten. Es war Teil des Chaos, das die Wohnung beherrschte. Kaum ein Schritt war mehr möglich, ohne auf etwas zu treten, seien es Teller, Tassen, Gläser, Besteck, abgelegte Kleidung, Zeitungen, Bücher oder eine Katze, die irgendwo drauf oder drin lag.

Zurzeit lag die kleine Göttin eingerollt in eine Frisbeescheibe, eine Pfote ausgestreckt über eine Eiswaffelpackung, die sie eben leer geleckt hatte.

In dieser Welt lebte Marc nun seit einiger Zeit.

Seit dem Tag, als Anne in Effelsberg die Unterlagen des

Projektes für sie gefunden hatte. Es war derselbe Tag gewesen, an dem man ihn in Effelsberg wegen obszönen Verhaltens auf der Teleskopschüssel suspendierte, obwohl er beteuerte, es handle sich um üble Nachrede. Es war mit Abstand der schlimmste Tag in seinem Leben gewesen.

Ingmar hatte ihn tatsächlich in der Nacht mit den Strandtüchern auf dem Teleskop gesehen und danach versucht, Zeugen zu finden, um seine Behauptung zu stützen. Er hatte sie gefunden. Unter anderem auch Anne, die Ingmars offiziellem Schreiben nach sogar behauptet hatte, es wäre zu Sex auf der Schüssel gekommen. Warum sagte sie so etwas?

Man müsse die Vorwürfe prüfen und wolle ihn während des Prozesses schützen, bekam er von der Leitung des Max-Planck-Instituts zu hören, ihn aus der Schusslinie nehmen. Der Schusslinie, wie passend! Weil es einen Mann mit Zielfernrohr gab, der auf ihn feuerte – und der nun kommissarisch das Institut leitete. Wie zu hören war, ausgesprochen kompetent.

Das Schreiben des Instituts hatte Marc an die Wand gepinnt, daneben den Ausdruck einer Mail aus Chile. Sie begann sehr freundlich und endete sehr hart. Man sei äußerst erstaunt über sein Schreiben und müsse dieses erst besprechen, er habe schließlich einen Vertrag unterschrieben. Bis auf Weiteres solle er sich so verhalten, als würde er die Stelle antreten, also auch Interviews zum Thema geben. Sie erwarteten volle Kooperation diesbezüglich, falls er seinen Ruf nicht noch weiter demontieren wolle.

Der Kaffee neben ihm war kalt, Marc trank ihn trotzdem. Er hatte in der letzten, wieder einmal schlaflosen Nacht beschlossen, seine Versuche, mit Anne Kontakt aufzunehmen, zu dokumentieren. Auf diese Weise wollte er herausfinden, was er noch nicht versucht hatte, um sich zu entschuldigen und ihr alles zu erklären.

Kontaktversuch 1 (Tag 0)

Anrufe (12), Nachrichten auf Annes AB (10)

Es folgten viele weitere Einträge.

Kontaktversuch 23 (Tag 4)

Den ganzen Tag vor ihrer Haustür gesessen. Gestreiften Klappstuhl mitgebracht. Getränke (stilles Wasser) und Speisen (Schwarzbrot mit Gouda, mittelalt). Strauß Blumen. Am Abend welk.

Er hatte es akustisch versucht, mit Nachrichten auf ihrem Anrufbeantworter und Soundfiles, die er ihr per Mail schickte. Dann schriftlich, per Mail, SMS und sogar in einem ausführlichen, handgeschriebenen Brief – dem ersten, seit die Brieffreundschaft mit einem deutschstämmigen Mädchen in Australien im Alter von vierzehn Jahren geendet hatte. Anne hatte den Brief ungeöffnet zurückgeschickt. Vierzehn Seiten umsonst geschrieben.

Er hatte die Kontaktversuche mit einer Tabelle zusammengezählt.

Dreihunderteinundvierzig SMS, neunundachtzig Mails und hundertsieben Nachrichten auf dem AB.

Henny meinte, das sei ein klitzekleines bisschen zwanghaft.

Persönlich hatte er es auch versucht, nicht nur den ganzen Tag vor ihrer Haustür gewartet, sondern auch zwei Tage vor der Wohnungstür. Das hatte endlich zu einer Reaktion von Anne geführt. Einer SMS.

Geh endlich weg. Sofort! Sonst rufe ich die Polizei. Und lass mich endlich in Ruhe!!!!!!!!!!!

Elf Ausrufezeichen.

Warum sprang bei so etwas nicht die Autokorrektur an?

Im Champagne Supernova hatten sie ihn bereits am Eingang abgewiesen, mit verächtlicher Geste. Marc hatte kurz sehen können, dass ein Foto von ihm im Eingang hing, es war mit rotem Edding durchkreuzt.

Nachdem sich die Sinne Hören und Sehen für die Kontaktaufnahme als erfolglos erwiesen hatten, war Marc zum Geschmacks- und Geruchssinn übergegangen.

Kontaktversuch 31 (Tag 8)

Marmorkuchen

Kontaktversuch 32 (Tag 9)

Selbst gebackener Marmorkuchen

Kontaktversuch 33 (Tag 10)

Selbst gebackener Marmorkuchen mit Schokoguss

Kontaktversuch 34 (Tag 11)

Champagnertrüffel. Drei Farben: Weiß-Braun-Schwarz. Merke: Original-Beans-Schokolade geht schlecht aus Teppich wieder raus.

Marc hatte es fest wie flüssig versucht.

Kontaktversuch 47 (Tag 17)

Zustellung einer Kiste Auxerrois aus Baden.

Dann fiel ihm ein, dass es mehr als fünf Sinne gab. Der sechste war der des Herzens. Man erreichte ihn nur mit dem eigenen Herzen.

Kontaktversuch 51 (Tag 20)

Die gerahmte Kometenurkunde in silbernes Papier eingepackt vor ihre Tür gestellt. Am Abend stand sie eingepackt vor meiner.

Kontaktversuch 59 (Tag 24)

Taubenfutter so auf dem Fußballplatz verteilt, dass die pickenden Vögel das Wort »Ruf mich an!« ergaben. Anne ein Foto davon (Aufnahme per Drohnenkamera) per MMS geschickt. Riesenärger mit Platzwart.

Kontaktversuch 62 (Tag 28)

Gemeinsam mit der kleinen Göttin ein Lied aufgenommen. *I'm sorry* von John Denver. Katze maunzt (oder besser haunzt, da sie ja »hau« sagt statt »miau«) immer an den falschen Stellen, aber dafür laut. »China« in der siebten Textzeile durch »Köln« ersetzt und dadurch das Versmaß zerstört.

Kontaktversuch 67 (Tag 32)

Eine Dose »Prise Himmel« zugeschickt. Echter Meteoritenstaub. Gestohlen aus Vitrine in Effelsberg. Selbst gemahlen. Kaffeemühle jetzt defekt.

Als es an der Tür klingelte, sah Marc nicht einmal auf. Es würde wieder der Vermieter sein, der sich wegen der Tauben beschwerte. Den Futtersack auf dem Balkon hatten die klugen Tiere längst aufbekommen und sich dort nun häuslich eingerichtet. Sogar ein Fernsehteam von RTL hatte über »Kölns größte private Taubenkolonie« berichtet und viele Nachbarn befragt. Wütende Nachbarn.

Der Vermieter klingelte Sturm.

Marc stand auf und klemmte die Klingel ab. Darin hatte er mittlerweile schon Übung. Da der Vermieter dann immer zu Klopfen an der Tür wechselte, setzte er sich Kopfhörer auf und lauschte den Sternen. Schwingungen von Sternen mit stellarer Seismologie ermittelt, wurden in Töne übertragen. Wenn die tiefen Noten auf ihn einströmten, konnte Marc sogar ihr Alter heraushören. Es beruhigte ihn sehr. Er schaffte es in diesem Zustand sogar, sein Horoskop zu lesen. Seit acht Tagen tat er dies nun, denn Anne machte es ja auch. Vielleicht half ihm die Beschäftigung damit, sie besser zu verstehen. Vielleicht lieferte es aus purem Zufall den richtigen Impuls. Folgendes stand dort:

Waage (24. September – 23. Oktober): Der Mars steht in der Venus. Du solltest rausgehen und das Leben in vollen Zügen genießen – es wartet nur auf dich! Beruflich läuft es für dich zurzeit hervorragend, und in der Liebe kannst du aus dem Vollen schöpfen. Aber auch im Kreativen sind dir die Sterne wohlgesonnen. Ob du kochst, etwas bastelst oder malst, es gelingt dir. Also: nicht auf der faulen Haut liegen, sondern die Schwingen ausbreiten und in den Wind stürzen. Feiere das Leben!

Aus Marcs Kopfhörer erklang ein sterbender Stern, während er auf dem Wohnzimmertisch einen alten, weich gewordenen Paprika-Chip fand.

Frühstück war also fertig.

Die erste Feier des Lebens an diesem Tag.

Am nächsten Morgen machte Marc sich auf den Weg für Kontaktversuch 71. Er plante, ein Fotobuch mit den Sternenkonstellationen zu erstellen, die er sich als Kind für Anne ausgedacht hatte. In Effelsberg würde er die entsprechenden Dateien mit Sternenkarten finden.

Der Pförtner ließ ihn ohne Zögern herein. Auf dem Weg wurde er überrascht, aber freundlich von den vorbeikommenden Kollegen begrüßt. Marc fühlte sich trotzdem fehl am Platz, wie das Stück eines Star-Wars-Puzzles, das in eines von Prinzessin Lillifee passen sollte.

Als er in sein Büro trat, klopfte ihm jemand auf die Schulter.

Leider keine Prinzessin.

»Was hast du hier zu suchen?«

Steffensberg.

»Ich hole nur etwas aus meinem Büro. Dauert nicht lang.«

»Du bist suspendiert. Schon vergessen? Bist du übernächtigt, weil du wieder Sex an Orten hattest, die nicht dafür vorgesehen sind?«

Marc drehte sich um. Ingmar trug einen neuen Anzug, auch seine Schuhe glänzten mehr als je zuvor. »Schick!« Er meinte es völlig ernst.

»Geh, ich will nicht den Sicherheitsdienst rufen.«

»Haben wir doch gar nicht.«

»Den Pförtner.«

»Raimund? Der würde keiner Fliege was zuleide tun. Ich erledige jetzt, weswegen ich gekommen bin, und dann bin ich wieder weg.«

Steffensberg schnaubte verächtlich. »Ich bin zu gutmütig. Beeil dich. Übrigens hat ein Redakteur des *Stadt-Anzeigers* angerufen, sie wollen dringend ein Interview mit dir zu deiner neuen Stelle am ALMA führen. Heute Abend noch. Es geht um eine Doppelseite zum Thema Astronomie.«

Marc trat an seinen Computer und fuhr ihn mit einem Klick hoch. »Ich werde ihn herbitten.«

»In dem Fall wiederhole ich mich gern: Du bist suspendiert.«

»Es wäre Werbung für Effelsberg.«

»Haben wir nicht nötig. Wir stehen jetzt für seriöse Wissenschaft.«

Er sagte »wir« auf eine Art, die Marc nicht mit einschloss.

»Es muss etwas Repräsentatives sein. Ich kann ihn kaum zu mir nach Hause einladen.«

»Ist mir egal, wohin du ihn einlädst. Wieso willst du ihn eigentlich einladen, er will doch was von dir? Also stell dich nicht so blöd an wie bei der schnellen Nummer auf dem Teleskop. Bei einem Interview mit einem Redakteur des *Stadt-Anzeigers* kannst du dich in jedes Restaurant der Stadt einladen lassen. Wer würde einen Mitarbeiter der wichtigsten Zeitung Kölns nicht bei sich haben wollen? Also mach das Beste draus. Und lass uns bitte schön außen vor.«

Bei Steffensbergs Satz über die schnelle Nummer auf dem Teleskop hatte Marc den Wunsch verspürt, auf sein Gegenüber einzuprügeln, obwohl er nicht wusste, wie so etwas ging.

Doch nun tat er etwas anderes.

Er ging zu Steffensberg und umarmte ihn dankbar.

Wegen des Regens wartete Marc unter der Markise des Büdchens gegenüber. Es war viel los auf der Kyffhäuserstraße, doch als er den suchenden Blick des Mannes vor dem Champagne Supernova sah und dessen Blick auf die Armbanduhr, da wusste Marc, dass seine Verabredung eingetroffen war. Frederick Himmel, Wissenschaftsredakteur des *Kölner Stadt-Anzeigers*.

Marc verstand nicht viel von männlicher Attraktivität, sie war ihm auch ziemlich egal, aber Frederick Himmel war fraglos attraktiv. Auf eine kräftige, kanadische Holzfällerart, aber keine mit aufgepumpten Muskeln, sondern in einem gesunden Maß. Sein Bart war nicht der eines Hipsters, sondern ein ordentlicher brauner Vollbart, sein Händedruck würde sicher fest sein. Frederick Himmel schlug den Kragen der Lederjacke empor und blickte durch das Fenster ins Restaurant, die Augen mit der Hand beschirmend.

Da die Autos auf der engen Straße sehr langsam fuhren, konnte Marc problemlos zwischen ihnen auf die andere Straßenseite wechseln und Himmel auf die Schulter tippen. Der Journalist drehte sich um und lächelte freundlich. Sein Händedruck war tatsächlich fest.

»So sieht also ein Mann aus, der Interviews nur im Champagne Supernova führt.«

»Der Name passt so gut«, antwortete Marc und fuhr sich durch die regennassen Haare.

»Fand die Chefredaktion auch und hat es ohne Murren abgesegnet. Das Spesenkonto ist also offen! Ehrlich gesagt hab ich mich noch nie in so ein Restaurant getraut. Normalerweise hätte ich vehement um einen anderen Treffpunkt gebeten. Aber unser Restaurantkritiker meinte, ich solle mir die Chance nicht entgehen lassen, mich von der Sommelière hier beraten zu lassen. Die soll fabelhaft sein.«

»Ja, das ist sie wirklich.«

Frederick Himmel wies zur Tür. »Sollen wir?«

»Gehen Sie lieber vor, der Tisch ist ja auf Ihren Namen reserviert. Haben Sie gesagt, dass Sie vom *Stadt-Anzeiger* sind? Dazu hatte ich ja extra geraten.« Marc hatte Mühe, seine Nervosität wegzuatmen. Er merkte, dass er mit den Händen ständig in seinen Haaren zugange war, so als ließe sich dort noch eine Frisur finden.

Hinter der Eingangstür begrüßte Herbert Schönberner den Journalisten und zuckte bei Marcs Anblick zusammen. Er schaffte das Kunststück, seinen Mund lächeln zu lassen und Marc mit den Augen zu verachten.

Leider erschien nicht Anne, sondern Nina zur Aperitif-Beratung. Es zeigte sich, dass Frederick Himmel in Sachen Champagner bewandert war. Er ließ die großen Marken beiseite und bestellte den Schaumwein eines kleinen Hauses aus Bouzy, das Anne sehr liebte. Als Nina wieder fort war, beugte sich Frederick Himmel zu Marc.

»So besonders finde ich sie jetzt aber nicht. Ziemlich kurz angebunden.«

»Das ist nur die Commis-Sommelière, die eigentliche habe ich heute noch nicht gesehen.«

»Wie schade.«

Marc begriff, dass er an alles gedacht hatte, nur nicht an die Möglichkeit, dass Anne heute einen freien Abend hatte.

Er stand auf. »Mir gefällt es hier nicht, lassen Sie uns woanders hin.«

»Whoa, nicht so schnell mit den jungen Pferden. Sie wollten doch unbedingt –«

»Jetzt nicht mehr!«

Himmel hob die Augenbrauen, als habe er es mit einem völligen Irren zu tun. »Hier ein Kompromissvorschlag: Lassen Sie uns nur wenige Gänge essen. Es wäre sehr unhöflich, jetzt zu gehen. Wir haben den Tisch reserviert, das Restaurant konnte ihn nicht an andere Gäste vergeben.«

Das stimmte. Sogenannte No-Shows belasteten die Kalkulationen jedes Spitzenrestaurants, Anne hatte sich oft darüber aufgeregt.

Marc setzte sich wieder. »Nur drei Gänge.«

»Versprochen«, sagte Himmel. »Danke.«

Nina brachte die bestellten Champagner und würdigte Marc keines Blickes. Wahrscheinlich würde sie gleich – aus Versehen – irgendwas über ihn verschütten. Vorzugsweise ein heißes Getränk.

Sie prosteten sich zu.

Marc hatte das Gefühl, Annes Einzigartigkeit hervorheben zu müssen, da sie das heute nicht selbst übernehmen konnte. »Was nur wenige wissen: Die eigentliche Sommelière hat nicht eine Weinbegleitung für alle Gäste, sondern wählt diese ganz individuell für jeden Gast aus, und zwar nach deren Sternzeichen. Die kann sie mit schlafwandlerischer Sicherheit erraten. Aber behalten Sie das bitte für sich. Warum grinsen Sie jetzt so? Das ist kein Scherz!«

Himmel sprach mit einem Mal leiser. »Deshalb grinse ich nicht. Ganz im Gegenteil. Wissen Sie, ich bin nicht nur für Wissenschaftsthemen zuständig, sondern schreibe auch die Horoskope des *Stadt-Anzeigers.*«

»Ich dachte, das macht jemand namens Seydel?«

»Ein Pseudonym, um meinen Ruf als Wissenschaftsjournalist nicht zu beschädigen.«

Marc lehnte sich vor. »Und Sie glauben wirklich dran?«

»Hippokrates sagte, ›Wer heilt, hat recht‹. Zuerst hab ich nicht an die Astrologie geglaubt, zu viel spricht dagegen. Glauben Sie mir, ich kenne alle Argumente, denn ich bin ein sehr rationaler Mensch. Ich war unglaublich zynisch. Aber dann merkte ich: Es funktioniert. Vielleicht nicht bei jedem, aber dafür sind die Horoskope für Tierkreiszeichen auch zu ungenau. Persönliche Horoskope sind etwas anderes. Ich habe gelernt, ihre Wahrheit zu akzeptieren.«

»Aber Sie veröffentlichen keine persönlichen Horoskope.«

Frederick Himmel lächelte verschmitzt. »Das glauben Sie.«

»Ich hab sie doch gelesen.«

»Wenn ich ein Wassermann-Horoskop schreibe, ist es für meinen Freund Peter, einen typischen Wassermann. Das Jungfrau-Horoskop ist für meinen Cousin Stephan, das Stier-Horoskop für Kerstin, die Inhaberin des kleinen Cafés bei mir um die Ecke. Und so geht das weiter. Jedes Horoskop ist für genau eine Person. Andere mit diesem Sternzeichen können in meinen Horoskopen natürlich auch Passendes erkennen, aber die von mir Gemeinten am meisten.«

Als Nina die Grüße aus der Küche brachte, wobei sie Marcs Teller scheppernd vor ihm abstellte, trat hinter ihr Anne in den Speiseraum, den Blick starr auf den Boden gerichtet. Doch sie schaffte es nicht, ihn dort zu halten. Nur kurz blickte Anne zu ihnen, doch das reichte, um sie leichenblass werden zu lassen.

Auch Marc wurde leichenblass.

»Das ist sie!«, rief Frederick Himmel, nun ebenfalls leichenblass.

»Die Sommelière? Ja, das ist sie.«

»Sie verstehen nicht. Sie ist es.«

»Was soll Anne denn sein?«

Frederick Himmel konnte den Blick nicht von ihr lösen. »Heißt sie so, die Sommelière?«

»Anne Päffgen.«

»Das A. auf der Klingel steht also für Anne.« Er ließ den Namen wie Schokolade an seinem Gaumen schmelzen.

»Bitte um eine Erklärung.«

Frederick Himmel sah immer noch nicht zu Marc. »Anne Päffgen ist die Frau, die über mir wohnt. Manchmal begegnen wir uns im Treppenhaus, manchmal klingelt sie spät nachts bei mir. Und manchmal will sie Futter für einen Hummer namens Edward.« Er lächelte, ganz warm. »Ich habe mich immer gefragt, was sie beruflich macht. Aber wir kamen nie dazu, darüber zu reden.«

Anne stand nun mit dem Rücken zu ihnen und beriet einen anderen Tisch, was Frederick Himmel nicht daran hinderte, sie weiter anzusehen.

Marc fühlte sich, als hätte eine Trägerrakete ihn weit weg vom Geschehen in die Umlaufbahn der Erde geschossen. Als sähe er alles aus großer Distanz, als passiere dort unten auf der Oberfläche etwas, auf das er keinen Einfluss hatte.

Dabei hatte er ihn noch.

Aber er war sich noch nicht sicher, ob er ihn nutzen sollte. Dafür musste er mehr über den Journalisten wissen.

Erst als Anne im hinteren Bereich des Restaurants verschwand, schaute dieser ihn wieder an, wobei sein Blick immer wieder suchend durch den Raum glitt.

»Es mag Ihnen komisch vorkommen, aber ich rede nicht mit jedem«, sagte Marc zu Himmel.

»Wer tut das schon?«

»Deshalb muss ich Ihnen jetzt erst einmal ein paar Fragen stellen, um herauszufinden, wer Sie sind.«

Himmel faltete die Serviette umständlich auf seinem Schoß. »Ich bin zwar nicht gewohnt, dass ich der Befragte bin, aber nur zu. Das ist fair.«

»Lieblingsfarbe?«

»Lieblingsfarbe?«

»Ja, einfach nur antworten.«

»Dunkelblau. Und rosa.« Er lächelte entschuldigend. »Aber kein kitschiges.«

Annes Lieblingsfarben.

»Eher Langschläfer oder Frühaufsteher.«

»Oh, Langschläfer, ganz sicher. Schreiben Sie das alles auf? Wofür?«

»Ist ein Tick, mache ich automatisch. Lösche ich gleich wieder.« Er glich die Antwort mit Annes Profil ab. Sie war auch entschiedene Langschläferin.

»Das finde ich jetzt doch schräg.«

Marc legte das Handy weg. »Besser?«

»Viel besser.«

Das Diktafon des Handys lief weiter mit. »Schlafen Sie bei offenem oder geschlossenem Fenster?«

»Ganz schön persönlich.« Himmel wirkte unruhig. Als Marc nichts erwiderte, redete er schließlich weiter, um die Stille zu füllen. »Offen, immer.«

»Klopapier: Falter oder Knüller?«

Frederick Himmel sah auf seine Uhr. »Wie lang wird das noch gehen?«

»Bin gleich durch.« Marc lächelte aufmunternd.

Es dauerte fast eine halbe Stunde, während der Marc noch etliche Male aufmunternd lächeln musste. Danach wusste er es. Frederick Himmel passte perfekt zu Anne. Besser als jeder andere. Das Merkwürdige war: Sie lebten übereinander, kannten sich sogar. Wieso entfaltete der Algorithmus nicht seine Wirkung, wieso setzte sich das Räderwerk der Liebe nicht in Bewegung?

Nina räumte die Grüße aus der Küche und die leeren Champagnergläser ab.

Frederick Himmel zückte so schnell Kugelschreiber und Notizblock, als wären sie Schwert und Schild, mit denen er sich gegen Marcs Fragen wehren und selbst zum Angriff übergehen konnte. Seine Fragen waren sehr klug, er kannte sich aus mit der Materie, wusste von Marcs Erfolgen, sogar den jüngsten, und erkundigte sich nach der Auswertung der Schwarze-Loch-Aufnahme. Beim Essen des ersten Ganges, der den Namen »Das Knusprige der Lasagne« trug, und den köstlichen krossen Rand, der sich in Auflaufformen fand, in einer Art Pasta-Chips in den Farben Italiens nachbildete, beobachtete Marc sein Gegenüber sehr genau. Der Journalist schloss immer wieder, unbewusst, die Augen beim Genießen.

Marc fasste einen Entschluss.

Einen, der sich anfühlte wie Ketten, die um seinen Brustkorb zugezogen wurden. Wenn Anne dachte, Marc und der Journalist wären befreundet, würde sie ihn keines Blickes würdigen.

Sie musste von dem genauen Gegenteil überzeugt werden.

Er blickte sich um, wartete, dass Anne erschien.

Sie musste alles mitbekommen.

Frederick Himmel sagte etwas, doch Marc hörte nicht hin. Denn in diesem Moment bog Anne mit einer Flasche Bordeaux um die Ecke.

Er stand langsam auf. Es fiel ihm schwer.

Auch die Stimme zu erheben.

Sein Hals kam ihm so rau vor, als sei er mit Schmirgelpapier ausgekleidet.

Marc blickte zu Frederick Himmel.

Dann streckte er den Finger aus, zeigte auf den Journalisten.

»Ich sage Ihnen eins, Sie Schmierfink vom *Stadt-Anzeiger*: Mit einem, der Horoskope schreibt, rede ich nicht. Wer an solchen Humbug statt an Wissenschaft und mathematische Gleichungen glaubt, mit dem habe ich keine Grundlage für ein Gespräch. Ich wünsche Ihnen keinen guten Abend. Wegen Ihrer Horoskope wussten Sie ohnehin bestimmt schon, dass Sie keinen haben würden!«

»Aber ...« Weiter kam Frederick Himmel nicht.

»Ach, halten Sie doch die Schnauze, Sie Spinner!«

Marc drückte sich an ihm vorbei und ging schnellen Schrittes hinaus.

Niemand der entsetzten Gäste und niemand des fassungslosen Personals im Champagne Supernova bemerkte, dass er dabei am ganzen Körper zitterte.

Von außen sah er durch das Fenster, wie Anne zu Frederick Himmel an den Tisch trat.

Marc kam sich vor, als habe er in der *Matrix* die rote Pille genommen. Es gab nun kein Zurück mehr in die alte Realität.

Marc blickte nachts nicht mehr in die Sterne. Er ging nicht mehr ans Telefon, nicht an die Tür. Als der Anruf kam, saß er auf dem Badewannenrand und ließ die Hummerhandpuppe von Edward nach allen Regeln der Kunst fertigmachen. Der Hummer kannte keine Gnade mit dem Rivalen und zwackte so fest zu, dass Marc es sogar durch das Plastik spürte. Der Schmerz störte ihn nicht. Ganz im Gegenteil legte er es sogar darauf an. Er hatte ihn verdient.

Marcs Stimme erklang vom Anrufbeantworter, der auf einem kleinen Hocker neben dem Stapel mit Astronomie-Magazinen lag.

»Mission Control Center Köln-Sülz, Astronaut Marc Heller befindet sich zurzeit auf archäologischen Studien im All. Während des Signaltons werden Sie auf Biozeichen gescannt, danach können Sie eine Nachricht hinterlassen. Bitte nennen Sie die Sternzeit und Ihre Identifikationsnummer. Mission Control Center out.«

Ein kurzes Lachen erklang. »Sekunde, muss auf meine Uhr schauen… Sternzeit 13:21 Uhr, Identifikationsnummer… 29101973, Erden-Name Frederick Himmel.« Ein tiefes Atmen erklang, Frederick Himmel sammelte sich wohl für das, was er jetzt sagen wollte.

Der Anrufbeantworter schaltete sich ab.

Das Telefon klingelte wieder, Marcs Spruch erklang, dann Frederick Himmel.

»So, diesmal mache ich keine Pausen, sondern komme direkt zum Punkt. Ich war wirklich sauer auf Sie, mir solch eine Szene im Restaurant zu machen. Da ich kein Interview mit Ihnen führen konnte, war es mir auch unmöglich, einen Artikel zu schreiben. Ich blieb auf den Spesen sitzen, und meine Vorgesetzten waren not amused. Außerdem waren die Blicke der anderen im Restaurant unheimlich peinlich, als wäre ich ein Aussätziger, so was hab ich noch nie erlebt. Aber dann kam die Sommelière, also kam Anne und stellte sich so an meinen Tisch, dass die anderen mich nicht mehr sehen konnten, sie schützte mich. Ohne zu fragen, goss sie mir Wein ein. Das zeigte den anderen: Der bleibt, der darf hier sein, der wird bewirtet. Das war eine unglaublich kluge Aktion von ihr! Wir kamen dann ins Gespräch, und sie fragte mich wegen der Horoskope. Sie werden es nicht glauben, aber Anne liest die schon seit Jahren!« Ein glückliches Auflachen. »Als sie erfuhr, dass die von mir stammen, musste sie sich erst mal setzen. Und was soll ich sagen: Sie blieb den ganzen Abend bei mir. Da wohnen wir jahrelang übereinander, nur durch ein paar Zentimeter Beton getrennt, aber der Zufall muss mich erst in ihr Restaurant führen, damit man mehr als nur ein paar Worte miteinander wechselt. Ich muss zugeben, dass ich immer schon für sie geschwärmt habe, seit sie damals mit einem unfassbar hässlichen orangefarbenen Stoffsofa eingezogen ist, das sie zusammen mit vier Freunden umständlich durchs Treppenhaus getragen hat. Jeder andere wäre wahnsinnig geworden, aber sie hat die meiste Zeit gelacht und Witze darüber gerissen, dass eine Karriere als Möbelpacker immer noch im Bereich des Möglichen läge. Was für eine Frau! Meine Güte, wirklich. Und nachts sind wir dann noch –«

Der Anrufbeantworter schaltete sich ab. Das rote Licht blinkte, signalisierend, dass der Speicher voll war.

Das Telefon klingelte wieder. Marcs Spruch ertönte. Er rannte zum Apparat, kniete sich daneben und wartete auf den Moment des Signaltons. Bei vollem Speicher schaltete der AB danach sofort ab. Er musste den richtigen Augenblick treffen.

Marc hob zu früh ab.

»Hallo?«, fragte Frederick Himmel. »Das klang gerade so, als habe jemand abgenommen. Komisch. Der Ton kam auch gar nicht … Hallo?«

Marc bewegte sich keinen Zentimeter. Die kleine Göttin

erschien neben ihm, richtete die großen Ohren wie Teleskopantennen auf Marc und blickte ihn interessiert an.

»Na ja, egal«, fuhr Frederick Himmel fort. »Ich war eigentlich auch fertig, wollte nur den letzten Satz nicht so unbeendet dastehen lassen, ist eine Macke von mir. Also wir sind dann nachts noch durch Köln gezogen, von einer Bar in die nächste und haben Champagnercocktails bestellt, bis wir, und ich übertreibe jetzt echt nicht, Sterne gesehen haben. – Atmet da jemand?«

Marc hielt die Luft an. Dabei wollte er losbrüllen.

»Hm, jetzt ist wieder alles normal. Also kurz gesagt: Ohne Ihre unmögliche Szene hätten Anne und ich uns vielleicht nie richtig kennengelernt. Ich glaube, das war die wichtigste Beleidigung in meinem Leben.«

Marc konnte das glückliche Lächeln von Frederick Himmel hören.

»Also, Herr Dr. Heller, Sie haben echt was gut bei mir.«

Die kleine Göttin setzte ihre Pfoten auf Marcs Oberschenkel. Sie schmiegte den Kopf an ihn.

Und maunzte.

»War das eine Katze gerade? Hallo? Herr Dr. Heller? Sind Sie da?«

Marc legte auf.

Er war es nicht gewohnt, dass seine Wangen feucht wurden. Nur wenn er sich das Gesicht wusch oder durch Regen lief. Doch sie wurden immer feuchter. Seine Augen hörten einfach nicht auf, Tränen zu produzieren.

Operation geglückt.

Patient tot.

Löwe (24. Juli – 23. August) Lassen Sie sich auf Ihre Gefühle ein! Heute und in den nächsten Tagen dürfen Sie auf Ihr Herz hören. Und Sie dürfen dem Schicksal vertrauen, dass es weiß, was es tut. Es sind die Sterne, die Sie mit dem Richtigen zusammenführen werden. Seien Sie nicht überrascht, wenn Sie erfahren, dass die Sterne schon seit langer Zeit nur mit Ihnen gesprochen haben.

Kapitel 10

Die Zeit seit Frederick Himmels Anruf zählte Marc nicht in Tagen, er zählte sie in Fernsehserien. Der Anruf war exakt vierzehn Staffeln (*Battlestar Galactica, The Expanse, Stranger Things, The OA, American Gods, Star Trek DS9, Killjoys*) her. Die kleine Göttin hatte alles an ihn gekuschelt mitgeschaut. Als Dank hatte er sie über die Bedeutung der Serien im Science-Fiction-Universum und ihre wissenschaftlichen Grundlagen aufgeklärt. Sie war eine sehr gute Zuhörerin. Wobei er manchmal an der Ernsthaftigkeit ihres Interesses zweifelte – vielleicht wollte sie auch einfach nur am Bäuchlein gekrault werden.

Shadow Moon stand gerade bevor, mit einem Hammer den Kopf gespalten zu bekommen, als es an Marcs Balkontür klopfte.

Die Wohnung lag im fünften Stock.

Trotzdem winkte ihm Prian von draußen zu.

Marc rappelte sich auf, wobei er eine leere Chipstüte und etliche Schokoriegelverpackungen von sich regnen ließ, und öffnete die Balkontür.

»Du gehst nicht ans Telefon und reagierst nicht auf die Türklingel!« Prian schob sich herein. »Hier sieht es aus wie nach der Apokalypse.«

Marc schlurfte heraus und blickte über die Brüstung.

»Mein Onkel ist Dachdecker«, sagte Prian und fing an, Müll aufzusammeln.

Marc entdeckte eine bemerkenswert lange Leiter und auf dieser eine sich ganz langsam nach oben tastende Henny. Sie versuchte, ihm zu winken, hielt sich dann aber doch lieber mit Panik in den Augen fest.

»Ich hab Höhenangst und komme trotzdem hier hoch«, sagte sie. »Ich will die Auszeichnung als beste Freundin des Jahres! Du siehst übrigens furchtbar aus. Als hätte dich die Katze erbrochen.«

»Danke, Henny, dass du hier hochkommst.«

Die Kompostschicht auf den Böden der Wohnung hatte mittlerweile eine Höhe erreicht, die archäologische Ausgrabungen in den Bereich des Möglichen rückte. Prian räumte das Sofa so weit frei, dass er sich darauf fallen lassen konnte.

»Was hast du angestellt?«

»Das wisst ihr doch«, sagte Marc und half Henny empor. Sie schloss ihn in die Arme und sortierte danach seine Haare.

»Ich mein das mit Chile«, erwiderte Prian und holte einen Brief mit chilenischer Briefmarke aus der Jackentasche. »Du hast gekündigt? Bist du wahnsinnig?«

»Ich will nicht darüber reden.«

»Henny hat den offiziellen Antwortbrief aus Versehen geöffnet.«

»Ich dachte, er sei an mich adressiert…« Henny hatte die Lüge offenbar einstudiert, aber glaubwürdiger war sie dadurch nicht geworden. »Kaffee irgendwer?« Sie verschwand in der Küche. »Ich setz einfach eine Kanne auf.«

»Den Brief will ich nicht lesen«, sagte Marc. »Hab schon eine Mail bekommen und kann mir denken, was drinsteht.«

»Nee, kannste nicht, du Hellseher. Du wusstest zwar, dass Señor Pizzi, der Vorstandsvorsitzende des ALMA, ein ungewöhnlicher Bursche ist, aber das hier setzt seiner Extravaganz echt die Krone auf. Also setz dich, nimm dir 'n Keks, mach es dir schön bequem… du Arsch!«

»Gibt keine Kekse«, sagte Marc, der wegen des Filmzitats lächeln musste.

Prian faltete den Brief auseinander. »Ich übersetze mal direkt ins Deutsche: Lieber Herr Dr. Heller, wir waren sehr überrascht, Ihre Absage zu erhalten ... blablabla ... Achtung, jetzt kommt's ... es hat unseren Vorstandsvorsitzenden Juan Antonio Pizzi sehr beeindruckt, wie vehement Sie sich bei Ihrem Besuch des ALMA-Teleskops gegen Hummergenuss eingesetzt haben. Er selbst ist Vegetarier, und es gefiel ihm ausgesprochen, dass Sie nicht einfach den Mund hielten, sondern Ihre Position verteidigten, und zwar klug und mit Leidenschaft. Als Kämpfer für das Richtige.« Prian hob die Augenbrauen empor. »Genau solch einen Mann wünscht er sich für die Leitung des ALMA, einen großartigen Wissenschaftler, der nicht kuscht, wenn es um die Wahrheit geht.« Prian grinste breit und stupste Marc an. »Es wird sogar noch besser, glaub mir.« Er nahm die zweite Seite des Briefs zur Hand. »Herr Pizzi hat von Ihren amourösen Eskapaden auf dem Teleskop in der Eifel gehört. Wenn jemand Verständnis für Liebesnächte hat, dann wir Südamerikaner. Er meinte, beim ALMA gäbe es sechsundsechzig Teleskope, auf denen Sie sich austoben könnten. Falls Sie das bei der dünnen Luft tatsächlich hinbekämen, würde er Sie nicht entlassen, sondern stattdessen den Hut vor Ihrer Konstitution ziehen.« Prian musste lachen. »Er würde sich sehr freuen, wenn Sie es sich mit der Kündigung nochmals überlegen würden, zu verbesserten Konditionen.«

»Geheiligt seien die Chilenen!«, rief Henny und brachte den Kaffee. Ihr Lächeln verriet, dass sie Prian mit dem Spruch ganz bewusst einen Ball zugeworfen hatte.

»Was hat er gesagt? Geheiligt seien die Skifahrer? Ich glaube, es ist als Gleichnis zu sehen. Es bezieht sich auf die komplette Wintersportindustrie!« Prian reichte Marc den

Brief. »Du hast mehr Glück als Verstand. Und das sage ich, obwohl ich weiß, wie viel Verstand in deiner Birne ist.«

Marc starrte ungläubig auf den Brief. »Ich werde die Stelle nicht antreten.«

»Lass mich raten: Wegen Anne?« Prian goss den Kaffee ein, während Henny sich zwischen sie auf die Couch quetschte.

»Ist sie etwa kein guter Grund?«

Kaffeeduft erfüllte den Raum. Prian reichte Marc eine Tasse. »Anne war bei uns, sie hat dich gesucht.«

»Sie wusste überhaupt nichts von deiner Suspendierung wegen eures Stelldicheins auf dem Teleskop«, ergänzte Henny.

»Das gab es doch gar nicht!«

»Hat sie auch gesagt, Ingmar muss sie falsch verstanden haben. So, und jetzt trink erst mal was, sonst erzählen wir nicht, was sie wollte. Nicht nur nippen, ganz austrinken!«

Marc setzte zögernd die Tasse an.

»Jetzt noch ein paar Kekse und wir sind im Geschäft.« Prian deutete auf den Teller mit dem Russisch Brot. Marc hatte gar nicht mitbekommen, dass jemand ihn auf den Tisch gestellt hatte.

»Vier Stück Minimum«, ergänzte Henny. »Du darfst sie sogar in den Kaffee tunken, wenn du möchtest. So nett sind wir zu dir!«

Henny und Prian warteten seelenruhig, bis Marc damit fertig war. Die Wärme des Kaffees und die Süße des Gebäcks taten unheimlich gut. Es kam Marc vor, als fülle er seinen Magen nicht mit Nahrung, sondern seinen ganzen Körper mit Leben.

»So, erledigt!« Er blickte Prian auffordernd an.

»Mit mir hat sie nicht geredet. Dabei hab ich zu ihr gesagt: Ich will, dass du mich Loretta nennst! Damit wir ein Gespräch unter Frauen führen können. Aber sie hat das *Leben-des-Brian*-Zitat nicht erkannt. Komische Frau …«

Marc blickte zu Henny.

»Sie hat ja die Sache mit deinem Plan herausgefunden. War schrecklich wütend.«

»Weiß ich, weiter.«

»Aber sie hat nachgedacht und verstanden, dass du es auf deine eigene, versponnene Naturwissenschaftler-Art – das waren ihre Worte, nicht meine – gut gemeint hast. Sie will mit dir reden.«

»Reden?«

»Wenn du mich fragst, dann hast du noch eine Chance. Aber versau sie nicht!«

»Nur keinen Druck aufbauen …«

Henny legte einen Arm um seine Schultern. »Sei einfach du selbst, aber vielleicht nicht ganz so sehr.«

Prian meldete sich zwischen zwei Bissen Russisch Brot zu Wort. »Sei siebzig Prozent du selbst und dreißig Prozent George Clooney.«

»Ich muss dann mal weg.« Marc stand auf.

Doch Henny hielt ihn an der Hand fest. »Dusch dich erst. Generalreinigung. Und mit der Heckenschere einmal über Kopf und Kinn. Sonst buchten sie dich als IS-Terroristen ein.«

Prian hielt den *Kölner Stadt-Anzeiger* empor. »Dein Horoskop sagt übrigens, dass sich heute etwas Wichtiges in deinem Leben entscheiden wird. Ich würde deshalb zu doppelt Deo raten! Das ist auch mein Erfolgsgeheimnis.«

Jetzt konnten Henny und Marc nicht mehr anders, als laut loszulachen.

Lange her, dass ich das gemacht habe, dachte Marc.

Viel zu lange.

Anne richtete das Zellophanpapier um den Blumenstrauß und zog die rote Schleife gerade. Drei rosa Avalanche-Rosen, drei pinkfarbene Gerbera, ein rosa Limonium, zwei rosa Nelken, drei rosa-pinke Spraynelken, eine rosafarbene Santini-Chrysantheme und Schleierkraut. Die Floristin im kleinen Hinterhof-Blumenladen in der Straße ihrer Mutter wusste seit Jahren Bescheid.

Anne klingelte. Ihr Vater würde öffnen, das machte er immer am Geburtstag ihrer Mutter. Dann verwandelte er sich in deren Butler. Und Koch. Er trug deshalb auch den ganzen Tag eine Schürze, von der er überzeugt war, dass sie ihm gut stand.

Mit dieser Meinung war er sehr alleine.

Die Tür wurde geöffnet.

Von ihrer Mutter.

Sie trug Turnschuhe, eine ganz normale Jeans und eine dunkelblaue Bluse. Sonst kleidete sie sich an ihrem Geburtstag so, als müsse sie in die Mailänder Scala. »Wie schön, dich zu sehen!«

Zwei Küsse, einer links, einer rechts. Anne ging durch den Flur Richtung Wohnzimmer, wo die Familie bereits am gedeckten Kaffeetisch sitzen würde. Riemchen-Apfel, Herrentorte, Zitronenrolle. Wie jedes Jahr.

Der Tisch war ungedeckt und niemand zu sehen.

»Wo sind die anderen?« Anne ging ein paar Schritte weiter, als wäre alles nur ein optischer Trick und sie könnte die Gäste aus einer anderen Perspektive sehen.

»Ich möchte nur mit meiner Tochter feiern.«

»Und Papa?«

»Dem habe ich einen Kochkurs in seinem Lieblingsrestaurant spendiert, der Alten Eiche an der Ahr. Ich habe ihm gesagt, dass er heute ausnahmsweise auch mal was geschenkt bekommt. Als Dankeschön dafür, dass er immer so aufmerksam ist.«

»Papa aufmerksam?«

Ihre Mutter schmunzelte und öffnete die gläserne Schiebetür zum Garten. »Ich wollte heute Nachmittag eben mit dir allein sein, das habe ich mir geschenkt.«

Anne nahm die Hände ihrer Mutter. »Ist alles okay mit dir, Mama?«

»Du meinst, ob ich krank bin? Nein. Das würde ich dir aber auch nicht an meinem Geburtstag sagen. Ich habe es völlig ernst gemeint, als ich sagte, dieses Mutter-Tochter-Gespräch hab ich mir selbst geschenkt.«

Anne hatte das Gefühl, die Gäste müssten jeden Augenblick hinter den Büschen hervorspringen und »Überraschung!« rufen. Doch auch hier blieben sie allein.

»Das hast du noch nie gemacht.«

»Dann wurde es ja Zeit!«

»Aber das könnten wir doch immer tun.«

»Na dann also auch jetzt.« Ihre Mutter ging vor zu dem kleinen, blauen Gartenhäuschen neben dem Apfelbaum, in dem sich Rasenmäher, Rasenkantenschneider und Rasentrimmer befanden. Schließlich war der englische Rasen der Stolz ihres Vaters. Im Handumdrehen könnte er hier einen Golfplatz anlegen. »Hältst du gerade mal das Vorhängeschloss?« Sie öffnete es und reichte es Anne. Kurz verschwand sie im Inneren und kehrte mit einem Beutel zurück.

»Ist das Rasensamen?«, fragte Anne.

»Keine Ahnung, was da genau drin ist.« Sie warf eine Handvoll auf den Rasen.

»Jetzt verstehe ich gar nichts mehr.«

»Nimm auch was«, sagte ihre Mutter und reichte ihr den Beutel.

Anne griff hinein, es sah genau aus wie …

»Ist das Vogelfutter?«

»Taubenfutter. Guck, da kommt schon die erste. Die wissen schon, dass es bei mir manchmal was gibt. Es sind so schöne Vögel. Viele sehen das leider einfach nicht.«

»Aber …?«

»Stadttauben sind Kinder und Kindeskinder von Brieftauben und Nachkommen der Haustaube, die der Mensch einst zur Fleischgewinnung gezüchtet hat. Also Haustiere, die nie gelernt haben, sich selbstständig Nahrung zu suchen.« Sie lächelte stolz. »Diese Sätze fand ich so gut und wichtig, dass ich sie auswendig gelernt habe.«

»Was ist denn aus den Ratten der Lüfte geworden?«

»Tauben haben eine Lebenserwartung von zehn bis fünfzehn Jahren, die sie in einem gehüteten Schlag sicher erreichen können. Stadttauben allerdings werden in der Regel nicht älter als zwei bis drei Jahre, und ihr größter Feind ist der Mensch und dessen Umfeld.« Großzügig warf sie Futter auf den englischen Rasen.

»Mama, du machst mir Angst.«

Annes Mutter deutete grinsend auf eine gerade landende Taube. »Schau mal die fast Schwarze. Ich hab sie Roy Black getauft.«

»Hollywoodschaukel?«, fragte Anne. Ihre Mutter nickte.

Das braun-orange-gestreifte Ungetüm mit Dach stand seit Anbeginn aller Zeiten am Ende des Gartens. Zumindest gefühlt. Als sie sich hineinsetzten, versanken sie in den dicken Polstern. Nachdem Annes Mutter die Sicherungshaken gelöst hatte, setzte sie sich leise quietschend in Bewegung.

»Als Kind hast du immer gerne geschaukelt. Dahinten stand das rote Ungetüm. Die ersten Jahre musste dich Papa anschubsen, du wolltest höher und noch höher. Und dann bekamst du Angst, wenn es plötzlich diesen einen Moment der Schwerelosigkeit gab.«

»Ja, das war schrecklich. Und schön. Dieses Kribbeln im

Bauch, dieser Moment, in dem man nicht weiß, ob man wieder heil hinunterkommt.«

»Du wolltest unbedingt, dass die Schaukel neben dem Rosenbeet steht. Ich weiß noch, wie du darauf bestanden hast. Warst ganz wütend, als Papa sie ein wenig schattiger platziert hatte.«

Anne zeigte auf das oberste Fenster im Nachbarhaus. »Von dort aus konnte ich Marc winken. Das war unser Spiel. Später bin ich immer abgesprungen, und er hat Haltungsnoten hochgehalten.«

Ihre Mutter sagte nichts, nickte nur.

»Du darfst ruhig was zu Marc sagen.«

»Ich beneide dich nicht.« Sie streckte die Beine aus.

»Wie meinst du das?«

»Zwischen zwei Männern zu entscheiden, die sich beide richtig anfühlen.«

Anne blickte zu Marcs Fenster. »Sie fühlen sich beide wie Schicksal an. Aber es kann nur ein Schicksal geben.«

»Ich hab dir das nie erzählt, aber es gab damals noch einen anderen Mann. Also abgesehen von Papa.«

Unzählige Fragen schossen Anne durch den Kopf, aber sie hielt den Mund geschlossen und ließ sie nicht heraus. Die Hände ihrer Mutter umschlossen das Polster und drückten es fest zusammen.

»Die nicht ausgelebten Lieben bleiben bei einem. Wie eine Geschichte, deren letzte Seite man nicht lesen durfte. Man fragt sich, wie es wohl weitergegangen wäre. Es fühlt sich alles noch ganz frisch an in meinen Erinnerungen, dabei ist es schon Jahrzehnte her.«

Anne nahm die Hand ihrer Mutter. »Hast du ihn geliebt, diesen anderen Mann?«

»Ja, sehr. Er war ganz anders als dein Vater, immer unter Volldampf, tausend Ideen im Kopf. Ein echter Lausbube, aber mit einem großen Herz. Wir haben verrückte Sachen gemacht, das darf ich dir gar nicht erzählen.«

»Was ist aus ihm geworden?«

Sie runzelte die Stirn. »Ich weiß es nicht. Er ist aus meinem Leben verschwunden. Zuerst zog er damals nach Bremen, weil er es nicht ausgehalten hat, mich in der Nähe zu wissen. Er war Schauspieler, feierte dort Erfolge, das hab ich in den Zeitungen gelesen. Wir haben uns geschworen, Freunde zu werden, und das haben wir auch versucht, aber es hat zu sehr geschmerzt. Irgendwann ist er ins Ausland gegangen, ohne mir zu sagen, wohin. Er könnte heute genauso gut auf einem anderen Planeten leben. Ganz weit weg fühlt er sich an und trotzdem manchmal ganz nah. Also die Vorstellung von ihm. Die hat vielleicht schon längst nichts mehr mit ihm gemein.«

»Warum hast du dich für Papa entschieden?«

»Es war gut, dass ich das getan habe, da bin ich mir sicher! Und trotzdem ...« Sie zuckte mit den Schultern.

»Was gab den Ausschlag?«

»Dein Vater hat mir als Erster einen Antrag gemacht. Da wusste ich, er meint es ernst. Und das tat er ja auch.« Sie begann wieder zu schaukeln. »Mit dem Mann, für den man sich entschieden hat, wird das Leben irgendwann Alltag, das geht ja gar nicht anders. Der Alltag kommt unausweichlich. Von dem anderen Mann bleibt in der Erinnerung dagegen die Liebe der ersten Tage, Wochen oder Monate. Und die Frage: Was wäre, wenn? Als gäbe es da ein zweites, ungelebtes Leben von einem selbst. Ich glaube, viele tragen ein solches, nie verwirklichtes Leben mit sich herum. Manche vielleicht sogar mehrere. Wegen der Menschen, mit denen man hätte ein Leben zusammen führen können. Ich habe ihn mal meinen geträumten Mann genannt. Wenn ich Streit mit Papa hatte, habe ich mir ausgemalt, wie es wohl mit ihm wäre. Ob ich mit ihm auch streiten würde.«

»Wie hieß er?«

Nun sah ihre Mutter Anne wieder an. »Er hat einen total doofen Namen.«

»Jetzt sag schon!«

»Bernd.«

»Find ich gar nicht doof.«

»Lässt sich ganz schlecht erotisch hauchen.« Sie grinste.

»Mama!«

»Was denn? Meinst du, das könnte ich nicht?«

»Ich weigere mich, darüber nachzudenken.«

Ihre Mutter senkte die Stimme. »Oh, Bernd!«

Anne stupste sie in die Seite. »Jetzt hör aber auf! Sonst stehe ich auf.«

Sie lachten, doch als das Lachen verebbte, blieb an seiner Stelle eine Schwere, die unbemerkt darunter gelegen hatte. Annes Mutter nahm sie in die Arme und drückte sie ganz fest an sich. »Wir denken immer wie Kinder, dass alle unsere Träume wahr werden müssten. Aber manchmal kommen sie sich ins Gehege. Dann muss man sich entscheiden. Wenn man Glück hat, tut man es für den richtigen Traum. Aber man kann es vorher nicht wissen.« Sie gab ihr einen Kuss auf die Stirn.

»Das hast du mir alles nie erzählt.«

»Vielleicht hab ich gehofft, dir das nie erzählen zu müssen.«

»Für wen soll ich mich entscheiden?«

»Ich glaube, das ist die falsche Frage.«

»Und die richtige?«

»Für wen du dich schon entschieden hast.« Sie nahm Annes Hand und legte sie auf ihr Herz. »Dein Herz ist immer schon schneller gewesen als dein Verstand.«

Anne lief die Treppenstufen zu ihrer Wohnung empor. Sie wollte schnell zu Marc, und wenn sie vor seiner Wohnungstür campieren musste, damit er endlich aufmachte. Es musste geredet werden, es galt herauszufinden, was ihr Herz wollte, und das funktionierte nicht aus der Entfernung von ihrer Wohnung aus.

Als sie auf dem Treppenabsatz der dritten Etage ankam, ging die Tür von Frederick Himmels Wohnung auf. Seine Haare waren zerzaust, er trug noch seinen Pyjama und sah aus, als habe er in der Nacht nicht viel geschlafen. Einer Nacht, die jetzt am späten Nachmittag schon etliche Stunden zurücklag.

»Ich bin so froh, dich zu sehen.« Frederick roch nach Mehl und Vanille, als habe er gerade einen Kuchen gebacken.

»Hast du mich hinter der Tür abgepasst?«, fragte Anne.

»Nein.«

»Aber wieso … ?«

»Niemand lässt die Haustür so ins Schloss donnern wie du. Dann vibriert das ganze Haus, und ich weiß, dass du da bist.«

»Ich dachte, das machen alle.«

»Da hängt ein Schild, das um ein leises Schließen der Tür bittet.«

»Das ist so zerschlissen, dass ich davon ausging, es gilt nicht mehr.«

Anne schwor sich, die Tür zukünftig leise ins Schloss fallen zu lassen.

»Hast du einen Augenblick Zeit für mich? Dauert nicht lang.«

Wie jede andere Wohnung auch, musste die von Frederick Wände haben, doch man sah sie nicht. Alles war voll mit Bücherregalen, vor deren prall gefüllten Reihen unzählige kleine Andenken standen, zum Teil noch aus der Kindheit. Wo keine Regale waren, hingen Fotos und Bilder, von der Bodenleiste bis zur Decke, dicht an dicht. Die Wohnung strahlte die Wärme einer wohligen Höhle aus, in der man sich ans Feuer setzen und bis zum Morgen gemeinsam Lieder singen wollte.

»Ich will dir etwas zeigen«, sagte Frederick. Sehr ernst. »Es ist ein Geständnis.« Er blieb vor einer schlichten Holztür stehen, die im Gegensatz zu den anderen nicht verziert war.

»Du hältst hinter dieser Tür deine verrückt gewordene Frau gefangen?«

Er nahm die Klinke in die Hand. »Nein, das ist kein Charlotte-Brontë-Roman. Aber auch ich hab dir etwas verschwiegen. Im ersten Moment wird es komisch aussehen.«

»Wie komisch?«

»Ich glaube, wie der Rückzugsort eines Psychopathen. Aber ich schwöre dir, ich bin keiner!«

»Genau solche Sätze bringen einen dazu, zu denken, dass man einem gegenübersteht.«

»Ich öffne jetzt besser die Tür.« Doch er zögerte. »Möchtest du vielleicht vorher was trinken?«

»Öffne die Tür!«

»Ich dachte, ich zeig es dir lieber, als es zu erklären.«

»Öffnest du sie jetzt endlich?«

Sein Blick war ein merkwürdiger Cocktail aus unterschiedlichsten Zutaten: Angst, Traurigkeit und Vorfreude. Es kam Anne nicht vor, als öffne Frederick einfach nur die Tür zu einem Zimmer für sie, sondern als sei dies der Eingang zu seinem Innersten – zu dem, was manche Herz und andere Seele nannten, zu dem, was Menschen schützten, weil sie dort am verletzlichsten waren.

Zuerst fiel Anne die alte, schwarze Triumph-Schreibmaschine auf dem abgewetzten Schreibtisch ins Auge, der direkt vor dem Fenster stand. Das Zimmer war viel weniger vollgestellt als die anderen. Ein beeindruckend detailliertes Planeten-Mobile hing von den Strahlern an der Decke. Ein Regal in Griffweite des Schreibtischs beherbergte dicke Wälzer zum Thema Astrologie. An den Wänden hingen groß die Sternenkonstellationen der zwölf Tierkreiszeichen. So weit, so normal. Doch neben jedem von diesen hing das Foto eines Menschen.

Frederick trat neben den Skorpion, wo das Foto eines Mannes mit dunkler Brille hing, der in einem steilen Weinberg stand. Die Sonne fiel auf ihn, während er eine Rebschere in der Hand haltend stolz in die Kamera lächelte.

»Das ist mein Vater in seinem Weinberg an der Ahr. Er war der Erste.« Frederick zeigte auf einen dicken Burschen im Hawaiihemd, der neben dem Steinbock hing. »Mein Kumpel Uwe, ein typischer Steinbock.«

»Ich verstehe nicht.«

»Meine Horoskope sind immer für genau eine Person verfasst, dadurch kann ich viel persönlicher schreiben. Ein Horoskop für meinen Vater trifft für alle anderen Skorpione auch zu, wenn auch nicht im selben Maße. Aber allgemeine Horoskope sind mir zu … ungenau.«

»Also ich finde, dass deine Horoskope bei mir immer sehr gut zutreffen.«

»Ja, darüber wollte ich mit dir reden.«

»Und wegen dieser Sache hältst du vorher so eine Ansprache?«

»Für manche Sternzeichen habe ich jahrelang niemanden gefunden. Vor allem für eines …« Er strich Anne zärtlich über die Wange, als müsste er sie trösten.

Was passierte hier gerade?

»Verstehst du, Anne, es muss sich nicht nur richtig anfühlen, ich muss eine Verbindung zu dem Menschen spüren, nur dann sind meine Horoskope zutreffend.« Frederick trat hinter sie und legte sachte die Hände auf ihre Schultern. »Dreh dich bitte um.«

Hinter ihr hing das Sternzeichen Löwe.

Und daneben ein Foto von ihr.

Es war von schräg oben aufgenommen worden, vermutlich von dem Fenster in diesem Zimmer. Sie stand auf dem Bürgersteig vor dem Mietshaus und redete mit jemandem, den man nicht sehen konnte. Ihr blondes Haar trug sie noch als kurzen Zopf und dazu die falschen, weißen Perlenohrringe, die sie im Sommer auf Korfu beim Schnorcheln verloren hatte.

»War das bei meinem Einzug?«

»Kurz danach«, antwortete Frederick. »Schon als ich dich das erste Mal sah, wusste ich, dass ich meine Löwin endlich gefunden hatte.«

»Das ist mehr als vier Jahre her!« Sie drehte sich um und sah, dass Fredericks Lippen zitterten.

»All die Horoskope …«

»… waren nur für dich.«

Anne trat zu dem Foto, fuhr mit den Fingerspitzen über ihre Konturen. »Du bist die ganze Zeit an meiner Seite gewesen. Du hast die ganzen Jahre meine Hand gehalten.«

»Ich wollte es dir schon so lange sagen. Ich …«

Doch Frederick kam nicht weiter, denn Anne verschloss seine Lippen mit ihren. Es waren so viele Küsse in ihr, aus so vielen Jahren, die es nachzuholen galt. Hier, jetzt und sofort. Ihre Wucht riss Frederick um, und sie landeten auf den breiten Holzbohlen des Fußbodens, aber das war ihr nur recht.

Es gab nur eine Sache, die sie störte.

Dass sie zwischendurch immer wieder Luft holen musste.

Marcs Schuhe standen neben dem Treppenabsatz, denn seine Füße hatten es darin nicht mehr ausgehalten. Der Weg hatte vom von ihrem Mietshaus im Agnesviertel über Annes Lieblings-Tauben-Plätze zum Champagne Supernova geführt – und wieder zurück. Sein Handy bestätigte ihm, dass er das tägliche Schrittziel fünfmal erreicht hatte.

Marc starrte auf den Bürgersteig, der Zeugnis davon ablegte, wie oft er vorbeigekommen war. Jedes Mal hatte er mit einem Kalkstein vom Rheinufer ein Sternbild auf eine der Platten gemalt. Einige Passanten hatten schon Schnappschüsse mit ihren Handys davon gemacht und Marc Münzen zugeworfen. Weil er sie nicht aufsammelte, wurden es immer mehr.

Marc begann, abwechselnd nach links und rechts zu schauen. Er zählte stets bis zehn, dann schaute er in die andere Richtung. Blickte er nach links, fühlte er den weichen Hauch des Spätsommerwinds im Gesicht, nach rechts kühlte er ihm den Nacken. Bei jeder Bewegung spürte er das Schaben des Briefumschlags an der Brust. Er hatte eine erneute, endgültige und offizielle Absage für das ALMA-Teleskop verfasst, die sich in der linken Hemdtasche befand. Diesmal per Brief, er musste sie nur noch einwerfen.

Oftmals meinte er Anne zu sehen, doch die Schemen stellten sich als fremde Frauen heraus. An jeder war etwas falsch, keine war wie Anne.

Als sie endlich um die Ecke bog, ihre Silhouette erleuchtet von der hinter ihr liegenden Agnes-Kirche, erschien sie Marc fast unwirklich.

Er hatte sie so lange gesucht. Nicht nur in dieser Nacht.

Sein Impuls war, ihr entgegenzulaufen, doch dann erkannte er einen Arm um ihre Hüfte, und neben Anne trat eine weitere Silhouette ins Licht.

Er wollte gehen. Noch bevor sie ihn sah.

Doch Anne bemerkte die Sternbilder auf dem Bürgersteig, löste sich aus Frederick Himmels Arm und rannte zu ihm.

»Ich hab dich gesucht!« Sie kniete sich vor Marc und schloss ihn in die Arme. »Hab mir Sorgen gemacht.«

Frederick Himmel stand nun neben ihnen. »Hallo, Herr Dr. Heller.«

Anne wandte sich zu dem Journalisten und griff seine Hand, über die sie mit dem Daumen zärtlich strich. »Ich muss jetzt mit ihm allein sein, ja?«

»Klar, versteh ich. Sehen wir uns morgen?«

Sie drückte seine Hand. »Ich melde mich. Danke für das Essen, die Stärkung habe ich danach echt gebraucht.«

Frederick lächelte verständnisvoll, dann nickte er ihr zu und auch Marc. »Vielleicht tauchen heute Abend noch ein paar Sterne auf.« Er schaute in den wolkenverhangenen Nachthimmel. »Man kann nie wissen, wann die Sicht klar wird.« Mit einem letzten, sehnenden Blick über die Schulter zu Anne ging er fort.

Hatte sie sich schon entschieden? *Nein,* dachte Marc, *ganz bestimmt nicht. Dann wäre die Verabschiedung zwischen den beiden herzlicher ausgefallen.* Er hatte noch alle Chancen, und er würde sie nutzen.

Anne wischte die Stufe mit der Hand sauber und setzte sich neben Marc. »Wie geht es der kleinen Göttin und dem großen Hummer?«

»Sie freunden sich langsam an. Wenn man unter anfreunden sich gegenseitig belauern und attackieren versteht.«

»Ich vermisse die beiden ein wenig.«

Er wollte ihr sagen, dass er sie vermisste, und nicht nur ein wenig. Aber über seine Gefühle zu reden, fühlte sich immer an, als habe er Gräten im Mund. Alle Worte schienen zudem viel zu groß und klobig, um in die feinen Formen zu passen, die sein Herz fühlte.

»Hast du etwas Zeit?«, fragte Marc.

Anne schob den Ärmel ihrer roten Sommerbluse hoch,

öffnete den Verschluss der Armbanduhr und steckte sie in die Hosentasche. »Was machen wir?«

Marc wollte ihre Hand nehmen, doch sie war sicher noch warm von Fredericks. Er strich sich über den Nacken.

Anne ergriff seine Hand, stand auf und zog ihn hoch. »Fragst du nicht, was mit Frederick ist?«

»Nein, denn ich weiß nicht, ob ich es wissen will.«

»Aber vielleicht will ich, dass du es weißt …«

»Wenn man etwas sagt, laut sagt, dann ist es so, als würde es wirklich werden. Worte sind mächtig. Was vorher in Bewegung war, wird plötzlich solide, ändert seinen Aggregatzustand. Ich will noch keine Antwort von dir.«

»Wann denn?«

»Am Ende der Nacht? Wenn der Himmel dann klar ist.«

Sie hakte sich bei ihm ein. »Du bist echt anders als andere Männer. Und ja, das kann man als Kompliment verstehen.«

Einige Schritte gingen sie, dann blieb Marc stehen. »Bist du noch sauer auf mich?«

»Ich verstehe jetzt, warum du es gemacht hast. Henny hat es mir erklärt, du hast es gut gemeint. Aber ich finde es nicht in Ordnung, dass du Schicksal spielen wolltest. Es fühlt sich an, als wolltest du mich manipulieren.«

»Aber es ging nur darum, den perfekten …«

»Ja, aber den muss ich selbst finden. Den muss ich vor allem finden wollen. Das ist das Wichtigste. Ich muss bereit sein. Für das Schicksal.«

»So was wie Schicksal gibt es gar nicht. Nur Zufälle, und die kann man herbeiführen.«

»Okay, Dr. Rechengenie, wie wahrscheinlich war es, dass wir uns ineinander verlieben?«

»Da ist eine rhetorische Frage.«

»Nein, ist es nicht. Du kannst nicht lügen, oder?«

»Das ist unfair.«

»Kannst du es?«

»Ich könnte schon, aber ich will nicht. Es macht das Leben nur komplizierter. Ich weiß, dass man sagt, Lügen seien das Schmieröl der Gesellschaft. Aber ich finde, Schweigen löst dieses mechanische Problem effektiver.«

»Ich wiederhole meine Frage: Wie wahrscheinlich war es, dass wir uns ineinander verlieben?«

»Anne…«

»Jetzt kein Schweigen, ja?«

Marc hatte es ausgerechnet und die Zahl nicht vergessen. »Es lag im Bereich von 0,03 Prozent. Also nahezu ausgeschlossen. Vor allem, dass du dich in mich verliebst.«

»In einem Gerichtsfilm würde ich jetzt die Geschworenen anschauen, meine Augenbrauen vielsagend heben und mich zufrieden auf meinen Platz setzen.«

»Liebe ist eine komplizierte Gleichung!«

»Liebe ist gar keine Gleichung!« Anne ging wieder Richtung Ringe, zu den Lichtern und den Menschen, zum Rattern der KVB-Straßenbahnen und dem Hupen der Autos.

»Wo sollen wir hingehen?«, fragte Anne.

»Immer den Sternen nach.«

Es waren keine zu sehen, doch unbemerkt von Anne hatte Marc längst begonnen, einen Weg einzuschlagen. Sie kauften sich zwei eiskalte Kölsch in einem Büdchen und tauften sie lachend Kölner Champagner, während die Stadt in der Hitze der Nacht träumte, sie läge am Mittelmeer.

»Das kann nicht leicht für dich gewesen sein«, sagte Anne.

»Was meinst du?«

»Einen Mann für mich zu suchen, obwohl du selbst in mich verliebt warst. Das muss schrecklich gewesen sein.«

»Ich hatte es mir fest vorgenommen und ein Jahr Zeit gegeben. Jetzt ist gerade mal ein Viertel davon um.«

»Zeigt, wie gut du bist!«

Doch leider hatte er zwei Männer gefunden.

»Da vorne geht es zu deinem Restaurant.« Marc wies auf die Abbiegung.

»Die kommen heute ohne mich aus.«

»Lass uns hingehen!«

»Was wollen wir da?«

»Das Unmögliche.«

»Dir ist schon klar, dass das selbst für dich eine kryptische Antwort ist?«

»Tatsächlich?«

»Du klingst wie David Copperfield, wenn er einen neuen Zaubertrick ankündigt. Nur die Geste war falsch.«

»Die musst du machen, bist ja schließlich die Assistentin.«

»Ich will nicht die Assistentin sein!« Anne rempelte ihn neckisch an. »Assistentinnen werden immer zersägt. Ich will die Zauberin sein, du bist der Assistent.«

Marc breitete die Arme aus. »Ladies and Gentlemen! Anne Mighty Magic Päffgen ist auf dem Weg zum – dramatische Pause – Unmöglichen!«

Anne lachte. »Wenn du die dramatische Pause auch machen würdest, statt nur darüber zu reden, wäre sie sogar effektiv.«

Kurze Zeit später betraten sie das Champagne Supernova durch den Hintereingang. Im Flur begegneten sie Nina, die sich gerade die Lippen pink nachzog.

»Marc hat irgendwas vor«, sagte Anne statt einer Begrüßung.

»Will er wieder eine Szene vor den Gästen machen?«

»Ich glaube, diesmal nicht. Marc, was willst du denn in der Küche? Geh da lieber nicht rein! Die mögen das überhaupt nicht.«

Kurze Zeit später hörte sie ein entschiedenes »Raus!«, gefolgt von »Wer sind Sie überhaupt?« sowie »Wer hat Sie hier reingelassen? Dem dreh ich den Hals um!«.

Anne drückte sich gerade rechtzeitig hinter Marc in die Küche, um mitzubekommen, was er darauf erwiderte. In der Durchreiche erschienen vier Köpfe des Serviceteams und starrten hinein. Das Kölner Kasperletheater.

»Mein Name ist Dr. Marc Heller, und ich bin hier wegen einer Prise Sterne.«

Wahabi Nouri, sein Sous-Chef und der Azubi hörten auf zu kochen und starrten ihn an.

»Nein, sie ist mein Geheimnis«, sagte Wahabi.

»Ich weiß. Deswegen biete ich Ihnen im Tausch ein anderes Geheimnis an.«

Der Küchenchef zögerte. »Das hat mir noch niemand vorgeschlagen.«

»Ich will das Geheimnis nicht für mich, ich will es für Anne.«

»Das ist wirklich nicht nötig«, sagte Anne, der die Situation sichtlich peinlich war.

Marc merkte es nicht. »Du bist eine Sternenfrau, nicht wahr? Du trinkst Sterne, du lebst nach den Sternen. Für mich bist du wie eine Prise Sterne in meinem Leben. Ich will dir das schenken!«

Wie ein Chor erklang ein »Oh« aus den Mündern der anwesenden Frauen.

»Was ist dein Geheimnis, das du mir zu bieten hast?«, fragte Wahabi.

»Du darfst mir jede Frage stellen, die du willst, und ich werde sie wahrheitsgemäß beantworten. Hier vor allen Leuten.« Marc hatte Angst vor der Frage, Angst, sich zu entblößen, sich der Lächerlichkeit preiszugeben. Doch für Anne würde er es tun.

»Das klingt fair«, sagte der Koch. »Ich weiß auch schon, welche Frage ich dir stellen möchte. Denn sie ist die einzige, die gerade zählt. Liebst du Anne aus ganzem Herzen?«

»Ja«, schoss es aus Marc hervor.

Er konnte nicht sehen, dass Anne hinter ihm schwer schlucken musste.

Wahabi nickte und klatschte in die Hände. »Alle raus! Und die Klappe der Durchreiche zu.« Er stellte den Herd ab, damit nichts zu trocken garte oder gar verbrannte. »Nur Anne und der Doktor bleiben.«

Marc war schon halb zur Tür raus gewesen.

»Kommt her, ihr zwei, und nachher kein Wort zu irgendjemandem!« Wahabi holte eine dunkle Mousse aus dem Kühlschrank. »Die ist jetzt eigentlich zu kalt, aber es wird gehen. Probiert!«

Er reichte beiden einen Teelöffel, und sie kosteten etwas von der dunkelbraunen, fluffigen Masse.

»Lecker«, sagte Anne.

»Find ich gut«, stimmte Marc zu.

Wahabi öffnete die mysteriöse, schwarze Dose, gab eine Prise daraus hinzu, rührte die Masse um und reichte sie den beiden wieder.

»Das schmeckt viel schokoladiger.« Anne nahm noch einen Löffel.

»Und süßer«, sagte Marc. »Ist die Prise Kakaopulver?«

»Nein.«

»Ein marokkanisches Gewürz?«

»Nein.« Wahabi griff in die Dose. »Handinnenfläche nach oben«, forderte er. Ganz wenig der Substanz streute er darauf, nur ein paar Körnchen Sterne. »Lecken.«

Marc zögerte, doch als Anne den Kopf senkte, versuchte er, schneller als sie zu sein.

Danach verzogen beide das Gesicht. Anne streckte sogar die Zunge heraus.

»Ja«, sagte Wahabi und nickte. »Genau das.«

»Es ist bloß Salz, stinknormales Salz!« Anne griff sich ein herumliegendes Salatblatt und steckte es in den Mund, um den Geschmack loszuwerden.

»Bevor ihr enttäuscht seid, haltet eure Hirne an und hört mir zu.« Wahabi hob die Hände beschwichtigend. »Das Salz, die Salzigkeit, sie ist essenzieller Teil eines Gerichts, sonst hat es keine Tiefe, sonst hat es keine Wahrheit. Wir können kein Gericht nur mit Süße ertragen, ein Patissier, der das versucht, wird scheitern. Ein Gang braucht Gegensätze, Kontraste, Spannung. Durch Salz wird Süße erst begreifbar.«

»Aber warum nennst du es eine Prise Sterne?«, fragte Marc.

»Weil es etwas Magisches hat, wie Sternenstaub im Märchen. Es hat einen bedeutenden, faszinierenden Zauber. Es verwandelt Speisen! Salz ist das mächtigste aller Gewürze. Und ich ehre es mit dieser kleinen Dose, ich ehre seine Bedeutung für meine Küche. Auf diese Weise vergesse ich nie, wie wichtig es ist und wie wichtig die Balance ist, die nur Salz hervorbringen kann. Bitte verratet es niemandem, lasst einem dummen, alten Koch sein kleines Geheimnis.« Er schob die Durchreiche auf. »Kommt wieder rein, und zwar hurtig!«

»Du musst es mir erzählen«, sagte Nina, als Anne und Marc wieder in dem schmalen Flur zwischen Gastraum und Weinkeller traten. »Sonst kündige ich dir sofort die Freundschaft!«

»Haben wir noch Restflaschen?«, fragte Anne und nahm sich drei vom Tresen. »Ich entsorge die mit Marc.«

In der Nähe der Kyffhäusserstraße verlief die Trasse der

Bahn. Anne und Marc vermuteten, dort fänden sich gute Sitzplätze und man wäre in der ersten Reihe, um Züge und deren Insassen zu beobachten. Doch es kamen kaum welche. Das ließ ihnen mehr Zeit, um die Flaschen zu leeren. In allen steckten Sterne.

»Ein wenig enttäuscht bin ich schon von Wahabis Dose«, sagte Anne.

»Ich hatte wirklich auf Meteoritenstaub getippt«, entgegnete Marc.

Sie lehnte sich zurück und ließ den Kopf in den Nacken fallen. »Aber lass uns mal für einen Moment philosophisch werden, nur ganz kurz, und dann ist es auch wieder vorbei. Vielleicht spricht der Alkohol aus mir, aber manchmal spricht der ja wahr!« Sie nahm noch einen Schluck. »Also, Salz, im Übertragenen Traurigkeit, Schmerz, all der unangenehme Mist, ist Teil des Lebens, sonst hat es keine Tiefe, sonst hat es keine Wahrheit. Ein erfülltes Leben ohne Salz gibt es nicht. Wer versucht, dass alles rosarot wird, der scheitert. Man muss die Prise Salz in seinem Leben akzeptieren, mehr noch, sie als wichtigen Teil des Ganzen sehen. Nur dank Salz schätzen wir die Süße des Lebens, erst durch Traurigkeit schätzen wir das Glück. In jedem wahren Glück steckt etwas Traurigkeit. Es ist immer inklusive.«

Marc legte seinen Arm um Anne, denn er fühlte sich ihr gerade unglaublich nah. Er hatte in den letzten Wochen, seit er sie in der Kölner Nacht der Sterne wiedergefunden hatte, mehr als eine Prise Salz in seinem Leben ertragen müssen. Nun fühlte es sich an, als schütte jemand ein Fass Zucker über ihm aus. Er wusste es sehr zu schätzen.

Sie tranken weiter, bis die Champagnerflaschen leer waren. Das Kohlendioxid trieb den Alkohol mit Hochgeschwindigkeit durch ihre Blutbahnen. Doch die Welt wurde dadurch immer langsamer.

»Haben wir eine Zukunft?«, fragte Marc und spürte den Briefumschlag an seiner Brust, als sei er nicht aus weichem Papier, sondern aus Scherben. Da ein Zug mit quietschenden Bremsen einfuhr, musste er auf die Antwort warten.

Er hasste diesen Zug.

»Wir haben jede Chance im Leben«, antwortete Anne.

»Du hast jede. Ich weiß nur nicht, welche du wählst.«

»Will nicht wählen. Will Nichtwählerin sein.«

»Zwischen Frederick und mir? Du weißt, wie sehr ich dich liebe?«

Anne bettete ihren Kopf an seine Schulter. »Hast du mich von der Nacht an geliebt, in der Dirk mich betrogen hat? War es sofort, als habe jemand das Licht eingeschaltet?«

»Solltest du jetzt nicht sagen, was du für mich fühlst?«

»Du weichst meiner Frage aus.«

»Nein, du meiner. Aber das ist okay.« Marc schob seine Buddy-Holly-Brille den Nasenrücken empor. »Ich liebte dich vom ersten Moment an, als ich dich wiedersah. Aber ich hab's nicht gewusst. Hatte eine Mauer um meine Gefühle gebaut, weil die einfach nicht sein durften. Und es brauchte viele Schläge, um sie einzureißen.«

Sie boxte ihn spielerisch auf die Brust. »Mit dem Vorschlaghammer?«

»Plus Sprengstoff!«

»Ich kenne das, manchmal drückt man Gefühle in ein Zimmer, schließt es ab und wirft den Schlüssel weg. Weil sie gerade einfach nicht sein dürfen. Und man hofft, dass man sie vergisst. Dass das Zimmer zuwuchert, so wie Dornröschens Schloss. Ich bin sehr gut darin, Zimmer zu verriegeln, weißt du. So schütze ich mich.«

»Bin ich schon in einem dunklen Zimmer?«

»Nein ...« Sie drückte sich an ihn. »Ich bin müde und will schlafen. Aber hier ist es zu laut.«

»Ich ruf uns ein Taxi.«

Sie schüttelte den Kopf. »Ins Champagne Supernova.«

»Das wird jetzt schon zu haben.«

»Will da hin. Noch was trinken.«

Anne und Marc brauchten lange zurück, da sie die Strecke torkelnd zurücklegten. Als sie endlich da waren, hatte das Champagne Supernova zu. Ganz Köln schloss langsam die Augen, auch wenn es immer mal wieder blinzelte und verwirrt in die Gegend schaute.

Sie setzten sich in den Eingang, und Marc spürte Annes Wärme, als sie sich so an ihn kuschelte, wie es die kleine Göttin tat. Als sei er Kissen und Decke zugleich.

»Ist so hell hier«, murmelte Anne. »Mach das Licht aus, ja?«

»Das ist die Straßenbeleuchtung der Kyffhäuser.«

»Zu hell.«

Marc zog die Jacke aus und legte sie Anne sanft über den Kopf, doch sie drückte den Stoff weg. »Bekomme keine Luft.«

Versonnen strich er ihr einige Strähnen aus dem Gesicht, dann griff er zu seinem Smartphone. Die Nummer hatte er auf Kurzwahl.

»Prian?«

»Was?« Er klang verschlafen. »Marc, bist du das? Hast du mal auf die Uhr geguckt?«

»Schalt das Licht aus.«

»Wovon redest du? Ist doch aus. Weil ich geschlafen habe!«

»In Köln. Mach es wieder aus.«

»Sag mal, spinnst du?« Jetzt war er wach. »Beim letzten Mal hätten sie mich beinah drangekriegt.«

»Anne kann nicht schlafen, ist zu hell.«

»Wo seid ihr denn?«

»Auf der Kyffhäuser.«

»Warum geht ihr nicht zu dir?«

»Mach das Licht aus, okay? Über Steffenbergs Rechner. Und diesmal so, dass er sich nicht rausreden kann.«

Prian klang nun wie auf Steroiden. »Jetzt echt?«

»Ja, lösch das Licht. Anne bekommt sonst kein Auge zu.«

»Gib mir fünf Minuten!«

»Make it so«, sagte Marc.

»Verstanden, Captain Picard. Nummer eins aus.« Prian lachte, als er auflegte.

Anne dagegen brummte. »Ist es noch an?«

»Der Schalter ist kompliziert.«

»Blöder Schalter.«

Prian schaffte es in vier Minuten.

Bemerkenswert, dass die Kölner Elektrizitätswerke aus dem ersten Stromausfall nichts gelernt hatten.

Marc korrigierte sich. Es war typisch kölsch.

Als es dunkel war, wurde Annes Atem immer tiefer und langsamer, das Heben und Senken ihrer Brust gleichmäßiger. Ihre wohlige Wärme übertrug sich auf ihn. Marc wollte nach dem Umschlag greifen, um die Kündigung in den nahe stehenden Briefkasten zu werfen. Doch es würde ihm nicht gelingen, ohne Anne zu wecken. Also ließ er es.

Die Kyffhäuserstraße leerte sich, und es stellte sich tatsächlich so etwas wie Ruhe ein. Anne schnarchte ein bisschen und murmelte Unverständliches. Erst als Marc sein Ohr zu ihrem Mund senkte, verstand er etwas.

»Löwin, heute musst du stark sein und die richtige Entscheidung fällen.« Die Sterne, die sie eben getrunken hatte, sprachen nun aus ihr. »Pluto steht im Merkur und links von der Venus auch, deshalb wirst du lange mit dieser Entscheidung leben, Anne.«

Es klang nicht wirklich wie ein Horoskop. Die sprachen einen selten persönlich an.

Sie atmete schwer.

»Du weißt, dass du dich schon für den Mann entschieden hast, der dir wie ein Stern war. Der dich geleitet hat, ohne dass du irgendwas davon gemerkt hast.«

Marc hatte den Eindruck, der Temperaturregler seines Herzens wurde hochgeschoben. Er lehnte die Wange an Annes warme Stirn und blickte hinauf. Warum war der Himmel an solch einem wundervollen Abend bloß verhangen, warum zeigte sich kein Stern?

»Du liebst den Mann, der dir die Sterne deutet.«

Marc war so glücklich, diese Worte zu hören. Gesprochen im Schlaf, in dem es keine Lügen gab. Es war, als rede Annes Herz selbst. Marc atmete ganz flach, wollte auf keinen Fall riskieren, sie zu wecken, ihren Redefluss versiegen zu lassen. Dabei wäre er am liebsten jubelnd in die Luft gesprungen. Doch er wartete, dass sie weitersprach. Falls sie nicht in einen tieferen Traum hinabsank, der auch ihre Lippen schlafen ließ.

Plötzlich murmelte sie wieder.

»Er steht im selben Haus wie du. Dritte Etage.« Sie grinste. »Der ist dein Schicksal.«

Marcs Herz pumpte, als würde er so schnell davonrennen, wie er nur konnte, und nicht im Eingang des Champagne Supernova sitzen.

Als er den Mund öffnete, sprach er ganz leise. Seine Stimme zitterte.

»Was ist mit dem anderen Mann, der die Sterne anschaut?«

Ihr Mund verzog sich, als würde sie einen harten Kaugummi bearbeiten. »Der ist auch wie ein Stern für mich, der leitet mich. Ja, der ist der beste Leitstern im Universum. Als hätte ich einen Bruder im Himmel, so ist er.«

»Liebst du ihn?« Die Frage geriet ihm zu laut, Annes Augenlider flatterten. Segel im harten Wind.

»Natürlich lieb ich den, und wie!«

»Dann ist gut.«

Marc sagte sich, dass es wegen des Alkohols in Annes Blutbahnen und ihrem Kopf durcheinanderging. Sie hatte sich nicht für Frederick entschieden. Sondern für sie beide. Es war noch alles offen.

Annes Mund öffnete sich wieder.

»Der Mann, der in die Sterne guckt, der in der Eifel, der war mein Liebesbote. Er hat den richtigen Mann für mich gefunden. Den perfekten. Das weiß mein Herz. Nur mein Kopf noch nicht. Dummer Kopf.«

Marcs Hals wurde trocken. Er räusperte sich.

»Frederick, bist du das?« Anne öffnete die Augen nicht, doch ihr Kopf bewegte sich, als suche sie nach dem anderen Mann.

Marc wollte aufstehen, wollte gehen, verschwinden, wollte nie da gewesen sein, nie vom Hotel im Wasserturm den Weg zur Kyffhäuser eingeschlagen, nie Anne wiedergetroffen haben. Als er sich erhob, dabei darauf achtend, dass Annes Kopf sanft tiefer sank, bis er auf der Fußmatte zum Liegen kam, bemerkte er, dass Kerzen ins Fenster des Restaurants gestellt wurden. Leise klopfte er an die Tür. Zuerst passierte nichts, dann erschien ein Kopf hinter dem Glas und blickte zu ihm. Es war Wahabi Nouri. Um Anne nicht aus dem Gleichgewicht zu bringen, öffnete er die Tür ganz langsam.

»Sie schläft tief und fest«, flüsterte Marc. »Kann ich sie drinnen irgendwo hinlegen?«

Wahabi nickte. »Unter der Lichterkette ist eine Bank, die müsste breit genug sein. Ich lege ein paar Stuhlkissen drauf. Bin noch in der Küche zugange und probiere neue Würzmischungen aus. Werde ganz leise sein und Anne nicht wecken. Alles gut bei dir? Du siehst richtig scheiße aus. 'tschuldigung, aber ist so.«

Marc versuchte, seine Stimme zu kontrollieren, doch sie brach aus wie ein störrisches Pferd. »Im schwachen Licht sieht jeder anders aus. Hältst du die Tür für mich auf? Ich kann sie allein tragen.«

Anne legte schläfrig die Arme um seinen Hals. Genau so, wie sie es getan hatte, wenn sie sich küssten. Ihre Stirn ruhte an seinem Hals, als schliefen sie zusammen in einem Bett. Ihr warmer Atem strich über sein Kinn. Das hatte er sehr geliebt.

Marc trug sie so langsam und vorsichtig ins Restaurant, als bestünde Anne aus hauchdünnem Porzellan. Wahabi hatte unzählige Kissen auf die Bank geschichtet, über der die Lichterkette aus Monden und Sternen hing.

Sie war dunkel.

Nachdem er Anne hingelegt hatte, betrachtete Marc sie mehrere Minuten im schwachen Licht der flackernden Kerzen. In der Dunkelheit sah Anne wieder aus wie das Mädchen aus dem Nachbarhaus, das immer so hoch schaukelte, bis es vor Angst kiekste. Und das ihm trotzdem manchmal zuwinkte. Er gab ihr einen sanften Kuss auf die Stirn.

»Leb wohl, Nachbarin.«

Er wollte schon gehen, doch schaffte es nicht, gab ihr noch einen Kuss. Auf die Lippen. Einen ganz langen. Atmete ihren Duft tief ein. Strich dabei über ihre Haare, als müsste er sie trösten.

Dann verließ er das Restaurant.

Ohne sich noch einmal umzusehen.

Waage (24. September – 23. Oktober) Sie stehen vor einem großen Umbruch in Ihrem Leben. Es gilt, neue Welten zu erobern! Haben Sie keine Angst davor, die Sterne stehen gut. Wenn Ihnen das Neue im ersten Moment fremd erscheint, geben Sie sich Zeit, wirklich anzukommen. Überall kann man Wurzeln schlagen und glücklich werden. Und seien Sie sicher: Alle, die Sie zurücklassen, denken an Sie, begleiten Sie in Ihren Gedanken.

Epilog

Marc zählte die letzten Sekunden in der Falcon-11-Rakete mit herunter.

Dann spürte er die brodelnde Kraft der zündenden Merlin-Triebwerke, deren explodierender Treibstoff gegen die Erdanziehungskraft ankämpfte. Spürte in allen Knochen, Muskeln und Sehnen den Rückstoß, der ihn tief in den Sitz drückte. Die Erde wollte ihn nicht loslassen. Der Druck am Herz schien am stärksten, als würde es gleich aus seiner Verankerung in der Brust gerissen werden, durch den metallenen, mehrfach verstärkten Boden der Red-Dragon-Kapsel und hinunter zur Erde taumeln, wo es sein wollte.

Als er all seinen Willen einsetzte, um den Kopf nach links zu drehen, kam es ihm vor, als müsse er ihn in eine massive Betonwand drücken. Doch er schaffte es schließlich, aus den Augenwinkeln hinausblicken zu können. Auf die wunderschöne, blaue Kugel, die seine Heimat gewesen war. Nachdem Gott das Universum geschaffen hatte, dachte Marc, nachdem er all die Sterne und all die Nebel geschaffen hatte, da ruhte er sich aus. Und dann träumte er. Es war ein wirrer Traum, voller Widersprüche und Verrücktheiten. Dieser Traum wurde wahr.

So schuf Gott die Erde.

Dort unten lag Europa, lag das Teleskop in Effelsberg und hörte in diesem Moment ins All. Prian, der es nun leitete, hatte versprochen, auf ihn aufzupassen. Auch auf die kleine

Göttin, die sich so daran gewöhnt hatte, einen Menschen für sich zu haben.

Daneben lag Köln, wo Edward im Zoo ein neues Zuhause gefunden hatte.

Und wo Anne lebte.

Glücklich mit dem Mann, der ihr schon immer die Sterne gedeutet hatte. Er hatte die beiden vor der Abreise besucht. Sie hatten zusammen Gesteinsplanetenkuchen aus der Tiefkühltruhe gegessen und dazu Champagner getrunken.

Es tat noch ein bisschen weh, wenn Marc an Anne dachte, doch mit jedem Tag fand sich mehr Wärme in seinem Herzen, weil sie ihren Traum lebte.

Seiner lag nur noch vierhundert Millionen Kilometer entfernt.

Die zweite Stufe zündete und raubte ihm den letzten Rest Luft. Er konzentrierte sämtliche Kraft auf seinen Atem, presste den Sauerstoff in seine zusammengequetschten Lungen.

Die Erde drehte sich unbeeindruckt weiter, wie sie es seit Ewigkeiten tat. Nordamerika kam in Sicht, dann der Süden des Kontinents und mit ihm Chile. Dort lauschte das zweite Ohr in seine Richtung, denn Henny war ihm damals in die Atacama-Wüste gefolgt. Für ihn war es nur eine Durchgangsstation geworden zu einem ferneren Ziel, das er und alle anderen Menschen bisher nur als roten Punkt am Nachthimmel kannten.

Er würde einer der ersten sieben Menschen sein, die ihn betraten.

Und nie mehr verlassen würden.

Sie alle hatten eine einfache Fahrt gebucht. Das war der Deal gewesen. Für die Erfüllung ihres allergrößten Traums.

Zweihundertfünfzig Tage würden sie reisen, dann südlich der Tiefebenen von Elysium Planitia im Gale Krater landen, einer hundertvierundfünfzig Kilometer großen Formation, die vor über drei Milliarden Jahren entstanden war.

Als sie die Erdanziehung hinter sich ließen und die Schwerelosigkeit einsetzte, kam sie wie eine Erlösung, wie ein Geschenk des Himmels, in dem sie sich nun befanden und der überall um sie war. Eine unfassbare Schwärze mit gleißend hellen Nadelstichen. Marc vermutete, dass seine Tränen vom Druckausgleich kamen, sie ließen den Blick hinaus trüb werden.

Ein weißer Punkt bewegte sich in der Ferne zwischen den Sternen, ein Komet auf seinem Weg allein durch das All. Sein Weg schien parallel zu ihrer Red-Dragon-Kapsel zu verlaufen. Marc hatte die Bahn von »C/2002 T7 (Anne Päffgen)« nicht mehr beobachtet, seit er Anne das letzte Mal geküsst hatte, unter der ausgeschalteten Lichterkette des Champagne Supernova mit ihren kleinen Sternen und Monden.

Dies musste ihr Komet sein.

Er war sich ganz sicher.

Marc hätte es überprüfen können, nur wenige Sekunden hätte es gedauert, doch er wollte nicht.

Er wollte, dass dies Annes Komet war und er mit ihm zum Mars käme. Wo der Sternenhimmel schöner war als sonst irgendwo im Sonnensystem.

Und von wo der kleine Junge aus Köln-Sülz zu dem schönen Mädchen schauen würde, das auf der Schaukel immer höher und höher stieg.

Danksagungen

Danke an die »Mars One«-Mission, die im Jahr 2022 einen Flug zum Mars ohne Wiederkehr plant und Inspiration für diesen Roman war.

Dank an meine Erstleser Vanessa Rehme, Gerd Henn, Beate Samoray, Susanne Gaukel, Dr. Kerstin Wolff und Christiane Antons und an Uwe Voehl, den Magier, der die Zeit anhalten kann.

Dank an Klaus Stickelbroeck für die polizeiliche Beratung.

Dank an Kerstin von Dobschütz für fortwährende Unterstützung und Dr. Barbara Raschig für das engagierte Lektorat.

Dank an Dr. Norbert Junkes vom Max-Planck-Institut für Radioastronomie für astronomische Beratung – der Besuch auf dem Radioteleskop war ein einmaliges Erlebnis! Leider hat die Anlage keine Kantine, das war künstlerische Freiheit (und ein knurrender Magen beim Recherchebesuch).

Dank an Lloyd Cole, dessen *New York Recordings* zu meinem Soundtrack des Buches wurden.

Dank an Nina Schramm, die mich von der blöden Ursprungsidee abbrachte.

Dank an meine bezaubernde Orientalisch-Kurzhaar Mimi, dass sie Vorbild für die kleine Göttin war. Ich habe es ihr erklärt, bin mir aber nicht sicher, ob sie die Tragweite meiner Aussage verstanden hat. Auf jeden Fall sagte sie zustimmend »Hau«.

Dank an Thomas Eppinger, der als Erster bei meiner Facebook-Umfrage nach einem Hummernamen »Edward mit den Scherenhänden« vorschlug. Und Dank an Ape Werner für die Erläuterungen zum Thema Tiernamen, die ich fast eins zu eins übernommen habe.

Dank an meinen wunderbaren Agenten Lars Schultze-Kossack.

Dank an das Land Ladonien, zu dessen »Minister for feasting, boozing and all other forms of culinary enjoyment« ich ernannt wurde – was mich auch sehr stolz macht (und ebenso durstig wie hungrig).

Danke an die »Kölner Lichter« für viele wundervolle Feuerwerke, die in Wirklichkeit ein paar Wochen früher stattfinden als im Roman.

Der größte Dank geht an meine Kinder Frederick und Charlotte. Ihr gebt mir Kraft, selbst dann, wenn ihr mich Nerven kostet.

Ich liebe euch sehr. Ihr seid meine Sterne!